TEOLOGÍA DEL
ANTIGUO TESTAMENTO

Raíces para la fe
neotestamentaria

TEOLOGÍA DEL ANTIGUO TESTAMENTO

Raíces para la fe
neotestamentaria

ROBERT L. CATE

EDITORIAL MUNDO HISPANO

EDITORIAL MUNDO HISPANO

7000 Alabama Street, El Paso, TX 79904, EE. UU. de A.

www.editorialmundohispano.org

Nuestra pasión: Comunicar el mensaje de Jesucristo y facilitar la formación de discípulos por medios impresos y electrónicos.

Traductor: Roberto Fricke

Diseño de la portada: Iván Tempra

Primera edición: 1989
Décima edición: 2018

Tema: 1. Biblia. A.T. — Crítica, interpretación

Número de Clasificación Decimal Dewey: 221.6

ISBN: 978-0-311-09110-2
EMH Núm. 09110

750 5 18

Impreso en Colombia
Printed in Colombia

Dedicado
a la memoria de mis padres
quienes fueron los primeros
que me contaron
las historias de Jesús
y del pueblo del cual él vino

CONTENIDO

INTRODUCCION

"El Antiguo Testamento, ¿de qué se trata, al fin y al cabo?" El hombre que me hacía la pregunta estaba sentado frente a mi, en la oficina de la iglesia. Era un maestro de la Escuela Dominical el que pedía mi ayuda. Tales preguntas han sido formuladas muy a menudo por aquellos cuyas iglesias les han responsabilizado con la enseñanza de las verdades bíblicas a otros. También las han preguntado con igual frecuencia las personas que simplemente buscan entender la revelación completa de Dios. Para la mayoría de nosotros, al Antiguo Testamento es un libro cerrado. Conocemos algunas de las historias de sus héroes, pero sabemos poco de cómo éstas se relacionan entre sí y menos cómo se relacionan con el Nuevo Testamento.

Ya que somos cristianos y puesto que el Nuevo Testamento nos habla de Jesús y de sus seguidores que esparcieron el evangelio, muchos nos preguntamos ¿por qué necesitamos el Antiguo Testamento? Sin embargo, está incluido en nuestra Biblia. Además, Jesús hacía alusión a él muy a menudo. Por lo tanto, nos sentimos culpables por ignorarlo. También nos sentimos frustrados por no ser capaces de entenderlo.

Tenemos una sensación muy palpable de que Dios procura decirnos algo mediante sus páginas, pero no podemos entender qué es. De modo que lidiamos con los sermones ocasionales que se nos predican sobre él, forcejeamos con las lecciones de la Escuela Dominical que se basan en él y casi siempre tenemos una sensación de alivio al volver al Nuevo Testamento, porque es ahí en donde nos sentimos más seguros.

Son esos sentimientos y otros semejantes los que me motivaron a escribir este libro. Yo mismo he estado en ese lugar de cuestionante frustración. Conozco bien el sentimiento de saber poco acerca del Antiguo Testamento y comprender aún menos de él. También me ha tocado tener el privilegio de escuchar a Dios hablándome mediante sus páginas. He descubierto la emoción de aprender algo de su maravilloso mensaje. A través de sus páginas he visto grandes naciones y reyes poderosos movidos por el impulso de la voluntad y los propósitos de Dios. Me he sentado a los pies de Moisés e Isaías.

He llorado con Jeremías; he sufrido juntamente con Job; he cantado
con David y he buscado el significado de la vida con Salomón.
También he compartido las obras portentosas de Dios mientras él
intervenía en las vidas de gente ordinaria como usted y como yo.
Sobre todo, he descubierto que el Antiguo Testamento no es un libro
muerto que habla de gente que vivió hace mucho. Es, más bien, un
libro viviente que tiene que ver con usted y conmigo. Nos dice lo
que Dios hacía con otras personas en otro lugar y en otra época, pero
también nos comunica su mensaje a usted y a mí en el aquí y ahora.
Es por causa de esto que busco ayudarle a que descubra las raíces
del Antiguo Testamento para nuestra fe neotestamentaria.

La relación entre los Testamentos

El primer problema que debemos considerar es: "¿Por qué
tenemos el Antiguo Testamento?" Es cierto que lo tenemos porque
Dios nos lo dio, pero aún queda vigente nuestra pregunta.

También es cierto que lo que denominamos el Antiguo Testamento es la Escritura sagrada del judaísmo. Algunos nos darían a
entender que, puesto que el cristianismo nació en la cuna del
judaísmo, constituyéndose casi en una secta del judaísmo desde sus
inicios, guardamos su Biblia para descubrir nuestros orígenes.
Puede ser cierto. Todos necesitamos un concepto de la historia con
el fin de que comprendamos cómo hemos llegado a estar donde
estamos y sepamos algo en torno a dónde vamos. Si esta es la única
razón por conservar el Antiguo Testamento, entonces será únicamente de interés arcaico, sin ningún impacto verdadero sobre
nuestra vida.

No obstante, debemos notar que fueron los cristianos primitivos
los que preservaron el Antiguo Testamento para nuestro uso. Aún
después de ser expulsados del judaísmo, ellos se aferraron al
Antiguo Testamento. Seguramente tendría algún significado para
ellos, más allá de su interés histórico.

Además, nos deleitamos en citar a Pablo quien dijo: "Toda la
Escritura es inspirada por Dios, y útil para enseñar, para redargüir,
para corregir, para instruir en justicia, a fin de que el hombre de
Dios sea perfecto, enteramente preparado para toda buena obra" (2
Ti. 3:16, 17). Cuando Pablo escribió esto, casi la única Escritura
disponible a las iglesias primitivas era el Antiguo Testamento. Si él
creía que era inspirada por Dios y que era útil, ¿no lo debemos
aceptar nosotros sobre la misma base?

También, Jesús mismo dijo: "No penséis que he venido para
abrogar la ley o los profetas; no he venido para abrogar, sino para
cumplir" (Mt. 5:17). El citaba con frecuencia el Antiguo Testamen-

to; comenzó su ministerio leyendo de él y aseverando que él cumplía
aquello que anticipaba el libro de Isaías (Lc. 4:16-21). Esto sólo nos
debe bastar para hacer uso del Antiguo Testamento.

Se relaciona con esto el hecho de que los cristianos primitivos
creyeron personalmente y proclamaron públicamente que Jesús era
el cumplimiento del Antiguo Testamento. Pedro predicó esto en su
sermón el día de Pentecostés (Hch. 2:14-36). Felipe hizo lo mismo
en su testimonio ante el eunuco etíope (Hch. 8:30-35). Los
escritores de los Evangelios y Pablo, en sus cartas, toman nota de
que el Antiguo Testamento señala a Jesús. Ellos lo veían como el
cumplimiento personal de la esperanza de Israel. De modo que el
Antiguo Testamento fue guardado por los cristianos primitivos no
porque fueran conservadores, que buscaran asirse del pasado, sino
porque eran atrevidos. Se atrevían a creer que Jesús era el
cumplimiento de todo aquello que señalaba el Antiguo Testamento
y que habían anticipado con tanto anhelo. Se atrevieron a creer que
los grandes propósitos realizados por Dios en las vidas de Abraham,
Moisés, David, Isaías, Jeremías y otros alcanzaron su realización
suprema en la vida de Jesús, el Cristo.

Por ende, de un modo muy real, el Antiguo Testamento es el
fundamento del Nuevo Testamento. En él se hallan las raíces desde
las cuales ha crecido y prosperado nuestra fe neotestamentaria. Si
hemos de entender el mensaje cabal del Nuevo Testamento es
menester que comencemos con el Antiguo Testamento. De ningún
modo debe entenderse esto como queriendo decir que uno no se
puede salvar sin el conocimiento y la comprensión del Antiguo
Testamento. Alguien se puede salvar aun sin conocer o comprender
mucho de lo que hay en el Nuevo Testamento. La salvación
depende de Jesús, no de la Biblia. Pero, sí es cierto, que nunca se
tendrá una comprensión más completa de lo que él ha hecho y de lo
que está haciendo sin primero comprender el mensaje del Antiguo
Testamento. Casi todos los términos usados para describir a Jesús y
su ministerio tienen sus raíces en el Antiguo Testamento. Es ahí
donde hemos de comenzar si queremos comprender cabalmente la
revelación de Dios en Cristo Jesús.

La autoridad del Antiguo Testamento

Se hace claro, entonces, que el Antiguo Testamento posee una
autoridad sobre aquellos que aceptan a Jesús como Señor. Jesús
aceptó y proclamó su autoridad. Debemos hacer lo mismo. El
señorío de Cristo Jesús es la base fundamental para la autoridad del
Antiguo Testamento. Pero luego nos toca procurar entender la

naturaleza de esta autoridad. ¿Cómo lo hemos de entender y obedecer?

Una lectura muy superficial del Antiguo Testamento nos revela de inmediato varios aspectos del problema. ¿Cómo hemos de concebir el sistema de sacrificios de Levítico? ¿Qué trato hemos de darle a las llamadas guerras santas de Josué? Estos no son problemas de fácil solución y no bastarán respuestas sencillas.

Aquí, también, Jesús nos ha dado el ejemplo. En el Sermón del monte Jesús presentó varios pensamientos en torno a la autoridad del Antiguo Testamento (Ver Mt. 5:17-48). Consideremos los siguientes aspectos:

(1) El Antiguo Testamento gozará de autoridad "hasta que todo se haya cumplido" (Mt. 5:18).

(2) Ningún individuo tiene el derecho de suavizar o eliminar la autoridad del Antiguo Testamento (Mt. 5:19).

(3) La mera obediencia a la ley no basta. Probablemente nunca ha habido otro grupo de personas que haya guardado la ley con más celo que los fariseos y sin embargo se nos advierte que nuestra justicia debe ser mayor que la de ellos (Mt. 5:20).

(4) Para poder explicar lo que quería decir por este último concepto, Jesús interpretó varios de los mandamientos (Mt. 5:21-47). Lo que hizo en este pasaje fue demostrar que tras cada mandamiento había un principio subyacente. La obediencia rigorosa a la letra de la ley haciendo caso omiso del principio más profundo era errar al blanco. Aún es así. Jesús buscaba el eje central de cada mandamiento y lo aceptaba como teniendo una autoridad categórica.

Así es que, si hemos de hallar la autoridad que el Antiguo Testamento ejerce sobre nuestras vidas, es aquí en donde debemos comenzar. Al aceptar el señorío de Cristo, debemos buscar comprender el Antiguo Testamento dentro de su contexto. Debemos buscar no tan sólo el significado literal de las palabras sino también hemos de encontrar el principio subyacente, el eje central de cualquier pasaje o evento. Luego, este eje central o principio debe ser prosperado bajo la inspiración del Espíritu Santo para encontrar su autoridad sobre nuestras vidas hoy.

Esto no es fácil. Nadie jamás dijo que lo era. Pero no por eso deja de ser necesario. No nos basta sólo hablar de la autoridad del Antiguo Testamento. Si de verdad tiene autoridad, entonces nos toca no tan sólo comprender su mensaje sino también aplicarlo con autoridad a nuestras vidas. Cualquier otra cosa no es suficiente.

Fundamentos para el estudio del Antiguo Testamento

Ya que el Antiguo Testamento tiene una autoridad sobre la vida del creyente, es importante enterarnos de lo que dice. No hay excusa para creer en su autoridad y a la vez fallar en descubrir su mensaje. Esto, sin embargo, hace surgir dos asuntos más, los problemas del texto y el canon. Si hemos de comprender y aplicar el Antiguo Testamento a la vida, debemos saber exactamente qué libros se incluyen y qué dicen estos libros.

El canon.

El vocablo *canon* proviene de una palabra griega que significa "caña" o "vara de medir". A partir de esto se desarrolló el significado de "autoridad" o "regla". Al aplicarse al Antiguo Testamento, alude a los libros autoritativos contenidos en él. No hay modo de entender el mensaje del Antiguo Testamento sin primero enterarnos de cuáles libros en realidad le pertenecen. Algunas Biblias tienen sólo treinta y nueve libros en el Antiguo Testamento. Otras Biblias, particularmente las de los católicos romanos, contienen los libros adicionales que se conocen como Apócrifos (normalmente son catorce). Aun otras, especialmente aquellas de las iglesias ortodoxas orientales, agregan tres libros más a los Apócrifos. Surge de inmediato la pregunta: ¿Cuál es la correcta? Los protestantes y los evangélicos a menudo han preguntado por qué la Iglesia Católica Romana y la Ortodoxa Oriental han agregado libros a sus Biblias. Estos, en cambio, se han preguntado por qué nosotros dejamos fuera algunos de los libros del Antiguo Testamento. Ninguna de las preguntas llega al meollo del asunto del canon. ¿Cuáles libros son autoritativos?

El Antiguo Testamento era la Biblia de Israel. Se escribió originalmente en hebreo con una que otra sección en arameo (el arameo es un idioma estrechamente relacionado con el hebreo). Por el segundo siglo a. de J.C., el Antiguo Testamento fue traducido al griego. A estas alturas, éste había llegado a ser el idioma principal del mundo. Multitudes de judíos, esparcidos por todo el mundo conocido, ya no podían leer el hebreo. En respuesta a este fenómeno, se tuvo que traducir su Biblia al griego.

Es digno de notar que este acontecimiento hizo que las Escrituras estuvieran disponibles en el idioma del hombre común. Esto fue muy importante cuando los cristianos primitivos empezaron sus actividades misioneras. Ya había una Biblia vertida al idioma común del día. Esta es una evidencia más de cómo la providencia de Dios abre la brecha para sus mensajeros.

Después de ser traducido el Antiguo Testamento al griego,

muchos judíos piadosos continuaron escribiendo libros religiosos, generalmente en griego. Algunos de estos libros llegaron a agregarse al Antiguo Testamento en griego, pero fueron rechazados por los que hablaban el arameo dentro del pueblo tradicional del judaísmo. De modo que la versión griega del Antiguo Testamento resultó con más libros que el original hebreo. La versión griega llegó a conocerse como la Septuaginta, un vocablo que significa "setenta". Este nombre se basaba en la leyenda de que la traducción al griego la hicieron setenta ancianos en setenta días, una leyenda que no tiene base histórica alguna. La versión de la Septuaginta usualmente se abrevia por LXX.

Ya que los cristianos primitivos esparcidos por todo el mundo del Mediterráneo hablaban el griego, normalmente usaban la LXX como su Biblia. Cuando ésta fue traducida al latín por Jerónimo, a fines del siglo IV d. de J.C., éste llegó a ser el canon oficial de la Iglesia Católica Romana. En cambio, los protestantes y los evangélicos han creído que, ya que el Antiguo Testamento es la Biblia del judaísmo, sólo deben recibirse aquellos libros aceptados por los judíos como autoritativos. Es por esto que hemos recibido cánones divergentes para el Antiguo Testamento.

Hay una diferencia adicional entre estos cánones y es con respecto al orden de los libros. Aunque rechazamos los libros agregados de la LXX, generalmente hemos aceptado el orden de ésta. Esto facilita más la localización de los libros cuando se usan los dos cánones. El canon hebreo lleva un orden diferente.

La Biblia Hebrea se divide en tres secciones principales. La primera es la Ley, o Torah. Esta consta de Génesis, Exodo, Levítico, Números y Deuteronomio, en ese orden. La segunda división principal son los Profetas, o *Nebhi'im*. Esta se subdivide en los Profetas anteriores y los Profetas posteriores. Los Profetas anteriores consisten en Josué, Jueces, 1 y 2 Samuel, y 1 y 2 Reyes. Los Profetas posteriores son Isaías, Jeremías, Ezequiel y el Libro de los Doce (los profetas menores, Oseas hasta Malaquías). La tercera sección de su canon la constituyen los Escritos, o los *Kethubim*. Estos son Salmos, Proverbios, Job, Cantar de Cantares, Rut, Lamentaciones, Eclesiastés, Ester, Daniel, Esdras, Nehemías, y 1 y 2 Crónicas. Es importante, para nuestro estudio más tarde, que nos familiaricemos tanto con las secciones del canon hebreo como con los libros de cada sección.

El texto.

Al estudiar el mensaje del Antiguo Testamento no es suficiente saber cuáles son los libros autoritativos. Tenemos que saber qué es lo que los libros dicen. Este es el punto en donde se hace importante el estudio del texto del Antiguo Testamento. Las personas que hacen esta clase de trabajo se llaman críticos textuales. El trabajo que realizan procura determinar el "mejor" texto para cada uno de los versículos del Antiguo Testamento.

Por "mejor" texto, no queremos decir aquel texto con el cual estamos más de acuerdo. Más bien, procuramos acercarnos lo más posible a las palabras que registra el escritor inspirado original. Los críticos textuales del Antiguo Testamento no se han visto favorecidos con la multiplicidad de manuscritos antiguos con que cuentan los críticos textuales del Nuevo Testamento. Cuando se hacían las copias del Antiguo Testamento en la antigüedad, normalmente se quemaban o se enterraban los originales con las ceremonias religiosas de rigor. Así es que, lo que quedaba a la larga era una copia de una copia de una copia, y así sucesivamente. Hasta hace muy poco, la copia completa más antigua de la Biblia Hebrea en existencia se remontaba a una fecha aproximada al 1008 d. de J.C. Existía uno que otro fragmento más antiguo, pero aun estos datan de siglos después de la escritura original.

De ese modo, el descubrimiento de los Rollos del Mar Muerto fue recibido por los críticos textuales del Antiguo Testamento con suma emoción y entusiasmo. En este descubrimiento singular aparecieron manuscritos que contaban con por lo menos diez siglos más que los que usábamos anteriormente. Entre estos manuscritos hemos encontrado copias enteras de varios de los libros del Antiguo Testamento y partes de todos los libros del Antiguo Testamento, excepto el de Ester.

El impacto más básico que los Rollos del Mar Muerto han ocasionado sobre nuestros estudios textuales estriba en el campo de la precisión. Desde hacía mucho tiempo se daba por sentado que el copiar y recopiar por tantos siglos los manuscritos antiguos permitía la existencia de muchos errores en el texto. Esto, si fuera verdad, habría hecho muchos cambios en nuestra comprensión. A raíz del estudio textual de los Rollos del Mar Muerto dos cosas se destacaron. Primera, había numerosos errores de parte de los copistas tal y como se había esperado. Segunda, ni uno de estos errores que se han identificado hasta ahora ha hecho necesario ningún cambio importante en alguna doctrina o enseñanza básica. Aunque pareciera que Dios permitió a los copistas la libertad de ser humanos y equivocarse, aparentemente él superó sus errores de tal modo que su Palabra se preservase. Los Rollos del Mar Muerto nos han brindado una confianza redoblada en el mensaje del Antiguo Testamento.

El determinar cuáles libros sean autoritativos y la determinación de lo que estos libros nos dicen nos aproxima aún más a estar listos para trabajar con el mensaje del Antiguo Testamento. Queda, no obstante, un fundamento más que se debe considerar. Se trata de la historia de Israel.

La historia de Israel.

Ya que el Antiguo Testamento es el producto del trato de Dios con el pueblo de Israel, nos urge saber algo acerca de su historia para poder comprenderlo. A diferencia del Nuevo Testamento que abarca menos de un siglo, la experiencia del Antiguo Testamento se despliega sobre muchos siglos. Para poder comprender correctamente los varios libros y sus mensajes, necesitamos un esquema histórico básico con el cual trabajar. Yo he encontrado lo que sigue de gran utilidad. Las fechas son tan seguras como he podido precisarlas. Sin embargo, muchos eruditos estarán en desacuerdo con algunas de las fechas. Eso es de esperarse cuando nos toca trabajar a una distancia tan grande de los eventos reales. A pesar de esto, no se hallarán desacuerdos con respecto a los períodos básicos y su secuencia.

El Período patriarcal, aproximadamente desde 2000 hasta 1700 a. de J.C. Este es el período de la migración de Abraham, Isaac, Jacob y José. Abarca el tiempo desde la salida de Abraham de Ur hasta que la familia de José descendió a Egipto durante el hambre, cuando José era primer ministro.

El *Período de la estadía en Egipto*, aproximadamente entre 1700 y 1300 a. de J.C. Sabemos muy poco acerca de los eventos transcurridos aquí. Al terminar esta época, Israel se había multiplicado mucho y se habían trocado de huéspedes del Faraón en sus esclavos.

El *Período del éxodo y la peregrinación en el desierto*, entre aproximadamente 1280 a 1240 a. de J.C. Estos eventos fueron aquellos por los cuales Israel fue tranformado de ser esclavos en Egipto al pueblo del pacto de Dios. El foco primordial de este período es la experiencia del pacto en Sinaí.

El *Período de la conquista y el establecimiento*, aproximadamente desde 1240 hasta 1020 a. de J.C. Esto abarca el tiempo de Josué y los jueces. Durante este período, Israel cambió de un grupo de tribus errantes en ser un pueblo establecido en la tierra prometida.

El *Período de la monarquía unida*, entre aproximadamente 1020 a 931 a. de J.C. Esto cubre la creación del reino hebreo bajo Saúl, la expansión principal y consolidación bajo David y el decaimiento y la disolución bajo Salomón. Es durante este período cuando los profetas hebreos empiezan a hacer sentir su influencia.

El *Período de Israel y Judá como reinos separados*, desde aproximadamente 931 a 721 a. de J.C. En este período las dos naciones se separaron. Durante la mayor parte del período, Israel, el Reino del Norte, era dominante. Los grandes profetas empezaban a hacer su impacto sobre las dos naciones. El fin llegó cuando Israel fue destruido y su capital, Samaria, fue capturada por Asiria en 721 a. de J. C.

El *Período de Judá solo*, desde 721 hasta 586 a. de J.C. El siglo y medio que Judá existió solo se caracterizó por la acción de los grandes profetas y una caída final ante Babilonia. Los reyes, como norma, buscaron lo conveniente y no lo justo.

El *Período del exilio babilónico*, desde 586 hasta 539 a. de J.C. Durante el tiempo en el exilio babilónico, el pueblo de Juda fue obligado a descubrir que Dios no había sido vencido por la derrota del pueblo. Más bien, se les dio una nueva fe adecuada para contender con su derrota personal. Este fue probablemente uno de los períodos de más formación teológica desde el tiempo del éxodo.

El *Período persa* desde 539 hasta 333 a. de J.C. Cuando Babilonia fue derrotada por Persia, a los exiliados judíos se les permitió retornar a su propia tierra. Este período de paz relativa permitió al judaísmo empezar a tomar la forma que tendría generalmente durante el tiempo de Jesús.

El *Período griego*, desde 333 hasta 168 a. de J.C. Después del derrocamiento de los Persas por Alejandro Magno, la cultura griega llegó a ser dominante en el antiguo Cercano Oriente. La resistencia hebrea ante esta influencia produjo persecución desde afuera y rebelión desde adentro. La religión hebrea endureció su línea intensamente legalista durante este tiempo.

Para poder comprender realmente mucho del desarrollo de la fe hebrea, será preciso mantener ante nosotros durante el resto de nuestro estudio la interrelación de estos períodos. Es importante recordar que la fe hebrea era de carácter histórico. Se basaba no tanto sobre lo que ellos creían acerca de Dios como sobre lo que ellos experimentaban con Dios. Su fe siempre se arraigaba y se fundamentaba en la historia.

Enfoques en cuanto a la fe del Antiguo Testamento

Entre los muchos libros que se han escrito acerca de la fe del Antiguo Testamento, hay algunos enfoques básicos que se pueden identificar. El primero de estos procura reconstruir el desarrollo de la fe de Israel a través de los distintos períodos históricos, los cuales esbozamos anteriormente. Aunque esto ha resultado en varios grados de éxito, lo que queda al final es sólo una historia de la religión de Israel. Esto es de valor y vale la pena el esfuerzo. Al mismo tiempo, en realidad nunca llega a captar la verdadera naturaleza de la fe de Israel.

El segundo enfoque básico a la fe de Israel es el imponer algún arreglo sistemático de doctrina sobre el Antiguo Testamento. Esto nos permite examinar cuidadosamente cada doctrina o concepto contra su fondo veterotestamentario, pero no alcanza a considerar la naturaleza básica de la fe de Israel. Llega a ser muy obvio que los hebreos nunca desarrollaron nada que se asemejara a un enfoque sistemático de la fe. Su fe se basaba sobre experiencias vivas con Dios y la vida raramente es sistemática.

Un tercer enfoque a la fe de Israel ha sido el del camino de las religiones comparadas. Con esto, los autores han procurado compenetrarse en la fe de Israel estudiando primero la fe de sus vecinos. Luego examinan la fe de Israel contra este trasfondo, a la luz tanto de sus semejanzas como de sus diferencias.

Un cuarto enfoque significativo al estudio de la fe de Israel se hace al analizar los vocablos teológicos que son comunes e importantes. Este estudio de su vocabulario teológico ha arrojado gran luz sobre su fe, pero ha sido demasiado compartimentado. La gran experiencia arrolladora de Israel con Dios pareciera desvanecerse en el polvo de los estudios voluminosos de palabras.

Aunque cada uno de estos enfoques ha aportado mucho a nuestro conocimiento de la fe de Israel, todos han fallado en no darnos un cuadro claro de lo que constituía realmente esa fe. Al utilizar los mejores resultados de cada uno de estos métodos, me parece que podemos acercarnos más al descubrimiento de la verdadera fe del Antiguo Testamento. Como hemos visto, tenemos un canon del Antiguo Testamento. Estos treinta y nueve libros fueron preservados por el pueblo hebreo, bajo el movimiento del Espíritu de Dios, porque los libros correspondían a sus necesidades. Vamos a intentar dilucidar el compromiso común que encierran estos libros. Procuraremos contestar la pregunta, "¿Qué es aquello que unifica a estos libros? ¿Cuál es su testimonio y su mensaje comunes?" Al dedicarnos a este enfoque, obviamente tendremos que dejar mucho fuera. Pero, sí podremos centrarnos en el hilo de revelación común que los unifica. Es ese hilo que buscaremos seguir.

Comenzaremos por fijarnos en "el conocimiento de Dios." En esto, examinaremos los conceptos básicos del qué y cómo podemos conocer a Dios. El Antiguo Testamento nos provee una raíz principal para la comprensión neotestamentaria de la revelación de Dios. Hasta que lleguemos a resolver la cuestión de lo que en realidad se puede saber de Dios, no tendremos una base para estudios adicionales posteriores. Esto es fundamental.

De inmediato, nos volveremos a ver lo que el Antiguo Testamento entiende acerca de la naturaleza de Dios. Para los hebreos, Dios era la realidad fundamental de la vida. De modo que, en primera instancia, consideraremos al "Dios que es." Para ellos, él era una realidad personal viviente. Lo mismo debe ser para nosotros. También trataremos con su comprensión del "Dios que actúa." Los hebreos no eran filósofos. No se dedicaban a pensar en Dios; se encontraban con él. Así que lo que ellos realmente conocían de Dios les llegaba como resultado de sus actos en sus vidas y en su historia. El elemento central de sus hechos a favor de ellos fue su elección. Ellos, de modo continuo, se referían a sí mismos como pueblo escogido. Así es como hemos de considerar su experiencia del "Dios que elige." Cada una de estas áreas de estudio debe enriquecer nuestra comprensión de las actuaciones de Dios en Cristo y sus elecciones por la gracia.

La segunda realidad principal en la vida del pueblo del Antiguo Testamento fue la de ellos mismos. Pero aun su autoconciencia era templada por su experiencia de Dios. De este modo, enfocaremos nuestra atención sobre su entendimiento del "hombre como criatura de Dios." Mientras tratemos su comprensión de lo que realmente significaba el ser humano, el siguiente desarrollo significativo se dejará ver en su comprensión creciente del pecado, del "hombre en rebelión." Los modos gráficos por los cuales los hebreos describían su experiencia en el pecado aportan más profundidad a las descripciones neotestamentarias del pecado. La plena conciencia de que el pecado los separaba de Dios los dejaba con un sentimiento de total impotencia. No había nada que ellos mismos pudieran hacer para quitar su culpa.

En este punto, volveremos nuestra atención a su percepción creciente del "Dios Redentor y hombre penitente." El énfasis veterotestamentario sobre la salvación de Dios y el perdón sirve como base para el concepto neotestamentario de la misión de Jesús. La plenitud del ministerio de Jesús llega a hacerse mucho más real cuando se contempla como la finalidad última de la obra que Dios empezó en el Antiguo Testamento.

Cuando el pueblo del Antiguo Testamento comprendió la naturaleza de los actos redentores de Dios en medio de ellos, empezaron a anticipar sus últimos actos de la redención. Debido a sus experiencias pasadas y actuales con Dios, ellos empezaron a anticipar un futuro con él. Esto nos llama la atención a las áreas de "las promesas de Dios y la esperanza del hombre." Tal esperanza surgió de una creencia inquebrantable en la soberanía absoluta de Dios. Sobre esta creencia, Dios forjó en ellos una esperanza para el futuro con respecto a la venida del Mesías y su ministerio como el Siervo sufriente. Esto floreció en su esperanza final tocante a un nuevo pacto. Todo esto proveyó tanto las figuras como la sustancia para las descripciones de Jesús en torno a su propia vida y ministerio.

También nos hará falta considerar "la adoración en el Antiguo Testamento" la cual se relaciona muy de cerca con el entendimiento de Israel de los actos redentores de Dios y de su esperanza futura. La totalidad de la comprensión neotestamentaria de la adoración brotó directamente de estas raíces del Antiguo Testamento. Aunque ya no usamos un sistema de sacrificios, puesto que Jesús llegó a ser nuestro sacrificio, los significados de aquéllos proveyeron los fundamentos para la adoración en el Nuevo Testamento. De hecho, la interpretación de Jesús proclamada en Hebreos no puede entenderse cabalmente sin una comprensión del sistema de sacrificios de Israel.

Su comprensión de sí mismos como "los siervos de Dios" se relacionaba muy estrechamente con su modo de entender la adoración. Era en este punto que ellos se veían como cumpliendo los propósitos de Dios en este mundo. Esta faceta de su autopercepción resulta muy significativa para el concepto neotestamentario del ministerio y la misión.

Seguidamente, nuestro estudio tratará específicamente con los desenvolvimientos en su fe "más allá del Antiguo Testamento." La fe de Israel se dividió en dos corrientes principales. Una parte se movió hacia el judaísmo. Es aquí en donde podemos ver tanto el trasfondo de su religión durante los días de Jesús, como su desarrollo como una de las religiones principales de nuestro tiempo. El otro desarrollo fue el cristianismo. Aquí es donde veremos cómo Jesús transformó la fe de Israel en el cristianismo neotestamentario.

La última sección de nuestro estudio aportará alguna ayuda y dirección en cuanto a la interpretación del Antiguo Testamento. Nunca nos basta saber lo que algún otro ha dicho con respecto al significado del Antiguo Testamento. Nos urge acercarnos a él por nosotros mismos y oir a Dios hablándonos a través de él.

Al llevar a cabo cada una de estas tareas, procuraré utilizar lo mejor de la erudición veterotestamentaria que esté disponible. Esto abarcará estudios lingüísticos, históricos, arqueológicos, literarios y otras disciplinas que requieran los temas particulares. Además, hemos de emplear lo mejor de cada uno de los métodos que se han usado históricamente para enfocar el estudio de la teología del Antiguo Testamento. Los estudios etimológicos, la historia de la religión de Israel, las religiones comparadas y la sistematización, todos tendrán su parte. No es mi intención cargarles con los pormenores de estos estudios, sino presentar los resultados de los mismos.

Al hacer esto, mantengamos ante nosotros constantemente el hecho de que estudiamos una fe que vivía. De la misma forma en que un médico puede saber mucho acerca de un paciente al intervenirlo quirúrgicamente en varios lugares, así podemos aprender acerca de la fe de Israel al hacer algo por el estilo. A la vez, el paciente es una persona viviente. Hay que examinarlo también como un todo. Lo mismo es cierto en cuanto al Antiguo Testamento. Si fallamos y no vemos el panorama del Antiguo Testamento en su totalidad, justo en esa medida fracasaremos en nuestra comprensión de la fe de Israel. Y, precisamente, en la medida por la cual fracasemos en nuestra comprensión de la fe de Israel, tambien fracasaremos en nuestro entendimiento de las raíces del Antiguo Testamento para nuestra fe neotestamentaria.

Presuposiciones del autor

Hay una última cuestión introductoria de la cual necesitamos hablar. Antes de poder comprender este libro cabalmente y mi enfoque en torno a él, usted necesita estar enterado de las presuposiciones básicas con los cuales emprendo este estudio. Ciertamente han de matizar mis juicios, porque justo en base a ellos haré dichos juicios.

Mis primeras presuposiciones tienen que ver mayormente con la naturaleza de Dios. Yo creo que Dios es amor. Esto es fundamental para mí. Además, yo creo que su amor no consiste en algún sentimiento nebuloso de su parte sino que se dirige específicamente hacia sus criaturas humanas. El ama a la gente. Esto me hace encarar la conclusión inelubible de que él lo ama tanto a usted como a mí. Esto a la vez matizará y dará forma a mi trabajo en este libro. Es fundamental para mi vida y mi ministerio.

El segundo juego de presuposiciones tiene que ver con la gente. Yo sé que soy un pecador. Esto no es sólo una creencia teológica; es un hecho real. Además, yo creo que todo el mundo es pecador. Todos hemos pecado y no alcanzamos las demandas de Dios y lo que él espera de nosotros. Esto me obliga a darme cuenta que tanto usted como yo necesitamos de la salvación, la redención. Necesitamos ser limpiados y perdonados. Además, nos hace falta una nueva naturaleza que no nos permita volver a caminar por las vías antiguas del pecado.

Mi tercer juego de presuposiciones se basa tanto en la experiencia como en la revelación bíblica. Esto tiene que ver con el encuentro divino-humano. Dios ha actuado para redimir a la gente y por lo tanto ha actuado para redimir a usted y a mí. Lo ha hecho de manera suprema en Jesucristo. Debido a esto, él ha hecho posible por su gracia que recibamos los efectos de su actuación por medio de nuestra fe. Nos llama a someternos al señorío de Cristo para recibir purificación, enseñanza, consuelo y preparación. Nos envía a servirle dando testimonio de lo que él ha hecho. No nos ha dejado, ni a ningún otro pueblo, sin su palabra. El ha hablado, revelándose. Su voz puede escucharse en el mundo de la naturaleza, pero principalmente en las palabras de la Biblia. Su Espíritu Santo habla a nuestros espíritus, testificando de la verdad de lo revelado por él.

Esencialmente, estas son las presuposiciones básicas de mi vida y de mi ministerio. Es por estas razones que escribo esta obra. Pido al Señor que su lectura de este libro obedezca a estas mismas razones. Mi oración final es que este libro sirva como una ayuda para que usted pueda escuchar mejor a Dios hablando de modo redentor a través de las páginas del Antiguo Testamento. Así usted estará mejor equipado para servirle en el mundo en el cual vivimos.

1

EL CONOCIMIENTO DE DIOS

"Mediante la búsqueda, ¿se puede indagar acerca de Dios?" (Job 11:7, traducción del autor). El que ésta sea una de las preguntas fundamentales de todo tiempo requiere de una contestación. El testimonio del devenir del tiempo es sencillo. Ningún hombre puede encontrar a Dios mediante sus propios esfuerzos. A Dios se le encuentra; no se le descubre. Empero, a él se le encuentra cuando él elige revelarse, no antes. El punto de arranque en cualquier estudio de la fe tiene que ser el concepto de la revelación, el autodescubrimiento de Dios.

Ya que el Antiguo Testamento tiene poco que decir acerca de la revelación como tal, enfoca su atención sobre varios conceptos afines. En esto estamos cara a cara con el entendimiento de Israel de cómo Dios se revela a sí mismo. Cuidémonos de no forzar nuestras ideas preconcebidas sobre el Antiguo Testamento. Más bien, hemos de considerar lo que dice acerca de la revelación que contiene. Debemos estar dispuestos a ser enfrentados por Dios mismo. A nuestro Dios ni le sirve ni le beneficia el que la gente se niegue a admitir lo contrario a sus propias ideas. El puede ser servido mejor por discípulos que pueden decir juntamente con Samuel, "Habla, Señor, porque tu siervo está escuchando" (1 S. 3:9, traducción del autor).

La comprensión de la revelación

Hay tres términos o frases básicos empleados por los escritores del Antiguo Testamento al presentar lo que ellos entendían tocante a la autorrevelación de Dios. Estos son fundamentales para nuestra comprensión de la creencia israelita en torno al autodescubrimiento de Dios. En general, cada uno de estos términos recalca una acción. (Esto también puede decirse con respecto a la mayoría de los conceptos básicos en el Antiguo Testamento. El pueblo de Dios se interesaba mucho más en lo que Dios había hecho y estaba haciendo que en meras ideas acerca de Dios.)

Revelación.

No hay una palabra en el Antiguo Testamento para "revelación" como tal. Sin embargo, hay un verbo que significa "revelar" o "descubrir". Así dice Amós:

> "Porque no hará nada Jehová el Señor, sin que revele su secreto a sus siervos los profetas. Si el león ruge, ¿quién no temerá? Si habla Jehová el Señor, ¿quién no profetizará?" (Am. 3:7, 8).

El profeta de Tecoa empezó con una declaración con la cual se esperaba que todos sus oyentes estuvieran de acuerdo. El pueblo de Israel aceptaba la forma unánime en que Dios revelaba (descubría) sus propósitos a sus voceros. El vocablo que aquí se traduce como "secreto" en realidad se refiere a su "plan" o su "propósito". Al reconocer la verdad de que Dios ha de informar a sus profetas lo que él piensa hacer, Amós, acto seguido, añadió que puesto que había recibido la revelación de Dios, debía proclamarla. No le quedaba otra alternativa. Cuando Dios revela sus planes, es con el fin de que se compartan. Esta es su misma naturaleza.

Este concepto básico se reafirma en la experiencia de Samuel, ya maduro: ". . . porque Jehová se manifestó a Samuel en Silo por la palabra de Jehová" (1 S. 3:21). Inmediatamente después de esta afirmación maravillosa, la Biblia dice: "Y Samuel habló a todo Israel" (1 S. 4:1). Esto fue propuesto como el motivo de la aseveración de que "todo Israel . . . conoció que Samuel era fiel profeta de Jehová" (1 S. 3:20). Puesto que Dios había descubierto sus propósitos a Samuel y éste había compartido esta revelación con su pueblo, ellos sabían que Dios lo había designado como su profeta.

Este mismo término respecto a la recepción de un mensaje de Dios fue usado por Jeremías (33:6), Daniel (2:19, 22, 28, etc.) e Isaías (22:14). Los profetas estaban bien seguros de que Dios revelaba sus propósitos a sus voceros, con el fin de que éstos se los comunicaran a su pueblo. El principio básico lo expresó Moisés en las llanuras de Moab, justo antes de su muerte. "Las cosas secretas pertenecen a Jehová nuestro Dios; mas las reveladas son para nosotros y para nuestros hijos para siempre, para que cumplamos todas las palabras de esta ley" (Dt. 29:29). El Antiguo Testamento es muy claro en este punto. Dios no deja ignorante a su pueblo respecto a sus propósitos. Dios se los revela.

El conocimiento de Dios

Para el profeta Oseas, la expresión básica para la autorrevelación de Dios era "el conocimiento de Dios". Empezaba sus mensajes de juicio al proclamar:

> "Oid palabra de Jehová, hijos de Israel, porque Jehová contiende con los moradores de la tierra; porque no hay verdad, ni misericordia, ni conocimiento de Dios en la tierra. Perjurar, mentir, matar, hurtar y adulterar prevalecen, y homicidio tras homicidio se suceden " (Os. 4:1, 2).

Habiendo puesto este fundamento prorrumpió en un oráculo de juicio:

> "Mi pueblo queda destruido por falta de conocimiento; ya que vosotros habéis rechazado el conocimiento, yo os rechazo para que no sean mis sacerdotes" (Os. 4:6, traducción del autor).

Entonces Dios habló mediante su profeta lo que eran sus deseos más grandes para su pueblo:

> "Porque misericordia quiero, y no sacrificio, y conocimiento de Dios más que holocaustos" (Os. 6:6).

Para comprender correctamente estas palabras del profeta de Dios, primero tenemos que entender que conocimiento, en el Antiguo Testamento, era algo aprendido por una experiencia personal. No se refería sólo a hechos comprendidos intelectualmente. Más bien, aludía a aquello aprendido por la experiencia. Así, "el conocimiento de Dios" que ansiaba el profeta, no era solamente que su pueblo supiera algo acerca de Dios sino que *experimentasen* personalmente a Dios.

Aquello que se aprende de Dios mediante la experiencia es parte de lo que queremos decir por revelación. Además, la forma negativa usada por Oseas en 4:1 se traduce mejor en "hay una carencia del conocimiento de Dios en la tierra". El profeta estaba diciendo, en realidad, que había toda razón para esperar que el pueblo de Dios viviera en, por y con una relación experimental con su Dios. El mismo hecho de que esto faltara era terrible para él. Cuando usted levanta el capó de su auto, tiene todo el derecho a pensar que allí encontrará un motor. Cuando usted contempla al pueblo de Dios en cualquier época, tiene el derecho a esperar que ellos vivan en una relación experimental y cotidiana con Dios.

Para Oseas, la revelación de Dios ciertamente incluía y puede ser que haya comenzado con lo que su pueblo aprendió de Dios al vivir en relación con él. Lo mismo nos debe caracterizar a nosotros.

El temor del Señor

La tercera frase que se hace básica para una comprensión del concepto veterotestamentario de la autorrevelación de Dios es "el temor del Señor". En general, esta expresión se ha considerado normalmente como simplemente alusiva a temor, terror o reverencia. Un estudio somero revela que esto es demasiado limitado. El salmista dice, por ejemplo:

> "La ley de Jehová es perfecta, que convierte el alma; El testimonio de Jehová es fiel, que hace sabio al sencillo. Los mandamientos de Jehová son rectos, que alegran el corazón; El precepto de Jehová es puro, que alumbra los ojos. El temor de Jehová es limpio, que permanece para siempre; Los juicios de Jehová son verdad, todos justos" (Sal. 19:7-9).

El "temor de Jehová" está colocado entre otras cinco frases que claramente aluden a un juego autoritativo de reglas. El paralelismo poético hebraico ciertamente exige que "el temor de Jehová" tenga algún significado por el estilo.

Además, cuando Abraham explicaba su razón para identificar a Sara como su hermana, él dijo: "Porque dije para mí: Ciertamente no hay temor de Dios en este lugar, y me matarán por causa de mi mujer" (Gn. 20:11). Abraham aparentemente temía por su vida, porque pensaba que no había revelación autoritativa de Dios en ese contexto extranjero. Moisés dijo más tarde que había traído los Diez Mandamientos del monte ". . . para que su temor esté delante de vosotros, para que no pequéis" (Ex. 20:20). Es obvio que Moisés consideraba "el temor de Jehová" como paralelo a la ley escrita, con el propósito de evitar el pecado en Israel.

Isaías condenaba a su pueblo al pregonar:

> ". . . Porque este pueblo se acerca a mí con su boca, y con sus labios me honra, pero su corazón está lejos de mí, y su temor de mí no es más que un mandamiento de hombres que les ha sido enseñado" (Is. 29:13).

Aunque su pueblo era culpable de aceptar enseñanzas falsas, ellos identificaban el temor de Jehová con un mandamiento. Jeremías también igualaba el "temor" de Jehová (Jer. 32:40) con la ley (Jer. 31:33), y ambos debían ser escritos finalmente sobre los corazones del pueblo de Dios.

El término realmente se hizo central en Salmos, Proverbios y Job. Consideremos lo siguiente:

> "Venid, hijos, oídme; El temor de Jehová os enseñaré" (Sal. 34:11).
> "El atribulado es consolado por su compañero; Aun aquél que abandona el temor del Omnipotente" (Job. 6:14).
> "... He aquí que el temor del Señor es la sabiduría, Y el apartarse del mal, la inteligencia" (Job 28:28).
> "El principio de la sabiduría es el temor de Jehová; Los insensatos desprecian la sabiduría y la enseñanza" (Pr. 1:7).

Especialmente se debe notar aquí que "el temor de Jehová" se iguala al conocimiento. Para que no hiciéramos caso omiso de este énfasis, se repetía vez tras vez. Al pueblo de Dios se le decía que no encontraría a Dios si lo buscaban.

> "Por cuanto aborrecieron la sabiduría, Y no escogieron el temor de Jehová" (Pr. 1:29).

Se les ofreció una esperanza futura mediante la promesa:

> "Entonces entenderás el temor de Jehová, Y hallarás el conocimiento de Dios" (Pr. 2:5).

La repetición de esta idea se hace vez tras vez (Pr. 9:10; 10:27; 14:26; 15:16; 15:33; 16:6; 19:23).

Que el "temor de Jehová" sea equivalente a la revelación autoritativa de Dios se hace patente en el Nuevo Testamento por medio del apóstol Pablo. En su descripción magistral de la culpabilidad de todos (Ro. 3:9-17), Pablo termina con una cita del salmo 36: "No hay temor de Dios delante de sus ojos" (Ro. 3:18). Para él, esta era la base de la pecaminosidad y la culpabilidad de toda la humanidad. Con el fin de que nadie perdiera su punto esencial, dijo en seguida: "Pero sabemos que todo lo que la ley dice, lo dice a los que están bajo la ley ..." (Ro. 3:19). El "temor de Jehová" inmediatamente hizo volver su atención a la ley escrita del Antiguo Testamento. Además, al insistir a los corintios en la pureza de conducta, Pablo resumió todo al decir: "Así que, amados, puesto que tenemos tales promesas, limpiémonos de toda contaminación de carne y de espíritu, perfeccionando la santidad en el temor de Dios" (2 Co. 7:1). Al hablar sobre las promesas escritas en el Antiguo Testamento (las cuales acaba de citar) su atención se fijó de inmediato en "el temor de Jehová".

El "temor de Jehová", entonces, debe entenderse como aludiendo al mensaje escrito, autoritativo y revelado de Dios para su pueblo. El "temor de Jehová" puede ser y merece ser enseñado (Sal. 34:11).

Debe ser obedecido (Job 6:14). Puede conducir a la victoria sobre el mal y es la fuente fundamental de toda sabiduría (Job 28:28).

Todos estos tres términos o frases nos ayudan a dominar el concepto básico veterotestamentario de la autorrevelación de Dios. Siempre es iniciado por Dios. Es él quien "se descubre" o "se revela" a nosotros. Siempre se basa en una experiencia entre Dios y su pueblo. En última instancia, es autoritativo sobre la vida humana y es la fuente de toda sabiduría verdadera. Con todo esto como trasfondo, ahora estamos listos para considerar *cómo* Dios se revela a sí mismo a su pueblo. ¿Qué es lo que el Antiguo Testamento nos tiene que decir al respecto?

La revelación en el mundo de la naturaleza

El pueblo del Antiguo Testamento, Israel, creía que Dios se revelaba de varios modos. Ellos sabían que Dios les encontraba en su mundo. Dios se revelaba a sí mismo en la naturaleza. Así el salmista podía cantar:

> "Los cielos cuentan la gloria de Dios, Y el firmamento anuncia la obra de sus manos. Un día emite palabra a otro día, Y una noche a otra noche declara sabiduría. No hay lenguaje, ni palabras, Ni es oída su voz. Por toda la tierra salió su voz, Y hasta el extremo del mundo sus palabras" (Sal. 19:1-4a).

Este magnífico himno de alabanza proclamaba claramente que Dios podía conocerse mediante el mundo de la naturaleza. Aun sin palabras o lenguaje, el mundo proclama a Dios mediante su hermosura y su orden. Esto se hace de tal modo que la multiplicidad de idiomas del mundo no representa una barrera. Cualquier persona puede saber algo acerca de Dios mediante la creación. Esta es justamente la idea que Pablo recogió y desarrolló en su carta a la iglesia en Roma, cuando dijo: "Porque las cosas invisibles de él, su eterno poder y deidad, se hacen claramente visibles desde la creación del mundo, siendo entendidas por medio de las cosas hechas . . ." (Ro. 1:20).

El concepto de poder aprender claramente algo de Dios a base del mundo de la naturaleza fue desarrollado en varios lugares por los escritores del Antiguo Testamento. El libro de Job fomentó el concepto en los capítulos 38 al 41. Varios de los profetas y el libro de Proverbios contribuyeron al concepto. Había un claro reconocimiento en el Antiguo Testamento de que Dios se revelaba en el mundo de la naturaleza. Quedó subrayado por numerosas citas en el Nuevo Testamento. No obstante, entendamos claramente que hay una diferencia significativa entre lo que puede saberse de Dios *en* la naturaleza y lo que aprendemos de Dios *en* Cristo. Por medio del mundo, contemplamos a Dios como creador, sustentador y preservador. En Cristo, lo conocemos como redentor y salvador.

La revelación en la historia

El segundo modo por el cual el pueblo del Antiguo Testamento concebía la revelación de Dios era a través de la historia, los mismos eventos en los cuales él intervenía. Para ellos, esta era la forma primordial en que se conocía o se experimentaba a Dios. Los filósofos de la antigua Grecia procuraron aprender acerca de Dios (o de los dioses) mediante el pensamiento filosófico. Los hebreos aprendieron que a Dios se le encontraba en ciertos eventos, en los mismos sucesos de la vida. Ellos encontraron a Dios como el Señor de la naturaleza cuando él les demostró que podía partir el mar, proveer el maná y las codornices en el desierto y proveerles de agua en las regiones desérticas. Ellos encontraron a Dios como redentor cuando él los libertó de la esclavitud en Egipto. Lo experimentaron como soberano sobre los hombres y las naciones cuando él hizo que cayeran los muros de Jericó. Israel aprendió que Dios era un juez justo cuando los castigó por robar algunos de los bienes de Jericó (Jos. 6:16-19; 7:1-26). También supieron que él se interesaba en otros pueblos cuando envió a Elías a Siria y a Jonás a Nínive. Su conocimiento de Dios les llegó por lo que él revelaba de sí mismo en el devenir de los hechos históricos.

Justo en este asunto, el Antiguo Testamento difiere de manera significativa de todas las demás "biblias" de los pueblos antiguos, en que se centra en la historia total de Israel. Más que simplemente un registro de las hazañas de un gran pueblo o el registro de logros heroicos, el Antiguo Testamento fija su atención en la unidad y el significado de la corriente total de la historia. Además, pinta claramente las debilidades de sus héroes y los fracasos pecaminosos de la nación. Otros pueblos de antaño nunca se hubieran atrevido a registrar tal historia.

Esto obedece aparentemente a que ningún otro pueblo llegó jamás a la idea de la historia como un camino significativo para lograr una meta. La causa subyacente para esto no fue tanto que Israel tuviera una comprensión tan diferente de la historia, sino que tuvo una conciencia diferente de Dios. El Señor se había dado a conocer a Israel en eventos históricos. El era conocido por lo que hacía. Dios tenía un propósito soberano que no podía ser frustrado.

Así, pareciera que Israel nunca registró la historia simplemente como una serie de eventos que habían acontecido. Más bien, los hebreos registraban la historia por lo que significaban los eventos, no por los eventos en sí. Esto tiene que captarse claramente si hemos de entender el Antiguo Testamento.

Como un ejemplo de esto, consideremos a dos reyes de Israel, el Reino del Norte: Omri y su hijo, Acab. Omri fue de tanta importancia que la potentísima Asiria nunca pudo olvidarse de él. Aludían a Israel como "la tierra de Omri". Sin embargo, el libro de Reyes abarca el reinado total de Omri en ocho versículos (1 R. 16:21-28). En cambio, Acab parece haber impactado mucho menos al mundo y, sin embargo, los eventos de su reinado cubren 209 versículos (1 R. 16:29—22:40). ¿Por qué esta diferencia? La respuesta no estriba en los dos hombres y su importancia relativa, sino en lo que Dios hacía. Durante el reinado de Acab, Dios tenía un profeta actuando en el escenario llamado Elías. La historia registrada se escribió por su importancia teológica, no por la importancia de Acab.

Así, para Israel, la historia era importante por lo que Dios había hecho. Para ellos, la importancia de un evento estribaba siempre en su significado. Su pregunta básica no era: "¿Qué pasó?", sino más bien "qué estaba haciendo Dios?". Si leemos el Antiguo Testamento sólo para descubrir qué fue lo que pasó, habremos perdido totalmente el enfoque.

Por lo tanto, la historia que encontramos en el Antiguo Testamento nunca es meramente el registro de la historia como tal, sino de eventos significativos. Ellos registraban la historia como revelación. Esta es la clave para comprender los eventos registrados en el Antiguo Testamento. Es también la clave básica para comprender la conciencia de Israel respecto a la naturaleza de Dios. A él siempre lo conocían por lo que hacía.

Estos mismos elementos constituyen el centro y el corazón de la fe de las iglesias primitivas, como se ve en el Nuevo Testamento. Es por esto que la venida de Jesucristo nunca podría entenderse principalmente como la llegada de un gran maestro de verdades morales o espirituales. Sí, era esto, pero era más, mucho más. Su venida fue un evento histórico, siendo éste la culminación del propósito redentor de Dios, el cual había guiado el trato de Dios con el hombre desde la creación del universo. La fe bíblica era (y es) una recitación de los eventos históricos como los actos portentosos de Dios. A Dios se le conoce mejor como el Dios que actúa.

Es por esto que es mejor intentar conducir a la gente a la fe en Cristo contándoles lo que Dios ha hecho por usted y por otros. Los argumentos filosóficos puede que sirvan en un debate, pero son raras veces eficaces para ganar a los perdidos. A Dios raras veces se

le da a conocer mediante tales argumentos. Se le ve más claramente
mirando lo que él ha hecho y lo que está haciendo. Por lo tanto, se
nos llama a ser testigos para informar sobre sus actos históricos,
tanto pasados como presentes. Todos los argumentos de los fariseos
se vinieron abajo ante la declaración simple de un hombre nacido
ciego, cuando dijo: ". . . una cosa sé, que habiendo yo sido ciego,
ahora veo" (Jn. 9:25). Todo argumento se desmorona ante el
testimonio de lo que Dios ha hecho.

Digresión: Tiempo y eternidad

Puesto que la historia significa tanto, importa el tiempo. Es la
esfera de las actividades de Dios. Empero, también es el campo de la
decisión y acción humanas. Nuestra generación mide el tiempo por
números en un reloj o un calendario. Nos importa muchísimo
cuándo ocurrieron las cosas. Para el hebreo antiguo, no era así. A él
le importaba mucho más lo que ocurría y su significado que el
tiempo del suceso. Es por esto que a menudo contamos con menos
información cronológica que la que quisiéramos tener. También,
muy a menudo nos preocupa el que no entendamos la información
cronológica que poseemos. Esto se debe más que nada a nuestra
incapacidad para entender lo que el tiempo les significaba a ellos.

Para el hebreo antiguo, el tiempo siempre se veía involucrado
en el evento. Así, el autor de Eclesiastés dijo:

> "Todo tiene su tiempo, y todo lo que se quiere debajo del
> cielo tiene su hora. Tiempo de nacer, y tiempo de morir;
> tiempo de plantar, y tiempo de arrancar lo plantado; tiempo
> de matar, y tiempo de curar; tiempo de destruir, y tiempo de
> edificar; tiempo de llorar, y tiempo de reir; tiempo de
> endechar, y tiempo de bailar; tiempo de esparcir piedras, y
> tiempo de juntar piedras; tiempo de abrazar, y tiempo de
> abstenerse de abrazar; tiempo de buscar, y tiempo de
> perder; tiempo de guardar, y tiempo de desechar; tiempo de
> romper, y tiempo de coser; tiempo de callar, y tiempo de
> hablar; tiempo de amar, y tiempo de aborrecer; tiempo de
> guerra, y tiempo de paz" (Ecl. 3:1-8).

Otra ilustración adicional para este concepto de tiempo puede
encontrarse en los nombres de los meses. En vez de simplemente
asignar nombres, ellos describían lo que ocurría en ellos, tal como
"cosecha de cebada", "la siembra temprana", "la cosecha del lino" y
otros por el estilo. Así que, el tiempo era importante por lo que
ocurría en él, no por el mero correr de los días.

Tal vez la característica más llamativa de la idea hebrea del
tiempo es que no tenían ningún concepto de una eternidad
intemporal. La idea de la eternidad como algo "carente de tiempo" es

una idea desarrollada por el Nuevo Testamento. Parece que los israelitas nunca pensaron en la eternidad de este modo. La palabra básica que traducimos como "eternidad" en el Antiguo Testamento significa realmente "lo desconocido tenue". Se refiere a lo oculto del futuro lejano o del pasado remoto más que a su carácter de intemporalidad. Así, cuando Isaías miraba hacia adelante y contemplaba el reino mesiánico, dijo:

> "De la grandeza de su gobierno y de su paz no habrá fin;
> sobre el trono de David y sobre su reino para establecerlo y
> mantenerlo con justicia y rectitud desde ahora hasta el
> tenue futuro desconocido" (Is. 9:7, traducción del autor).

Isaías no anticipaba un reino intempòral sino un reino dentro del tiempo. Quedaba más allá de las fronteras de su visión, pero dentro del tiempo. El estaba contento con dejar el tiempo en las manos de Dios.

Una segunda expresión que a veces se presta a malentendido se traduce "siempre". Esto, también, nos deja con un sentido de intemporalidad. La expresión hebrea precisa significa literalmente "por largura de días". Así la mirada futurista del salmista era:

> "Seguramente la bondad y la misericordia me seguirán todos
> los días de mi vida; y moraré en la casa del Señor por largura
> de días" (Sal. 23:6, traducción del autor).

En estas expresiones están las raíces desde las cuales el Nuevo Testamento desarrolló su concepto de la eternidad. Si a Dios se le podía confiar el cuidado de su pueblo dentro del tiempo, también se le podía confiar ese cuidado más allá del tiempo. No es que los hebreos no creían esto, sino que a ellos no se les ocurrió pensarlo. Su preocupación estribaba en lo que Dios hacía en el tiempo. Dejaban lo demás con él. Puede que esto nos sirva de advertencia para que no lleguemos a ser de otro mundo que nos olvidemos de este. Fue precisamente esta tendencia que Pablo combatía en sus cartas a la iglesia en Tesalónica. Algunos de los creyentes en esa ciudad estaban tan ansiosos por el retorno de Cristo que se congregaban sólo para esperarlo. A ellos, lisa y llanamente Pablo dijo: "Si alguno no quiere trabajar, tampoco coma" (2 Ts. 3:10). Puede ser muy trillado, pero no deja de ser cierto, que es posible estar tan preocupado con el cielo que uno deja de tener valor para este mundo. El Antiguo Testamento conservaba su énfasis sobre lo que Dios hacía en el tiempo, en los eventos cotidianos en donde Dios se daba cita con ellos. Era dentro de estos eventos donde podían y debían aprender acerca de Dios.

La revelación a través de la interpretación

No basta reconocer que Dios se consideraba como revelándose en el mundo de la naturaleza y en los eventos históricos. Aún nos toca encarar la cuestión de cómo lo hizo. Es imprescindible reconocer que Dios siempre disponía de un intérprete para interpretar o explicar lo que él revelaba. Sin el intérprete inspirado, pudiera ser que la revelación se hubiera perdido.

Medios físicos de revelación

Los intérpretes de la revelación de Dios experimentaban su autodescubrimiento por medio de varios tipos de fenómenos físicos. Ellos percibían su revelación en los eventos normales de la naturaleza, tales como el arco iris, el día y la noche, la sementera y la cosecha (Gn. 9:12-17; 8:22). También experimentaban su revelación en eventos anormales que no eran necesariamente sobrenaturales, tales como el viento del oriente que partió las aguas con el fin de que Israel saliera de Egipto por el mar (Ex. 14:21, 22). Si bien es cierto que un viento del este puede ser natural, era anormal que partiera las aguas. El que esto se hiciera justo en el lugar y en el momento era aún más anormal.

Había también una profunda convicción de que Dios se revelaba en lo sobrenatural. Esta es el área del milagro. Para el hebreo, lo que nosotros llamamos milagro normalmente se describía con términos que significaban "algo maravilloso" o "señal". Así, cuando a Gedeón se le dijo que el Señor estaba con él, él respondió: "Dígame, señor, si el Señor está con nosotros . . . dónde están todas sus maravillas de las que nos contaban nuestros padres?" (Jue. 6:13, traducción del autor). Gedeón procuraba hallar milagros para comprobar la presencia de Dios. La falla de Gedeón fue en no ver a Dios de otros modos. (¿No será esta la falla nuestra también?)

A Moisés se le dijo que Dios iba a multiplicar "señales y . . . maravillas" en Egipto (Ex. 7:3). Ambos términos se refieren a los actos portentosos de Dios. La señal, no obstante, siempre llamaba la atención a algún significado más allá de sí misma. Si nosotros fijamos nuestra atención tanto en el evento y perdemos su significado, no lo hemos comprendido. Uno de los trucos principales de Satanás es lograr que fijemos nuestra atención de tal modo en el evento que dejemos de percibir lo que Dios nos revela a través de él. Ningún milagro es tan importante como su significado; hemos de escuchar lo que Dios nos está diciendo.

También, Dios regularmente se revelaba a su pueblo por medio del fuego y la tempestad. De nuevo, hacía falta un intérprete inspirado para percibir esto y explicarlo. Si Moisés no hubiese estado presente para indicarle al pueblo de Israel que la columna de fuego y la nube indicaban la presencia de Dios, tal vez no lo habrían sabido. Cuando Dios descendió sobre el Monte Sinaí, se le vio tanto en el fuego como en la tormenta (Ex. 19:16, 18). La visión que Isaías tuvo de Dios parece indicarnos el fuego (Is. 6:4). En cambio, la visión de Ezequiel llamó la atención a las nubes y los relámpagos, el cuadro perfecto de una tormenta (Ez. 1:4). La imagen del fuego y la tempestad se llevó al Nuevo Testamento porque la venida del Espíritu Santo en el día de Pentecostés fue algo como un viento recio y lenguas de fuego (Hch. 2:2, 3).

Los voceros de Dios ocasionalmente recibían una revelación por medio de oráculos. En varias ocasiones echaron suertes para descubrir la voluntad de Dios. Este medio se usó para determinar la identidad de un pecador después de lo acontecido en Jericó, para determinar quién sería el primer rey de Israel y para decidir de quién había sido la culpa que trajo una tempestad para un barco en el mar (Jos. 7:16 sigs.; 1 S. 10:20 sigs.; Jon. 1:7 sigs.). Estas suertes se conocían en Israel como Urim y Tumim (Ex. 28:30). Además de estas suertes, la voluntad de Dios también se determinaba por medio de oráculos, tales como el uso del vellón de lana por Gedeón, la sacudida de las saetas por Nabucodonosor, el examinar del hígado de un animal sacrificado y el consultar a los terafines (Jue. 6:36-40; Ez. 21:21, 22). Cada uno de estos era un medio antiguo de la adivinación y están bien documentados por la arqueología.

Aparte de estos medios específicos para determinar la voluntad de Dios, había muchas veces cuando la revelación física se lograba simplemente en experiencias ordinarias. Amós recibió un mensaje importante después de contemplar un canastillo de fruta de verano (Am. 8:1-3). Jeremías tuvo una experiencia similiar mediante una visita a la casa del alfarero (Jer. 18:1 sigs.). Además, el uso de los sueños en la revelación de los propósitos de Dios en el Antiguo Testamento es bien conocido. La llegada al poder de José en Egipto vino después de una experiencia de revelación de ese tipo (Gn. 35:5-11; 41:1 sigs.).

Mientras que estos medios físicos de la revelación no son tan comunes en el Nuevo Testamento como en el Antiguo, aún se hacen presentes. Pedro tuvo una visión o un sueño en la azotea en Jope (Hch. 10:9 sigs.). Los apóstoles también echaron suertes para elegir al sucesor de Judas (Hch. 1:26).

Parece que estos medios físicos de la revelación llegaron a ser menos importantes durante la parte final de la época del Antiguo Testamento. Su uso en el período neotestamentario parece haber llegado a ser mínimo. Con la dádiva del Espíritu Santo de Dios, quien iba a guiarles "a toda la verdad", el empleo de tales otros medios fue innecesario (Jn. 16:13).

Revelación profética

A todas luces, el medio más conocido y más significativo de la revelación en el Antiguo Testamento fue dado a y por los voceros de Dios, los profetas. La descripción más primitiva de tal hombre era como un "vidente". Esto pareciera aludir a sus experiencias visionarias o a sus medios oraculares para descubrir la voluntad de Dios. Sin embargo, el término principal que se usó para describir a tal hombre era la palabra "profeta". Aunque no podemos estar del todo seguros respecto al significado más antiguo de este último término, aparentemente se refería a "uno que vertía". Así, tal hombre sería un proclamador, uno que vertía el mensaje de Dios.

Hay dos pasajes significativos para nuestra comprensión de lo que era un profeta. En 1 Samuel 9:9, 10 se nos habla de la transición desde el término más antiguo, "vidente", al término más nuevo, "profeta". De aún más importancia, se nos dice que el profeta era un "varón de Dios". Es esencial que recordemos que a través del Antiguo Testamento el profeta siempre era considerado un hombre de Dios. Esto se refería al hecho de que él era llamado por Dios, motivado por Dios y que proclamaba la palabra de Dios.

También Exodo 7:1, 2 es importante para nuestro entendimiento de la función y el ministerio del profeta, en donde Dios le dijo a Moisés:

> "Mira, yo te he constituido dios para Faraón, y tu hermano Aarón será tu profeta. Tú dirás todas las cosas que yo te mande, y Aarón tu hermano hablará a Faraón . . ."

Aarón tenía que actuar como profeta para Moisés ante Faraón. Como tal, había de ser canal de comunicación entre Moisés y Faraón, al llevar el mensaje de Moisés. Esto describe precisamente lo que un profeta debía hacer. Como el profeta de Dios, llevaría el mensaje de Dios al pueblo. El profeta y el pueblo siempre estaban claros en cuanto a la fuente del mensaje; éste siempre venía de Dios.

Así, el profeta se entendía a sí mismo como el canal por el cual Dios hablaba. Es muy característico de esta postura que los profetas acostumbraban hablar, diciendo: "Vino a mí palabra de Jehová." El era el canal de la revelación verbal de Dios al pueblo, pero era más que esto.

Al estudiar el ministerio de los grandes profetas, tales como Moisés, Isaías y Jeremías, descubrimos que ellos eran también intercesores. Ellos llevaban su pueblo a Dios. Pareciera que cualquier gran hombre como profeta era también grande en la oración. Notemos cómo intercedió Amós por su pueblo ante el juicio inminente (Am. 7:2, 5). El profeta nunca se contentaba con sólo proclamar la palabra de Dios, sino que también buscaba la misericordia de Dios para su pueblo.

Los profetas muy a menudo usaban acciones simbólicas. Jeremías se puso un yugo para recalcar su mensaje de sumisión ante el yugo de Babilonia (Jer. 27:1 sigs.). El ministerio de Ezequiel se caracterizó especialmente por tales acciones, en las cuales vez tras vez parecía hacer el papel del ridículo al dramatizar sus mensajes (vea Ez. 4:1—5:12; 12:1-16).

Tales actuaciones eran representaciones vívidas de los mensajes que los profetas proclamaban. Más que esto, los profetas parecían creer que al obedecer a Dios en dramatizar sus mensajes, ellos de algún modo desataban el poder divino para obrar en esas situaciones. Es muy posible que este concepto tenga algunos matices que nos ayuden a entender los símbolos neotestamentarios del bautismo y la cena del Señor. Estas representaciones son más que meros símbolos. Son, más bien, el testimonio dramático y eficaz a la verdad del mensaje evangélico que representan.

Los mensajes de los profetas parecen haber sido dirigidos primordialmente a sus propias situaciones históricas y específicas. Esto no quiere decir que no había un elemento de predicción en ellos. Empero, cada mensaje se dirigía al propio pueblo contemporáneo del profeta. Esto es justamente lo que hace que sus mensajes tengan valor eterno. Ya que hablaban a gente real en crisis reales, sus mensajes pueden ser trasladados a otros pueblos reales con crisis reales semejantes. También se nos hace muy importante procurar identificar la crisis a la que un mensaje dado se dirigía. De ningún otro modo podemos estar en tierra firme al aplicar sus palabras antiguas a nuestros días contemporáneos.

Es importante que reconozcamos que los profetas estaban totalmente envueltos en la palabra de Dios. Era su palabra la que predicaban. Cuando la proclamaban, esperaban que algo sucediera. Así, podían decir con toda confianza:

> "Así será mi palabra que sale de mi boca; no volverá a mí vacía, sino que hará lo que yo quiero, y será prosperada en aquello para que la envié" (Is. 55:11).

La palabra de Dios era tanto confiable como eficaz. Era este hecho el que permitía a los profetas predicar con tanto denuedo. Esto es aún cierto acerca de la palabra de Dios.

La ley como revelación.

Al hombre moderno se le hace difícil aceptar el concepto veterotestamentario de la ley como revelación de Dios. Nosotros pensamos en la ley como obligación, restricción y, en general, algo desagradable. Para el israelita antiguo, la ley era uno de los grandes dones de Dios. Por causa de esto, podía cantar:

> "El hacer tu voluntad, Dios mío, me ha agradado, Y tu ley está en medio de mi corazón" (Sal. 40:8).

A esto agregaba:

> ". . . Mas yo en tu ley me he regocijado . . . Mejor me es la ley de tu boca Que millares de oro y plata. . . Porque tu ley es mi delicia" (Sal. 119:70, 72, 77).

La razón para este gozo en la ley de Dios fue que era tanto la verdad como la portadora de una relación pacífica entre el hombre y Dios y también entre el hombre y el hombre.

> "Tu justicia es justicia eterna, Y tu ley la verdad . . . Mucha paz tienen los que aman tu ley, Y no hay para ellos tropiezo" (Sal. 119:142, 165).

La ley era una fuente tan rica del conocimiento de la voluntad de Dios y de recibir sus bendiciones que Jeremías, al anticipar en esperanza el nuevo pacto, proclamó la promesa de Dios: ". . . Daré mi ley en su mente, y la escribiré en su corazón; y yo seré a ellos por Dios, y ellos me serán por pueblo" (Jer. 31:33).

Fue sobre este fundamento que Jesús edificaba, al decir: "No penséis que he venido para abrogar la ley o los profetas; no he venido para abrogar, sino para cumplir" (Mt. 5:17). Era la ley que avisaba a Israel lo que Dios esperaba y demandaba de ellos.

Pero, como Jesús dijo inmediatamente después, había significados más profundos de la ley que Israel jamás entendió. Tal y como el Nuevo Testamento dice bien claro, la ley no salva. Pero la ley sí hacía la vida llevadera. Fijaba los límites de lo que Dios esperaba. En Cristo, hemos sido hechos obedientes a él como Señor. El ha llegado a ser nuestra ley.

Una última palabra respecto a la revelación por medio de la ley. Una de las razones por las cuales las antiguas leyes de Israel nos parecen tan limitativas es que vivimos en una cultura muy diferente a la del período de Israel. Si alguna vez comprendemos la revelación dentro de estas leyes, tendremos que hacerlo viéndolas dentro de su propio contexto y no del nuestro.

Las leyes tocantes a los esclavos nos horrorizan (Ex. 21:1-11).

Pero en Israel los esclavos no habían sido sino propiedad. No se les trataba como a personas, sino casi como a animales. Así es que, en esta ley Dios decía a Israel: "Los esclavos también tienen derechos." Fue una tremenda revelación que a los esclavos había que tratarles como a otros seres humanos.

La famosa *Lex Taliones* (ley del talión) nos suena muy dura en comparación con las palabras de Jesús que nos amonestan a dar la otra mejilla (Ex. 21:23-25; Mt. 5:38-42). Pero, otra vez, nos hace falta notar que en el mundo en que vivía Israel la venganza era la ley más común. Aquí, se les decía que no podían exigir más que lo justo.

Al considerar estos ejemplos, se hace obvio que la ley representaba un tremendo avance en cuanto a sus relaciones con otros pueblos, a las de unos con otros en el mismo pueblo de Israel y en sus relaciones con Dios. En verdad, era parte de la buena revelación de Dios. Ellos nunca dudaron que la ley provino de Dios.

La historia sagrada como revelación.

Una cuarta manera en la que se puede ver cómo se comprendía la autorrevelación de Dios en el Antiguo Testamento está en las historias registradas por este pueblo antiguo. Ya nos hemos topado con el hecho de que la visión histórica de Israel se deriva de su concepto de Dios. Ningún otro pueblo antiguo escribió jamás semejante historia como la de Israel. Otros pueblos crearon "una época de oro" en la que ellos veían su pasado con orgullo. Israel, en cambio, miraba hacia atrás y veía su esclavitud en Egipto de la que Dios lo había redimido. Otros pueblos raramente registraban derrotas de sus ejércitos nacionales. Israel veía sus derrotas como el justo castigo de Dios por causa de su propia apostasía pecaminosa. Otros pueblos ignoraban los fracasos de sus héroes o enaltecían a sus hombres grandes como estando por encima de los códigos morales. Israel, vez tras vez, describía a sus héroes en términos muy humanos, mostrando así tanto sus pecados trágicos como el perdón por la gracia de Dios. A fin de cuentas, otros pueblos daban por sentado que si sus naciones sufrían derrotas, sus propios dioses habían sido también derrotados. Unicamente Israel desarrolló una teología del exilio, en la que señalaba a su propia derrota como una evidencia adicional de la soberanía de Dios sobre todas las naciones. El Dios de Israel podía usar a Asiria y a Babilonia como sus instrumentos sin que esos pueblos lo conocieran. Fue a base de esto que Isaías proclamó:

"Oh Asiria, vara y báculo de mi furor, en su mano he puesto
mi ira. Le mandaré contra una nación pérfida, y sobre el
pueblo de mi ira le enviaré . . . Aunque él no lo pensará así,
ni su corazón lo imaginará de esta manera, sino que su
pensamiento será desarraigar y cortar naciones no pocas"
(Is. 10:5-7).

Y cuando Habacuc se preguntaba lo que Dios iba a hacer respecto a
los pecados de Judá, Dios le dijo:

"Mirad entre las naciones, y ved, y asombraos; porque haré
una obra en vuestros días, que aun cuando se os contare, no
la creeréis. Porque he aquí, yo levanto a los caldeos, nación
cruel y presurosa, que camina por la anchura de la tierra
para poseer las moradas ajenas" (Hab. 1:5, 6).

Así es que, la historia de Israel no era simplemente el relato de
eventos; era la historia sagrada de los actos redentores de Dios aun
por medio del juicio. Para los intérpretes de Dios, los juicios
históricos de Dios siempre acarreaban un propósito redentor.
Cuando Amós contemplaba los eventos catastróficos de su día, se
destacaban dos verdades. Primera, las calamidades naturales e
históricas eran evidencia del juicio de Dios sobre el pecado de Israel.
Pero hay un refrán fijo que indica la segunda verdad. Cuatro veces
Amós señaló a los eventos contemporáneos y cada vez terminaba
con el refrán: "Mas no os volvisteis a mí" (Am. 4:6, 8, 10, 11). Era
evidente que el propósito de Dios en esos juicios no era simplemente
castigar sino redimir. Los actos divinos tenían la mira de que Israel
volviera a Dios.

De modo que la narración sagrada de su historia se convirtió en
el agente de la revelación de Dios. Lo que se nos presenta, pues, no
es tanto la historia de Israel como la historia de Dios realizando sus
propósitos redentores en y por medio de Israel. Fue esta historia
sagrada la que fijó el escenario para la historia sagrada última, el
evangelio de Jesucristo. Fue también la historia sacra de Israel la
que nos dio el vocabulario con el cual los predicadores neotestamentarios proclamaron la misión de Jesús. (Esto se detallará más en
capítulos posteriores.)

La sabiduría como revelación.

Job, Proverbios y Eclesiastés, junto con algunos salmos, son el
producto de lo que se ha llamado el moviminto sapiencial hebreo.
Los sabios del Antiguo Testamento se mencionan a menudo
juntamente con los profetas y los sacerdotes, como los principales
funcionarios en la fe nacional. Los enemigos de Jeremías negaron la

validez de sus proclamaciones de juicio, al decir: ". . . La ley no faltará al *sacerdote,* ni el consejo al *sabio,* ni la palabra al *profeta*" (Jer. 18:18; cursivas del autor).

El mensaje de estos libros llama nuestra atención a los problemas prácticos del diario vivir, a la experiencia lograda en la vida y a cuestiones últimas de la vida. Puesto que mucha de su atención se fija en asuntos no religiosos, muchos intérpretes simplemente ignoran estos libros. Esto es errar totalmente al blanco.

Los sabios buscaban la sabiduría verdadera. Ellos encontraban mucha sabiduría práctica en la vida cotidiana, pero proclamaban que la sabiduría verdadera sólo procedía de Dios. Job preguntó con sencillez:

"¿De dónde, pues, vendrá la sabiduría? Y ¿dónde está el lugar de la inteligencia?" (Job 28:20).

Respondió con igual sencillez:

"He aquí que el temor del Señor es la sabiduría, Y el apartarse del mal, la inteligencia" (Job 28:28).

El autor de Proverbios subrayó esto al decir:

"El principio de la sabiduría es el temor de Jehová; los insensatos desprecian la sabiduría y la enseñanza" (Pr. 1:7).

Ya que "el temor de Jehová", como hemos visto, parece haber significado la palabra autoritativa y revelada de Dios, los sabios de Israel proclamaban que tal sabiduría verdadera se encontraba en la palabra de Dios y no en todas las búsquedas filosóficas del hombre. Además, cuando el autor de Eclesiastés hubo examinado la totalidad de la experiencia humana, concluyó con esta amonestación: "Este es el fin del asunto; todo se ha dicho. Teme a Dios y guarda sus mandamientos; esto es para todo hombre" (Ec. 12:13, traducción del autor).

Los escritores sapienciales simplemente decían que la experiencia humana es importante. Si no fuera así, no se le habría dado tanta atención. Pero la revelación divina es aún más importante por ser no tan sólo resultado de la experiencia humana, sino de la experiencia humana con Dios. De manera que la revelación última se da en lo que sucede entre un hombre y su Dios. Cuando Job llegó al final de su conflicto, hizo una aseveración culminante. El había cuestionado a Dios basándose en su propia experiencia. También había cuestionado a Dios basándose en la experiencia de otros. Sus preguntas fueron silenciadas, no porque Dios se las contestase, sino porque Dios le confrontó. Así que cuando Job se encontró con Dios, dijo:

> "De oídas te había oído; Mas mis ojos ahora te ven. Por tanto me aborrezco, Y me arrepiento en polvo y ceniza" (Job 42:5, 6).

Fue sólo después de esto que Job pudo orar por sus amigos (Job 42:10).

En el Antiguo Testamento, pues, la revelación venía al hombre sólo al experimentar a Dios. Se podía experimentar a Dios tanto en la naturaleza como en la historia. Se podía experimentar a Dios en eventos naturales, anormales y sobrenaturales. Se podía experimentar a Dios mientras se buscaba una respuesta de Dios o al ser confrontado por Dios. Se podía experimentr a Dios cuando él revelaba su palabra profética o su ley autoritativa. Pero, al fin y al cabo, todas estas experiencias fueron registradas en lo que llamamos el Antiguo Testamento. Era la palabra de Dios a Israel en situaciones históricas específicas. Es la palabra de Dios para nosotros en nuestra situación histórica. Es nuestra responsabilidad dejar que sus palabras nos conduzcan desde la palabra impresa de un libro a nuestra propia experiencia personal con Dios en la vida cotidiana.

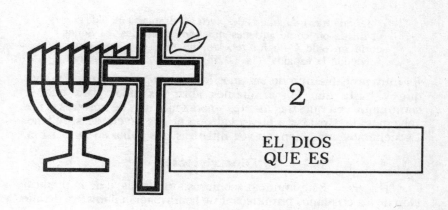

2

EL DIOS
QUE ES

Cuando se logró por primera vez una conexión telefónica entre Inglaterra y Africa del Sur, se dio el aviso en la Cámara de los Comunes, en Inglaterra. Los miembros de ese augusto cuerpo, normalmente muy reservados, irrumpieron en gritos y aplausos. Al reducirse el ruido, un miembro de la Cámara se puso de pie y replicó: "¡Maravilloso, maravilloso! Ahora que podemos conversar con los de Africa del Sur, ¿qué les diremos?"

La habilidad de comunicarse carece de mucha importancia a no ser que haya algo que comunicar. Hemos visto que el Antiguo Testamento entiende claramente que Dios se comunica mediante su palabra. Eso es maravilloso, pero el hecho por sí sólo es de poco significado. Lo que sí tiene significado es nuestro entendimiento de lo que él ha comunicado. ¿Qué fue lo que Dios reveló al pueblo de Israel? ¿Qué cosa nos revela en el Antiguo Testamento a nosotros?

Para poder comprender las respuestas a estas preguntas, debemos recordar que el Antiguo Testamento fue registrado por personas que vivían en un mundo altamente religioso. Los hombres de todos los pueblos antiguos creían en alguna clase de dioses. Todos practicaban alguna especie de adoración. Todos tenían algún tipo de fe, algún sistema de creencia. A menos que reconozcamos esto, es muy probable que entendamos mal mucho de lo que el Antiguo Testamento nos dice acerca de Dios.

En base a este entendimiento y con la clara convicción de que Dios sí habló y habla a través de las páginas de este libro antiguo, nos disponemos a decir:

> "Mañana tras mañana, él despierta; él despierta mi oído con
> el fin de oír como aquellos que son enseñados. El Señor
> abrió mi oído y no fuí rebelde; no me eché para atrás,
> volviendo la espalda" (Is. 50:4b, 5, traducción del autor).

Es muy probable que no oigamos lo que Dios nos revela a menos
que y hasta que le permitamos abrir los oídos para que se
comunique con nuestras mentes y corazones. ¡Ay de nosotros si nos
volvemos de espaldas a la verdad que él nos revela de sí mismo!
Escuchemos, más bien, su voz mientras nos habla en su palabra.

El Dios viviente

"¡El vive!" Este anuncio asombroso fue la clave de la predicación de los cristianos primitivos. Fue la afirmación llamativa de que
Jesús había conquistado la muerte.

De modo similar, la clave de la proclamación del Antiguo
Testamento era que Dios estaba vivo, que vivía. Este era el hecho
principal de la vida para Israel. Los griegos antiguos describían a
sus dioses o bien como criaturas mitológicas e insípidas, como seres
estáticos inmóviles, o como criaturas totalmente inmorales y menos
que humanas. Lo mismo puede decirse de la mayor parte de las
religiones del antiguo Cercano Oriente. No era cierto respecto a los
hebreos antiguos. Sus primeros conceptos de Dios lo consideraban
como dinámico, móvil, viviente y exaltado. El hebreo antiguo nunca
procuraba probar la existencia de Dios. Más bien, encontraba a Dios
por medio de sus acciones vivas en la historia. Para el hebreo, era
obvio y fundamental que Dios estuviera vivo.

Cualquier persona podía estar en la presencia de un ídolo sin
temor alguno. Pero después del encuentro de Dios con Israel en
Sinaí, Moisés se sintió compelido a exclamar:

> "Porque ¿qué es el hombre, para que oiga la voz del Dios
> viviente que habla de en medio del fuego, como nosotros la
> oímos, y aún viva?" (Dt. 5:26).

Oseas, al predicar durante los días oscuros justo antes de la caída de
Samaria, expresó su esperanza para el futuro en términos semejantes cuando dijo: ". . .Y en el lugar en donde les fue dicho: Vosotros
no sois pueblo mío, les será dicho: Sois hijos del Dios *viviente*" (Os.
1:10, cursivas del autor). Además, Jeremías contrastaba los ídolos a
los cuales su pueblo se había vuelto con el Dios de Israel, al
proclamar:

> "Mas Jehová es el Dios verdadero; él es el Dios vivo y Rey
> eterno. . ." (Jer. 10:10a).

Fueran los términos que fuesen los que los hebreos usaban para describir a Dios, y que conste que usaban muchos, él era siempre fundamentalmente el Dios viviente. Como tal, estaba activo en la historia. Eran sus acciones las que constituían la evidencia primaria del hecho de que estaba vivo. Como también hemos visto, era su actividad la que llenaba la historia de significado pleno. Así podemos afirmar verdaderamente que la historia es primordialmente "su historia".[1]

Sin duda, el concepto de Dios en el Antiguo Testamento creció y se desarrolló con el correr de los años. Esto, sin embargo, nunca debe considerarse simplemente como el producto del pensamiento humano en torno a Dios con el pasar del tiempo. La evidencia en su contra es irresistible. Su comprensión de Dios crecía, porque estaban constante y consecuentemente siendo encontrados por el Dios vivo. Ellos sabían más acerca de Dios, porque él los continuaba encontrando, confrontando y desafiando. Al pasar los años, los actos divinos de redención, juicio y amor hicieron que ellos entendiesen más de su misma naturaleza. Así, no podemos decir con razón que su teología se desarrolló con el correr de los años. (Si en efecto sucedió, éste no era el punto.) Lo que sí se desarrolló fue el discernimiento de la fe que respondía a la experiencia con el Dios vivo. La misma señal de su conciencia del Dios vivo era el hecho de que su respuesta de fe era también viviente. La misma creció y se desarrolló en respuesta a su experiencia personal con Dios. Esto todavía es cierto.

La misma naturaleza de una experiencia de fe con el Dios vivo es que produce una fe creciente. Así, el testimonio común del Nuevo Testamento es que el nuevo convertido es un niño en Cristo, que crece y se desarrolla hasta ser un cristiano maduro. Pablo declaró:

> "De manera que yo, hermanos, no pude hablaros como a espirituales, sino como a carnales, como a niños en Cristo. Os di a beber leche, y no vianda; porque aún no érais capaces, ni sois capaces todavía" 1 Co. 3;1, 2).

El autor de Hebreos subraya esta idea aún más.

> "Porque debiendo ser ya maestros, después de tanto tiempo, tenéis necesidad de que se os vuelva a enseñar cuáles son los primeros rudimentos de las palabras de Dios; y habéis llegado a ser tales que tenéis necesidad de leche, y no de

---

1. Nota del traductor: aquí hay un juego de palabras en el inglés; las tres primeras letras del vocablo "historia" *his*, corresponden en inglés al pronombre posesivo "su". Las cinco últimas letras de la palabra inglesa *story*, corresponden a la palabra "historia".

alimento sólido. Y todo aquel que participa de la leche es inexperto en la palabra de justicia, porque es niño; pero el alimento sólido es para los que han alcanzado madurez, para los que por el uso tienen los sentidos ejercitados en el discernimiento del bien y del mal" (He. 5:12-14).

Pedro afirmó este proceso del crecimiento espiritual por medio de la experiencia de la fe al decir: "Desead, como niños recién nacidos, la leche espiritual no adulterada, para que por ella crezcáis para salvación" 1 P. 2:2). Tal crecimiento en la fe se logra por un encuentro con el Señor viviente mediante una palabra viva. Esto se comprobaba en la época neotestamentaria y en tiempos veterotestamentarios. Hoy también es cierto.

Los hombres del Antiguo Testamento estaban tan seguros que Dios vivía que podían decir: "Vive Jehová", para afirmar un juramento (Jue. 8:19; Rut 3:13). Tales juramentos se hacían sólo en base a algo absolutamente permanente. Hay por lo menos sesenta ejemplos de este juramento en particular en el Antiguo Testamento.

Como un Dios vivo, él se interesa en los seres vivientes. Este interés se enfocaba en su preocupación por las acciones de los hombres. Se esperaba que ellos respondieran con obediencia. Dios dijo por Moisés:

"Vosotros vísteis lo que hice a los egipcios, y cómo os tomé sobre alas de águilas, y os he traído a mí. Ahora, pues, si diéreis oído a mi voz, y guardareis mi pacto, vosotros seréis mi especial tesoro sobre todos los pueblos; porque mía es toda la tierra" (Ex. 19:4, 5).

Cuando sus acciones eran contrarias a su voluntad, se les exigía que dieran cuenta. Por otro lado, la obediencia a Dios era el camino a la vida.

El Dios vivo era el autor de toda la vida, tanto física como espiritual. Génesis declara que "Jehová Dios formó al hombre del polvo de la tierra, y sopló en su nariz aliento de vida, y fue el hombre un ser viviente" (Gn. 2:7). Pero también se nos dice que Dios dijo a Israel:

"Mira, yo he puesto delante de ti hoy la vida y el bien, la muerte y el mal; porque yo te mando hoy que ames a Jehová tu Dios, que andes en sus caminos, y guardes sus mandamientos, sus estatutos y sus decretos, para que vivas y seas multiplicado, y Jehová tu Dios te bendiga en la tierra a la cual entras para tomar posesión de ella. Mas si tu corazón se apartare y no oyeres, y te dejares extraviar, y te inclinares a dioses ajenos y les sirvieres, yo os protesto hoy que de cierto pereceréis; no prolongaréis vuestros días sobre la tierra adonde vais, pasando el Jordán, para entrar en posesión de ella" (Dt. 30:15-18).

Además, toda vida animal procedía de Dios (Gn. 1:20-25). Para el hebreo antiguo, el Dios vivo incuestionablemente era la fuente de la vida, de toda vida.

Por ser el Dios vivo, se le conoce por lo que hace y no por lo que los hombres piensan de él. Como ya hemos visto, el conocimiento de Dios le llegaba al pueblo del Antiguo Testamento por la autorrevelación de Dios y no por la búsqueda del hombre o por sus procesos de pensamiento. Así, Amós declaró con seguridad:

"Porque no hará nada Jehová el Señor, sin que revele su secreto a sus siervos los profetas" (Am. 3:7).

Jeremías señaló que la ausencia de esta revelación personal de Dios en un profeta lo marcaba como profeta falso, al decir:

"Porque, ¿quién estuvo en el secreto de Jehová, y vio, y oyó su palabra? ¿Quién estuvo atento a su palabra y la oyó?" (Jer. 23:18).

De modo que todos los profetas constantemente observaban lo que Dios hacía o había hecho en la historia, con el fin de definir la misma naturaleza del Dios a quien ellos proclamaban.

Pero aunque Dios era conocido por lo que hacía y aunque él revelaba aquello de sí mismo que elegía compartir, aun así no se le conocía del todo. Siempre había una parte de la naturaleza del Dios vivo que permanecía más allá de las posibilidades de comprensión. Así los santos podían cantar:

"Grande es Jehová, y digno de suprema alabanza; y su grandeza es inescrutable" (Sal. 145:3).

De manera que Job, quien con tanta arrogancia demandaba mucho de Dios, hizo silencio al ser confrontado por la inmensidad, la majestad y el poder del Dios vivo (vea Job 38:1—41-34). El había cuestionado las cosas que le habían dicho acerca de Dios. Pero, al haberse encontrado con el Dios vivo, simplemente confesó:

"De oídas te había oído; Mas ahora mis ojos te ven. Por tanto me aborrezco, Y me arrepiento en polvo y ceniza" (Job 42:5, 6).

No importa cuanto uno aprenda acerca del Dios vivo, siempre permanece algo escondido en torno a él. El santo del Antiguo

Testamento sabía perfectamente bien que a Dios se le conocía sólo cuando éste se dignase darse a conocer y sólo en la medida en que él determinase revelarse. El Dios vivo podía ser encontrado por una persona viviente sólo cuando Dios quería, no cuando la persona decidía encontrarle. A él se le encontraba cuando Dios actuaba, no cuando los hombres meditaban en él.

Los profetas del Antiguo Testamento describieron a los ídolos como muertos —un contraste cabal con el Dios viviente. Los ídolos eran dioses sin vida. Como opuestos absolutos del Dios vivo, los ídolos eran "nulidades". Este es un término común que describe los ídolos en el Antiguo Testamento y es el predilecto de Isaías. Fíjese en lo siguiente:

> "Su tierra está llena de 'nulidades'; ellos se inclinan ante la obra de sus manos, ante lo que sus propios dedos hicieron" (Is. 2:8, traducción del autor).
> "Y la soberbia del hombre será humillada, y el orgullo de los hombres será puesto abajo; y sólo el Señor será exaltado en aquel día. Y las 'nulidades' pasarán irremisiblemente" (Is. 2:17, 18, traducción del autor).
> "En aquel día los hombres se desharán de sus 'nulidades' de plata y sus 'nulidades' de oro, las cuales hicieron para sí con tal de adorarlas, a los topos y a los murciélagos" (Is. 2:20, traducción del autor).
> "Porque en aquel día cada cual se deshará de sus 'nulidades' de plata y sus 'nulidades' de oro, que sus manos pecadoras hicieron para sí" (Is. 31:7, traducción del autor).

En cambio, Jeremías simplemente describe a los ídolos como "no dioses". Casi se le puede oir mofándose de la insensatez de Judá que procuraba servir a tales criaturas:

> "Porque pasad a las costas de Quitim y mirad; y enviad a Cedar, y considerad cuidadosamente, y ved si se ha hecho cosa semejante a esta. ¿Acaso alguna nación ha cambiado sus dioses, aunque ellos no son dioses? Sin embargo, mi pueblo ha trocado su gloria por lo que no aprovecha. Espantaos, cielos, sobre esto, y horrorizaos; desolaos en gran manera, dijo Jehová. Porque dos males ha hecho mi pueblo: me dejaron a mí, fuente de agua viva, y cavaron para sí cisternas, cisternas rotas que no retienen agua" (Jer. 2:10-13).

Aun los paganos eran leales a sus dioses, aun siendo estos "no-dioses", dioses sin vida, dioses sin existencia. El pueblo de Judá, en cambio, era más insensato. Con traición e infidelidad trocó el Dios

vivo por las "nulidades". Esto era tanto insensato como trágico.
Puesto que sólo Dios vive, sólo Dios imparte la vida.

Fue este concepto de Dios como vivo el que sirvió de base para
la afirmación en el cuarto Evangelio, que "en él estaba la vida, y la
vida era la luz de los hombres" (Jn. 1:4). Además, cuando los
saduceos procuraban enredar a Jesús respecto a la resurrección, el
Señor respondió diciendo:

> "Pero respecto a la resurrección de los muertos, ¿no habéis
> leído lo que os fue dicho por Dios, cuando dijo: Yo soy el Dios
> de Abraham, el Dios de Isaac y el Dios de Jacob? Dios no es
> Dios de muertos, sino de vivos" (Mt. 22:31, 32).

Finalmente, era este concepto de Dios como vivo y como la
fuente de toda la vida el que dio origen a la esperanza plena de la
salvación. El Dios vivo no tan sólo daba vida, sino que daba vida
eterna. "Porque de tal manera amó Dios al mundo, que ha dado a su
Hijo unigénito, para que todo aquél que en el cree, no se pierda, mas
tenga vida eterna" (Jn. 3:16). Así como él creaba la vida física, el
Dios vivo también crea vida espiritual. Así, Pablo anunciaba con
denuedo: "aun estando nosotros muertos. . . (Dios) nos dio vida
juntamente con Cristo (por gracia sois salvos). . . Porque somos
hechura suya. . ." (Ef. 2:5-10). El Dios que vive imparte vida a
quien quiera. Aparte de él, no hay vida de ninguna clase.

El Dios personal

El Dios del Antiguo Testamento no se contentaba con sólo
revelarse como viviente. Hay muchas cosas que viven. El agregó a
su autodescubrimiento la verdad fantástica de que era personal.
Este hecho era observado por los hijos de Israel de varios modos.
Tengamos cuidado de no dar por sentada esta revelación. En los
tiempos antiguos como en los modernos había dos tendencias en los
hombres al describir a sus dioses. La primera era la de representar a
los dioses como alguna especie de fuerza impersonal, inmovible.
Este concepto aún está con nosotros. Muchas personas que
profesan creer en Dios, hablan de él en términos tan remotos e
impersonales que lo hacen algo totalmente teórico, irreal e
inelevante.

La segunda tendencia que se deja percibir en las descripciones
de los dioses es la de hacerlos tan radicalmente personales que
carecen de un sentido de deidad. En los tiempos modernos esto se
ve en la figura de un abuelo, canoso y viejo, o en la expresión "el
hombre de arriba". En los tiempos de la antigüedad esto mismo se
expresaba en las muchas descripciones mitológicas que representa-

ban a los dioses como menos que humanos. El comportamiento de los dioses de Grecia, Egipto y Babilonia, aunque descrito en términos humanos, solía ser peor que el de cualquier habitante típico de esos países. Sus dioses eran normalmente licenciosos, inmorales, caprichosos y generalmente subhumanos. El Dios del Antiguo Testamento no encajaba en ninguno de estos extremos debido a su personalidad.

El primer paso en la comprensión de la personalidad de Dios entre los hebreos antiguos se nota en el uso de su nombre personal. El nombre divino se nos da claramente por primera vez en el llamamiento de Moisés (Ex. 3:1-15). Cuando Moisés pidió una revelación de la identidad del Dios que lo llamaba, se le dio un nombre personal.

> "Dios también le dijo a Moisés: 'di esto a los hijos de Israel: Yahvé, el Dios de vuestros padres, el Dios de Abraham, el Dios de Isaac y el Dios de Jacob, me ha enviado a vosotros; este es mi nombre para siempre y así he de ser recordado a través de todas las generaciones' " (Ex. 3:15, traducción del autor).

La experiencia total se recordaba en términos de una conversación entre dos personas. Se concluía con una afirmación del nombre personal del Dios de Israel.

Hay dos problemas en torno al nombre de Dios. El primero es el de su significado. Parece derivarse de la misma raíz verbal expresada en la afirmación, "Yo soy" (Ex. 3:14). La primera persona de la forma verbal es aparentemente lo que Dios se llama a sí mismo: "Yo soy". La forma que los hebreos habrían de usar parece ser la tercera persona: "él es". Aunque esta es una sobresimplificación no técnica, parece ofrecer la mejor solución. Además, el nombre también podría traducirse como: "él era", "él será" o "él hace que sea". El nombre enfoca tanto la verdadera existencia de Dios como su poder creador. Además, llama la atención a la consistencia de Dios. Es muy probable que en base a esta idea el autor de Hebreos más tarde hizo su afirmación gloriosa de que "Jesucristo es el mismo ayer, y hoy, y por los siglos" (He. 13:8).

El segundo problema que se relaciona con el nombre de Dios es el de su verdadero deletreo y pronunciación. En el hebreo antiguo no se escribían las vocales. Así es que el nombre fue registrado como YHWH (o JHWH). En la versión griega del Antiguo Testamento (la Septuaginta, abreviada como LXX), el nombre divino se translíteró y las vocales "a" y "e" se insertaron, resultando así en *Yahwé*. Aunque esto se hizo siglos después del llamamiento de Moisés, es la evidencia más temprana en cuanto a las vocales.

En la historia posterior de Israel, el temor a violar el tercer mandamiento se hizo tan fuerte que los hebreos dejaron de siquiera pronunciar el nombre divino. Cuando leían las Escrituras, pronunciaban el nombre en hebreo para "Señor" en cada lugar en donde apareciera el nombre de Dios. Cuando por fin empezaron a escribir las vocales, con tal de que todos se acordasen de no pronunciar el nombre verdadero de Dios, agregaban las vocales de la palabra para "Señor" a las consonantes del nombre de Dios. De esto resultaba *Jehová (o Yehowah)*. Nunca hubo originalmente tal palabra. Era simplemente un modo de evitar que la gente usara el nombre de Dios en vano.

Pero a los hebreos se les dio no tan sólo la revelación del nombre personal de Dios sino que le entendieron en términos personales. Los muchos así llamados antropomorfismos (descripciones de Dios en términos humanos) pueden simultáneamente entenderse como teomorfismos (descripciones de seres humanos en términos divinos). Sea esto como fuere, no hay duda alguna en cuanto a la comprensión de Dios como persona de parte de los santos del Antiguo Testamento.

En el relato creacionista de Génesis, al hombre se lo describe como siendo creado a la imagen de Dios: "Entonces dijo Dios: Hagamos al hombre a nuestra imagen, conforme a nuestra semejanza; y señoree. . . en toda la tierra" (Gn. 1:26). Abordaremos esto con pormenores cuando consideremos el entendimiento de Israel respecto al hombre. Pero, en cuanto a su comprensión de Dios, éste era en algún sentido semejante al hombre. Esto incluye, por lo menos, su personalicad.

Además, a Dios regularmente se le describía en términos comunes de la personalidad humana. Dios camina, habla, siente, se enoja, reprocha, recuerda, perdona y ama. También, se le describe como teniendo una espalda, un rostro, brazos, manos, pies y aliento. Aunque es claro que éstas pueden ser figuras del habla que procuran describir a un Dios infinito para que sea comprendido por gente finita, también debe ser obvio que todos y cada uno de estos términos son términos que describen una calidad personal.

Al mismo tiempo, el Antiguo Testamento siempre aclara que aunque Dios tiene características personales siempre él está por encima y más allá del plano humano. Esta diferencia se hizo clara a través de Oseas.

"¿Cómo podré abandonarte, oh Efraín? ¿Te entregaré yo, Israel? ¿Cómo podré yo hacerte como Adma, o ponerte como Zeboím? Mi corazón se conmueve dentro de mí, se inflama toda mi compasión. No ejecutaré el ardor de mi ira, ni volveré para destruir a Efraín; porque Dios soy, y no hombre, el Santo en medio de tí; y no entraré en la ciudad" (Os. 11:8, 9).

Sería muy fácil deshacernos de los antropomorfismos del Antiguo Testamento como simplemente un modo tosco, primitivo y anticuado de comprender a Dios. Pero el camino fácil raras veces suele ser el mejor camino. Es claro que Jesús mismo habló de Dios en términos semejantes. Habló del "Padre que ve en lo secreto" (Mt. 6:6), del "Padre (que) sabe de qué cosas tenéis necesidad" (Mt. 6:8), y del Padre que alimenta las aves del cielo y viste la hierba del campo (Mt. 6:26, 30). Al mismo tiempo, hacía énfasis en las diferencias entre Dios y los hombres.

Los antropomorfismos ni son toscos ni anticuados. Más bien, comunican una verdad insondable la cual ninguna descripción filosófica y abstracta podría dar jamás. Las descripciones filosóficas e impersonales no dan ningún concepto verdadero de la realidad de Dios. Si hay algo claro en los mensajes del Antiguo y del Nuevo Testamentos es sobre la calidad personal de Dios. Para los santos del Antiguo Testamento, el Dios vivo era verdaderamente personal y sólo los términos descriptivos personales eran adecuados para sus relaciones con el hombre. Es más, sólo categorías personales bastaban para describir y definir la actividad de Dios en la naturaleza y en la historia.

De hecho, como hemos dicho anteriormente, tal vez sea el hombre el que queda descrito en términos teomórficos. Puesto que se nos dice que el hombre fue hecho a la imagen de Dios (Gn. 1:26), se puede decir que la proclamación del Antiguo Testamento es que el hombre es como Dios y no al revés. Aquello que en realidad describe lo que constituye una persona puede que sea Dios en vez del hombre. Dios, desde el principio, era completamente personal. El hombre meramente desarrolla su personalidad desde el polvo. A la vez, sea Dios lo que fuere, siempre está sobre, por encima y más allá del hombre. La evidencia última de la limitación del antropomorfismo era la prohibición de hacer cualquier representación visual de Dios (Ex. 20:4; Dt. 5:8). Tal representación, hubiera apresado a Dios dentro de sus confines o bien hubiera llegado a sustituirle. A Israel se le enseñó claramente que no había límite al ser o a la naturaleza de Dios.

En última instancia, el entendimiento de Israel respecto a su relación con Dios era llanamente personal. Su relación siempre se describe en términos de un pacto, un acuerdo entre personas. Constaba básicamente de un mandato de parte de un gran rey a sus súbditos. Pero, su base era siempre tanto personal como ética. Exigía una respuesta de una persona a otra.

El Dios de Israel era una persona. Tal vez sea más atinado decir que él era *la* persona. Como tal, se le entendía personalmente y él demandaba una respuesta personal.

Este modo de entender a Dios a la larga fructificó en la vida y ministerio de Jesús. Cuando Dios optó por enviar a su revelación máxima de sí mismo, envió a una persona, no una filosofía. Por esto, Juan proclamó con poder y gozo:

> "Y aquel Verbo fue hecho carne, y habitó entre nosotros (y vimos su gloria, gloria como del unigénito del Padre), lleno de gracia y de verdad. . . A Dios nadie le vio jamás; el unigénito Hijo, que está en el seno del Padre, él le ha dado a conocer" (Jn. 1:14-18).

Una afirmación adicional del hecho de que a Dios se le conoce mejor en relaciones interpersonales se da en la conversación entre Jesús y Felipe después de la última cena.

> "Felipe le dijo: Señor, muéstranos el Padre y nos basta. Jesús le dijo: ¿Tanto tiempo hace que estoy con vosotros, y no me has conocido, Felipe? El que me ha visto a mí, ha visto al Padre; ¿cómo, pues, dices tú: Muéstranos el Padre?" (Jn. 14:8, 9).

Así, podemos decir con seguridad que la autorrevelación máxima de Dios fue en una vida personal. La proclamación veterotestamentaria era de que Dios era una persona viva. Hasta hoy, se le entiende mejor en términos personales.

No nos acongojemos porque en algunas maneras la calidad personal de Dios en el Antiguo Testamento parece ser inferior a la revelada en Cristo. Esto ha de esperarse. Si el pueblo del Antiguo Testamento hubiera comprendido completamente la naturaleza de Dios, la vida y el ministerio de Jesús habrían sido innecesarios. Dios no impone sobre el pueblo más verdad de la que sea capaz de recibir. Aun Jesús dijo a sus discípulos:

> "Aun tengo muchas cosas que deciros, pero ahora no las podéis sobrellevar. Pero cuando venga el Espíritu de verdad, él os guiará a toda la verdad; porque no hablará por su propia cuenta, sino que hablará todo lo que oyere. . . El me glorificará; porque tomará de lo mío, y os lo hará saber" (Jn. 16:12-14).

La autorrevelación de Dios era una manifestación creciente. Si bien a veces la comprensión israelita de Dios era inferior a la revelación en Jesús, al mismo tiempo su entendimiento era muy superior al de sus contemporáneos. Nuestra comprensión en torno a Dios no está limitada por la habilidad de Dios de revelar sino por nuestra habilidad de comprender. Es cierto ahora y era cierto entonces. El creyente que crece sabe más de Dios hoy que lo que sabía hace un año. El Nuevo Testamento manifiesta más acerca de la personalidad de Dios que el Antiguo Testamento. No hay duda, sin embargo, de que encontramos a Dios como una persona viviente en ambos Testamentos. El nunca es meramente el producto del pensamiento racional o de una imaginación vívida.

El Dios santo

La comprensión veterotestamentaria de Dios como personal siempre está templada por su concepto de él como el Dios santo. Nuestra percepción de esta figura se distorsiona a menudo porque no logramos captar lo que la Biblia quiere decir por *santo*. Normalmente, este vocablo produce en la mente la imagen de un individuo santurrón, ultramundano y autojustificado, que no está relacionado con la vida real. Dígase lo que se dijere, el concepto de la santidad en el Antiguo Testamento no se ajusta a esta imagen.

El cuadro verbal detrás del concepto de la santidad en el Antiguo Testamento encierra dos figuras básicas. Pareciera que la santidad significaba quemar, resplandecer, irradiar; a la vez significaba separado, aparte, diferente. Ciertamente, en su uso real, el vocablo denota ambas imágenes. Había ese algo en Dios que irradiaba y ardía. De hecho, a menudo se le describe en términos de fuego. Moisés fue atraído por la zarza ardiendo (Ex. 3:2-4). Los israelitas fueron guiados por una columna de fuego y humo (Ex. 40:38). Aun el descenso del Espíritu en Pentecostés se describe en términos de lenguas de fuego (Hch. 2:3).

De igual modo, el uso del término claramente señala la idea de la separación, de ser apartado. "Santidad" y "santo" se usaban para describir objetos y personas que se habían apartado de lo secular. El término, al principio, no tenía un carácter moral, porque a las prostitutas sagradas en el culto cananeo a Baal se les llamaban "las santas". Como tales, eran mujeres que se habían separado para el culto a Baal. La gente profana no podía tocar ni acercarse a los objetos santos. A Uza no se le permitió tocar el arca ni tampoco se le permitió andar sobre "tierra santa" (2 S. 6:6, 7; Ex. 3:5).

A la larga, los hebreos llegaron a darse cuenta que sólo Dios era santo. Los objetos y las personas llegaban a ser santos porque eran apartados para el uso de Dios y porque él se había apoderado de ellos

para su uso particular. Así es que la santidad parece llegar a
describir la misma naturaleza de Dios. Los filisteos temblaban ante
su poder, diciendo: "¿Quién podrá estar delante de Jehová el Dios
santo?" (1 S. 6:20).

Para la época de los grandes profetas del siglo VIII a. de J.C., el
mismo concepto de la santidad había llegado a ser sinónimo de Dios
mismo. Así, Dios habló por Oseas al proclamar: ". . .porque Dios soy,
y no hombre, el Santo en medio de tí" (Os. 11:9). La descripción
más característica de Dios que se halla en labios de Isaías es "el
Santo de Israel". De hecho, el rasgo básico de su experiencia de
llamamiento fue la revelación de la santidad pavorosa de Dios. Al ver
a Dios en su visión, el serafín pronunciaba el refrán dramático:
"Santo, santo, santo, Jehová de los ejércitos" (Is. 6:3). El joven
Isaías había ido al templo buscando descubrir a qué clase de Dios
servía Israel. La revelación recibida lo proclamaba como un Dios
santo.

A estas alturas, la santidad describía lo diferente del carácter de
Dios. Dios es espíritu y el hombre es carne. Y sin embargo, a la vez
el término encerraba una dimensión moral al aplicarse a Dios. El
hombre es pecador y Dios es justo.

Debemos entender claramente que la santidad de Dios nunca
implicaba su distanciamiento del hombre. Su énfasis, más bien,
recaía sobre el hecho de la diferencia entre Dios y el hombre. Por ser
Dios santo, el mismo término empezó a desarrollar una connotación
moral. Sea lo que Dios fuere, él es santo. Así Isaías declaraba:

> "Pero Jehová de los ejércitos será exaltado en juicio, y el Dios
> Santo será santificado con justicia" (Is. 5:16).

Sin embargo, el término nunca perdió su énfasis sobre Dios como
totalmente diferente. La santidad siempre era aquello que distinguía a Dios del hombre. Fuera esa diferencia la que fuese, era la
santidad de Dios la que la efectuaba. Así, básicamente la santidad
puede describirse como el carácter de Dios. Lo colocaba a él en una
categoría completamente exclusiva. No había nada más santo en sí
mismo. Para Israel, sólo era santo aquello que pertenecía a Dios y
que había sido separado para su uso. En los términos más simples,
la santidad era ni más ni menos lo que Dios era. Aún es así.

Esto nos ubica cara a cara con la gloria de Dios. Cuando a Isaías
se le dijo que el Dios de Israel era santo, el serafín agregó otra cosa a
la descripción de la naturaleza divina.

> "Y el uno al otro daba voces, diciendo: Santo santo, santo,
> Jehová de los ejércitos; toda la tierra está llena de su gloria"
> (Is. 6:3).

De algún modo la gloria y la santidad parecen relacionarse. ¿Cuál es esa relación?

La palabra hebrea para *gloria* significaba originalmente "pesado" o cualquier cosa que tuviera peso. Es fácil comprender cómo el término básico llegó a referirse a cualquier cosa de significado. En este sentido, se usaba para hablar de riquezas, poder, éxito y victoria. Pero, llegó también a usarse respecto a la reacción de una persona ante estas cosas. Esto se notaba especialmente cuando se aplicaba a Dios. Dios tenía gloria dentro de sí mismo. El revelaba su gloria a los hombres. Pero los hombres, al responder ante él, tenían que darle la gloria (significado, peso, importancia).

En un sentido muy real, cuando el Antiguo Testamento dice que Dios tiene la gloria, parece referirse a la suma de todas las cualidades que constituyen su ser. Es en este punto en donde vemos la afinidad estrecha entre la santidad y la gloria. La santidad señalaba la diferencia entre Dios y el hombre. La gloria es aquello que resume toda la naturaleza perfecta de Dios. Parece ser también de algún modo una extensión visible de Dios, cuyo propósito específico es el de manifestar su presencia a los hombres. Así que, cuando el pueblo de Israel murmuraba contra Dios por causa de su hambre, ellos "miraron hacia el desierto, y he aquí la gloria de Jehová apareció en la nube" (Ex. 16:10). De este modo ellos se aseguraron de la presencia de Dios con ellos mediante esta manifestación visible. Al mismo tiempo, la gloria también parece ser sinónimo de la presencia de Dios (Is. 6:3; Ex. 24:16).

Para los hebreos, la gloria de Dios tenía carácter definido tal como el fuego, la luz y la brillantez. Podía verse. Dondequiera que estuviera la gloria de Dios, ahí estaba Dios.

> "Y la gloria de Jehová reposó sobre el monte Sinaí, y la nube lo cubrió por seis días; y al séptimo día llamó a Moisés de en medio de la nube. Y la apariencia de la gloria de Jehová era como de un fuego abrasador en la cumbre del monte, a los ojos de los hijos de Israel "(Ex. 24:16, 17).

Pero la visión de la gloria de Dios no había de confinarse a Israel. En su visión magnífica de los hechos redentores de Dios, el libro de Isaías lo describe así:

> "Voz que clama en el desierto: Preparad camino a Jehová; enderezad calzada en la soledad a nuestro Dios. Todo valle sea alzado, y bájese todo monte y collado; y lo torcido se enderece, y lo áspero se allane. Y se manifestará la *gloria* de Jehová, y toda carne juntamente la verá; porque la boca de Jehová ha hablado" (Is. 40:3-5, cursivas del autor).

La maravilla de la gloria de Dios se contrasta agudamente con la carne del hombre en Isaías 40:6, 7. Pareciera que para el Antiguo Testamento, la gloria es "materia divina" y la carne es "materia humana".

Como tales entonces, la gloria y la santidad están íntimamente relacionadas. Ambas aluden al mismo ser de Dios. Dios es el Dios santo. El llena la tierra de su gloria. Cuando Ezequiel presenció la partida de Dios del templo, vio que la gloria se ausentaba (Ez. 10:18). Más tarde, cuando Dios volvió a su casa, la gloria retornó (43:2-5).

Dios es a la vez vivo y personal. Su ser esencial se describe como gloria o santidad. Pero esto aún no completa el cuadro de Dios en el Antiguo Testamento.

Los nombres de Dios

Ya hemos considerado en este capítulo el nombre de Dios como evidencia parcial de la comprensión israelita de Dios como una persona. Al hacerlo, brevemente consideramos el significado de ese nombre (Yahwé) respecto a la luz que éste arroja sobre la comprensión de Dios como persona. Sin embargo, aunque este era el nombre personal del Dios de Israel, había otros títulos con los cuales los hebreos antiguos se dirigían a su Dios. Cada uno de estos arrojaba alguna luz sobre su comprensión de la naturaleza esencial de Dios.

No obstante, antes de considerar los nombres del Antiguo Testamento para Dios, primero debemos prestar atención al concepto de Israel respecto a un "nombre". En nuestra sociedad, un nombre es usualmente poco más que un título con el cual nos dirigimos a alguien. Comúnmente identifica a la familia de la que procedemos. También, normalmente identifica si somos varón o mujer, aunque algunos nombres no ayudan siquiera en esto. Aparte de estas cosas, los nombres suelen decirnos poco acerca de una persona. Esto no siempre ha sido así. En el antiguo Cercano Oriente, en general y en Israel antiguo en particular, los nombres se consideraban como reveladores de la naturaleza o el carácter de una persona. El dar un nombre era un asunto de peso y se tomaba muy en serio. El estudio de nombres en el Antiguo Testamento en general es bastante fascinante. Es igual de fascinante en el Nuevo Testamento. Así, el nombre Jesús significa "salvador". El cambió el nombre de Simón a Cefas, palabra aramea que quiere decir "roca". (La palabra griega es *petros*, de la cual sacamos el nombre Pedro.) En el Antiguo Testamento, cuando Dios cambió la naturaleza de Jacob, también cambió su nombre en Israel. (Jacob quiere decir "suplantador", "hacedor de trucos", o "engañador"; Israel significa "el que lucha con Dios" o "Dios lucha".)

Si los nombres de personas eran significativos, seguramente aún más lo eran los nombres de Dios. Ya hemos notado que el nombre personal del Dios de Israel era Yahwé. Su significado parece haber recalcado su existencia y su poder creador. El era el Dios que realmente vivía. Este nombre personal figura entre cinco y seis mil veces en el Antiguo Testamento. Sólo esto debe evidenciar que él era y es el tema central del Antiguo Testamento.

Los hebreos eran un pueblo semítico y su lenguaje un idioma semítico. Al igual que la mayor parte de los demás pueblos semíticos, ellos ocupaban el título *El* para Dios. Era la denominación más común referente a Dios, aunque sólo figura en el Antiguo Testamento unas doscientas veinticinco veces. Su significado de raíz era aparentemente "poder" o "fuerza". Se centraba en el poder de Dios actuando en el mundo.

En cuanto a Israel, el uso más importante de *El* se daba en combinación con otros vocablos, lo cual daba una descripción más específica de la naturaleza de su Dios. Así Exodo registra:

> "Y Dios dijo a Moisés: 'Yo soy Yahwé. Aparecí a Abraham, a Isaac, y a Jacob como el Shaddai (Dios Todopoderoso), pero por mi nombre de Yahwé no me di a conocer a ellos' " (Ex. 6:2, 3, traducción del autor).

Este título en particular centraba su atención en el poder del Dios de Israel. Todas las cosas eran posibles para él.

En cambio, cuando Abraham pagó sus diezmos a Melquisedec, éste se presentó como el sacerdote de El Elyon (el Dios Altísimo, Gn. 14:18, traducción del autor). En el antiguo Cercano Oriente la mayor parte de los pueblos adoraban a varios dioses diferentes. Al mismo tiempo, normalmente había un dios principal que se identificaba como su dios alto. El autor de Génesis indicó que el Dios de Melquisedec era "Altísimo" y por ende más alto que todos los dioses altos de los otros pueblos. A este Dios se le exaltaba sobre todos los demás dioses.

Abraham identificó a Dios en su adoración en Beerseba como El Olam (el Dios del Incógnito Opaco o el "Dios eterno", Gn. 21:33). En esto el título llamaba la atención al hecho de que Dios se remontaba al pasado y al futuro más allá de la comprensión de ellos. El no estaba sujeto a las limitaciones del tiempo. Pudiera ser que Abraham desapareciera del escenario, pero Dios no.

Hay por lo menos tres títulos más de este tipo que son de significado menor. A Dios se le identificaba como El Roi ("Dios que ve") en Génesis 16:13. Este nombre indicaba que a Dios nada se le

El Dios que es   61

escondía. También, se le identificaba como El Bet-el (Dios de la Casa de Dios o "Dios de Bet-el") y como El-Elohe-Israel (Dios, el Dios de Israel, Gn. 31:13; 33:20). Esto llama la atención a su identificación con Israel y con su santuario primitivo.

Basándose en el título común de Dios, Israel desarrolló otro título, *Elohim*. Esta es una forma plural, que llegó a ser la denominación más común en el Antiguo Testamento para la divinidad, aparte de su nombre personal. Figura más de dos mil veces. Pareciera que entre los vecinos semíticos de Israel, este título simplemente resumía todos los dioses que ellos tenían. A veces se usaba así entre los israelitas para resumir todos los dioses de todos los pueblos. Empero, era más comun que Israel lo usase con un verbo singular, lo cual indica que ellos entendían que se trataba de un sólo Dios. Su énfasis recaía sobre el hecho de que Dios resumía todos los atributos de todos los dioses de todos los pueblos. También, se le ha interpretado como un "plural de majestad". Puede ser que también sea uno de los primeros vislumbramientos veterotestamentarios de una pluralidad en Dios. De ser así, esto sería la primera raíz tentativa del desarrollo posterior del concepto de la trinidad. (Volveremos a esto en el próximo capítulo.)

Había dos nombres más para el Dios de Israel en el Antiguo Testamento que debemos considerar. El primero de ellos es Baal. Aunque comunmente designaba muchos de los dioses cananeos de la fertilidad y también el dios principal de los fenicios, al Dios de Israel ocasionalmetne se le daba este título. Así Oseas dijo:

> "Y en aquel día, dice Yahwé, me llamarás 'mi varon' (o 'mi esposo'), y no me llamarás más 'mi Baal' " (Os. 2:16, traducción del autor).

El vocablo "Baal" significa señor o dueño. Oseas anticipaba el nuevo día cuando la relación de Israel con Dios sería la de una novia amante en vez de la de un esclavo o siervo. El otro término, de significado semejante, empleado por Israel para referirse a Dios era *Adhon*. Esta palabra comúnmente se traduce como Señor, y aludía a la relación de Israel con Dios como la de siervos obedientes. Esto era lo que siempre decían ser. Al mismo tiempo, el llamar a Dios "Señor" demostraba que había pleno reconocimiento de su poder y autoridad sobre ellos.

Cada uno de estos nombres, por separado, ilustra algo de la naturaleza de Dios tal y como Israel la entendía. En conjunto, los nombres ilustran a un Dios soberano, al que vivía en realidad como una persona, y al que gobernaba sobre la totalidad de la vida. Para Israel, todo esto estaba involucrado en su comprensión del Dios que se les había revelado. El era el Dios que es. Otros dioses simplemente no existían. Su Dios, sí. Los hombres podían aprender acerca de otros dioses, pero los hombres podían tener un encuentro con el Dios de Israel. Era así de sencillo. Dios era el hecho principal de la vida para ellos. Aún lo es.

Es esta misma comprensión de Dios que impregna el Nuevo Testamento. Cada uno de los apóstoles era hebreo. Cada uno de ellos llegó a Jesús con esta comprensión de Dios. Era sobre esto que ellos forjaron la fe neotestamentaria. No podemos nosotros hacer más; no nos atrevemos a hacer menos.

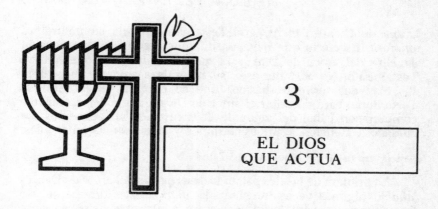

3

EL DIOS
QUE ACTUA

Cualquier persona con buenas herramientas puede desarmar un automóvil. Pero sería difícil tomar esas piezas y volver a armarlo a no ser que se tuviera una buena idea de cómo era el automóvil y cómo éste funcionaba. Es mucho más fácil hablar de las varias características de Dios que comprenderlo en su totalidad. Necesitamos estar bien claros respecto al hecho de que pocas personas del Antiguo Testamento, si algunas, discutieran o aun pensaran en torno a los varios aspectos del carácter de Dios. Simplemente no lo "desarmaban", sino que se encontraban con él. En resumen, lo experimentaban en la vida. Raras veces, si alguna vez siquiera, parecen haber intentado analizar la naturaleza de Dios.

Al mismo tiempo, aunque sabemos esto y lo aceptamos, nos es imposible tratar de resolver su comprensión de Dios a no ser que intentemos analizar y describir las varias características de él que ellos experimentaron.

Como hemos notado anteriormente, los hebreos llegaron a su comprensión de Dios mediante sus actos revelatorios. Lo experimentaron en sus vidas y en base a estas experiencias, llegaron a la comprensión de su naturaleza. En este capítulo seguiremos tratando de contestar la pregunta: ¿Qué fue lo que aprendieron acerca de Dios a partir de sus acciones?

Actos de amor

Desde hace mucho se ha hecho popular decir que el Nuevo Testamento es el libro del amor y el Antiguo Testamento es el libro de la ley. Como en otros tantos dichos trillados, esto simplemente no es cierto. Dios es el mismo en ambos Testamentos. La comprensión básica de Dios en el Antiguo Testamento refleja su naturaleza amorosa. Es cierto que hay una diferencia entre la comprensión israelita del amor de Dios y la que encontramos en el Nuevo Testamento. No obstante esto, su naturaleza amorosa es central.

Hay dos términos básicos que se emplean en el Antiguo Testamento para describir el amor de Dios. Para poder captar una comprensión cabal del amor de Dios revelado ahí, debemos dar cuidadosa atención a ambos términos y la diferencia entre ellos.

Amor en la libre elección de Dios

La primera de las dos palabras descriptivas del amor de Dios es 'ahabh (algunas veces transliterada 'ahav). Este término se usa frecuentemente para describir relaciones humanas y se usa menos para describir el amor de Dios.

En su uso secular, 'ahabh se usa normalmente para describir el amor o el afecto de un superior hacia un inferior, por ejemplo, el de un rey por sus súbditos. Las pocas veces en donde aparece al revés, el contexto parece describir un amor humilde de deber. Nunca se usa para describir el amor de la esposa por el esposo, ni el amor del hijo por el padre. Se usó una vez para describir el amor de una mujer por un hombre: el caso del amor de la hija de Saúl, Mical, por David (1 S. 18:20). Se usó también una vez respecto al amor de una mujer por otra mujer: el caso del amor de Rut para con Noemí (Rut 4:15).

En su uso religioso, se usa casi igualmente del amor de Dios por el hombre como del amor del hombre por Dios o por el nombre de Dios. Al procurar comprender su significado respecto al amor de Dios, tal vez el mejor lugar para principiar es fijándonos en su contraste con el odio. Así, Dios dijo:

> "Yo os he amado, dice Jehová; y dijisteis: ¿En qué nos amaste? ¿No era Esaú hermano de Jacob?, dice Jehová. Y amé a Jacob, y a Esaú aborrecí, y convertí sus montes en desolación, y abandoné su heredad para los chacales del desierto" (Mal. 1:2, 3; compárese Ro. 9:13).

Antes que nada, nótese que por odio no parece entenderse lo que normalmente nosotros entendemos. Aparentemente, alude al rechazo de Esaú por Dios como se ve en Génesis. Es claro que Pablo así lo entendía. Ya que el amor es su opuesto, parecería indicar la aceptación de Jacob por Dios. Los ejemplos adicionales de este contraste de ideas parecen demostrar lo atinado de esta conclusión. 'Ahabah constantemente alude a la idea de elegir aun en sus usos no religiosos. Así, el amor de Dios para con Israel se describe en términos de su elección de Israel. La liberación de Egipto tanto como la del exilio pueden entenderse como el resultado de su libre elección de ellos. (Norman Snaith, en su excelente librito titulado *Distinctive Ideas of the Old Testament,* sugiere que la mejor traducción de este vocablo hebreo es "amor electivo".)

Este amor brota de la misma naturaleza de Dios sin que el carácter del amado tenga que ver. Es totalmente libre, inmerecido en lo absoluto y sin restricciones en su selectividad. Era esta idea hebrea la que sirvió de base para el concepto neotestamentario de la gracia incondicional e inmerecida.

Tal amor incondicional brotaba una y otra vez en las acciones de amor electivo de Dios. El amor de Dios para con Israel no dejaba lugar para orgullo de parte de ellos.

> "No por ser vosotros más que todos los pueblos os ha querido Jehová y os ha escogido, pues vosotros erais el más insignificante de todos los pueblos; sino por cuanto Jehová os amó . . . os ha rescatado de servidumbre, de la mano de Faraón rey de Egipto" (Dt. 7:7, 8).

Además las elecciones amorosas de Dios se presentaban como misteriosas y, en términos humanos, impredecibles. Estribaban en su misma naturaleza. Como tales, claramente quedaban más allá de los poderes humanos de la comprensión. Así, le fue tan sorpresivo a Oseas, cuando finalizó su experiencia con su esposa infiel, que Dios dijera:

> "Ve, ama a una mujer amada de su compañero, aunque adúltera, como el amor de Jehová para con los hijos de Israel, los cuales miran a dioses ajenos, y aman tortas de pasas" (Os. 3:1).

La profundidad del amor de Dios para con el Israel infiel fue proclamada por el profeta:

> "Pero he aquí yo la atraeré y la llevaré al desierto, y hablaré a su corazón" (Os. 2:14).

Mediante las acciones que brotaban de su amor redentor, Dios iba a comenzar otra vez con Israel, principiando de nuevo en el desierto. Pero esto se fundaba en su elección, no en el merecimiento de ellos.

Pareciera, casi, que el mensaje total del Nuevo Testamento se basa en este concepto del amor inmerecido de Dios. Dios actúa eligiendo deliberadamente hacer el bien a quienes él quiere. Nadie merece tal amor. En Cristo, este amor se ofrece a todos.

El amor en la lealtad permanente de Dios

El segundo término básico que se usó en el Antiguo Testamento para describir las acciones amorosas de Dios es *hesed* (a veces se translitera *chesed*). Este es uno de los vocablos más difíciles de traducir. No hay un sólo término que realmente venga a aproximarse a su profundidad de significado. Se ha traducido como longanimidad, misericordia, amor leal, amor tenaz, fidelidad y amor del pacto.

Su significado etimológico parece reflejar la idea de anhelo unida a la de constancia. Parece haber desarrollado posteriormente las ideas de misericordia y de longanimidad. Dentro del Antiguo Testamento, parece que nunca se usó fuera del contexto del pacto entre Dios e Israel. En los usos más primitivos dentro del Antiguo Testamento, se ocupaba para describir la actitud de fidelidad y lealtad que existía (o debía existir) entre los pactantes. El anhelo básico en la raíz de la palabra parece haber descrito las actitudes con que llegaban al pacto las partes. Al mismo tiempo, las actitudes de misericordia y lealtad caracterizaban los móviles que insistían en no abandonar al pactante infiel. La constancia describía un compromiso fiel al pacto. Siempre se hacía un énfasis sobre la fidelidad determinada y terca de Dios respecto a su entrega al pacto.

La ocupación constante de este término en relación con el pacto demuestra claramente que su elección no fue ni accidental ni indiscriminada. La misericordia que describe está ligada totalmente a la idea de un compromiso entre los pactantes. Refleja el comportamiento esperado de las partes e incluye su lealtad a tales compromisos. Así Dios dice:

> "Vé, y proclama estas palabras hacia el norte y dí: Vuélvete oh Israel apóstata, dice el Señor. No te miraré con enojo, porque soy constante en misericordia, dice el Señor; no estaré enojado para siempre" (Jer. 3:12, traducción del autor).

En cambio, el salmista sabía que este aspecto del carácter de Dios era tan confiable que era capaz de anunciar con gozo:

> "Ciertamente, la bondad y la misericordia constante me seguirán todos los días de mi vida, y por eso, moraré en la casa del Señor durante largura de días" (Sal. 23:6, traducción del autor).

Además, desde las honduras del pecado y la culpa, al reconocer su propia infidelidad a Dios, lo escuchamos arrojarse sobre la lealtad constante de Dios, cuando clama:

"Ten piedad de mí, oh Dios, conforme a tu misericordia [*hesed*]; Conforme a la multitud de tus piedades borra mis rebeliones" (Sal. 51:1).

Cuando el Señor lo perdonó por su misericordia, él gritó con confianza jubilosa:

"Muchos dolores habrá para el impío; Mas al que espera en Jehová, le rodea la misericordia" (Sal. 32:10).

Al final de cuentas, la esperanza futura de Israel se basaba en el amor constante y la misericordia de Dios. Así el libro de Isaías pregonaba:

"A todos los sedientos: Venid a las aguas; y los que no tienen dinero, venid, comprad y comed. Venid, comprad sin dinero y sin precio, vino y leche. ¿Por qué gastáis el dinero en lo que no es pan, y vuestro trabajo en lo que no sacia? Oídme atentamente, y comed del bien, y se deleitará vuestra alma con grosura. Inclinad vuestro oído, y venid a mí; oíd y vivirá vuestra alma; y haré con vosotros pacto eterno, las misericordias firmes a David" (Is. 55:1-3).

Era este aspecto del amor de Dios que le daba a Israel esperanzas. Dios sería leal, constante y misericordioso hacia aquellos a quienes él había elegido. Empero, también era este aspecto del amor de Dios que hacía que surgiera un problema en cuanto a su comprensión. Era un problema para los profetas. Es un problema para muchas personas hoy. ¿Cómo podemos entender la justicia de Dios a la luz de su amor leal? Las demandas justas de Dios tenían que ser obedecidas. Y, sin embargo, su amor leal no abandonaría a Israel. ¿Cómo podía Dios ser justo en sus relaciones con Israel y ser persistentemente leal a la vez? Es justo a esta altura que fijemos nuestra atención en la comprensión veterotestamentaria de la justicia de Dios.

Actos de justicia

El cuadro etimológico detrás del vocablo que significa "ser justo" originalmente se leía "ser recto", "ser firme". Se podía confiar en aquello que era recto o firme. Después, llegó a significar adaptarse a aquello que era recto. En base a esto, puede verse fácilmente la idea de que el justo era aquel que se adaptaba o se regía conforme a las normas o "líneas" de comportamiento correctas.

La justicia se aplica en el Antiguo Testamento a cosas

inanimadas tales como pesos o vasos de medir. Así, a los hebreos se les advertía:

> "No tendrás en tu bolsa dos clases de pesos, uno grande y el otro pequeño. No tendrás en tu casa dos clases de medidas, una grande y la otra pequeña. Tendrás un peso completo y justo; una medida completa y justa tendrás, para que tus días se alarguen sobre la tierra que el Señor tu Dios te da. Porque todos aquellos que hagan tales cosas, todos los que actúan deshonestamente, son una abominación ante el Señor tu Dios" (Dt. 25:13-15, traducción del autor).

Las relaciones comerciales entre la gente se harían totalmente imposibles si los pesos y las medidas no fueran según la norma.

El término también se aplica a cosas menos concretas, tales como las "sendas de justicia" en las cuales Dios lo guiaría, según el salmista (Sal. 23:3). Además, el término suele asociarse regularmente con la palabra hebrea para juicios en el sentido de un fallo hecho por un juez. En este contexto se hace obvio que la justicia puede referirse a una obligación legal.

Para el hebreo antiguo, la justicia llegó a significar tanto las demandas de las leyes de Dios como las órdenes que Dios daba a su pueblo de vez en cuando. Tenía que ver con asuntos que regían las relaciones interpersonales, con los ritos en la adoración y con la relación entre el hombre y Dios.

Por lo tanto, en última instancia la justicia llegó a significar la norma que Dios ponía en el mundo. El estableció sus reglas, sus expectaciones y sus demandas. Estas se basaban en su naturaleza y no sobre algún capricho. Como tales, eran firmes, rectas e inamovibles. La gente aprende qué es la justicia por la revelación de Dios. Esto viene por medio de la Palabra escrita y a través de los voceros de su voluntad.

Más importante aún para nuestros propósitos aquí es ver que la justicia era la norma establecida por Dios y que todo lo que él hacía era justo. El mismo era la base sobre la cual se establecían sus normas. Puesto que él era el Dios viviente, siempre activo, sus acciones eran continuamente justas. Su misma naturaleza era la justicia. A diferencia de los dioses de otros pueblos quienes eran caprichosos y raros, el Dios de Israel era confiable y consecuente con su propia naturaleza.

Así, sus acciones fijaban las normas que regían las acciones de Israel. Además, sus acciones fijaban las normas por las cuales todo hombre y todo pueblo serían medidos.

Por consiguiente, la justicia siempre era dinámica y activa.

Nunca era un principio moral abstracto, sino una demostración concreta de normas establecidas por acciones. Fue precisamente sobre esta base que Jesús edificaba, al decir:

> "Por sus frutos los conoceréis. ¿Acaso se recogen uvas de los espinos, o higos de los abrojos? Así todo buen árbol da buenos frutos, pero el árbol malo da frutos malos . . . Así que, por sus frutos los conoceréis" (Mt. 7:16-20).

Si esto era cierto en cuanto al hombre, mucho más era cierto en cuanto a Dios. El, por su misma naturaleza, era justo. Sus acciones siempre revelaban lo justo. Aún lo hacen. El hombre no ha de ser el juez en cuanto a la justicia. Dios lo es. Sean las que fueren sus relaciones con la humanidad, siempre son justas y correctas.

De manera que no había conflicto entre la justicia de Dios y su amor leal. Ambos eran demostraciones exteriores de su naturaleza interior. De hecho, la justicia a veces se hacía sinónima de la salvación y la liberación. En el gran canto de victoria de Débora, ella describió la liberación que Dios dio a Israel e insertó esta aseveración:

> "Juntamente con el sonido de los músicos al lado de los pozos, ellos repiten la justicia del Señor, la justicia de los campesinos en Israel" (Jue. 5:11, traducción del autor).

También, el gran cantante de la liberación de Israel del exilio, proclamó:

> "Haré que se acerque mi justicia; no queda distante, y mi salvación no tardará. Yo pondré salvación en Sion, por Israel, mi gloria" (Is. 46:13, traducción del autor).

Hemos visto anteriormente que Dios revelaba su naturaleza mediante el mundo de la naturaleza que nos rodea. El salmista agrega esto:

> "Los cielos anunciaron su justicia, Y todos los pueblos vieron su gloria" (Sal. 97:6).

La naturaleza de Dios que se revela así es justa. Lo que Dios haga es justo. Lo que él se proponga hacer es justo. Ambos brotan de su misma naturaleza a la cual es tanto consecuente como confiable. El Antiguo Testamento dice claramente que la misma naturaleza de Dios es amor. Con igual claridad reclama que la naturaleza de Dios es justicia. No son de ningún modo incompatibles. Se complementan el uno al otro.

Cuando Dios actúa en amor, su justicia actúa a la vez. Cuando él actúa en juicio, también está su justicia. Cuando él actúa para la salvación y la liberación, también está presente su justicia.

Dado que todas estas acciones son justas, él espera lo mismo de su pueblo.

> "Aborrecí, abominé vuestras solemnidades, y no me complaceré en vuestras asambleas. Y si me ofreciereis vuestros holocaustos y vuestras ofrendas, no los recibiré, ni miraré a las ofrendas de paz de vuestros animales engordados. Quita de mí la multitud de tus cantares, pues no escucharé las salmodias de tus instrumentos. Pero corra el juicio como las aguas y la justicia como impetuoso arroyo" (Am. 5:21-24).

Oseas, el libro del amor conquistador de Dios en el Antiguo Testamento, concluye con estas palabras:

> "Quien sea sabio, que entienda estas cosas; quien sepa discernir, que las conozca; porque los caminos del Señor son rectos, y los justos caminan sobre ellos, pero los transgresores tropiezan en ellos" (Os. 14:9, traducción del autor).

La justicia, pues, es el camino de Dios. Un pueblo justo camina en sus sendas. La justicia de Dios se ve claramente en lo que él hace. Lo mismo debe ser verdad respecto a su pueblo.

Fundamentándose en este concepto de la justicia de Dios como es visto en sus acciones, la descripción de Pablo de la dádiva de Dios en Jesucristo cobra nuevo significado:

> "Por cuanto todos pecaron, y están destituidos de la gloria de Dios, siendo justificados gratuitamente por su gracia, mediante la redención que es en Cristo Jesús, a quien Dios puso como propiciación por medio de la fe en su sangre, para manifestar su justicia . . ." (Ro. 3:23-26).

Además, Pablo amonestó a los santos a ser "imitadores de Dios" (Ef. 5:1). Lo que Dios haga, lo debe copiar su pueblo.

Cuando Pablo llegó al final de su vida y de su ministerio, fincó su esperanza futura en la justicia de Dios:

> "Porque yo ya estoy para ser sacrificado, y el tiempo de mi partida está cercano. He peleado la buena batalla, he acabado la carrera, he guardado la fe. Por lo demás, me está guardada la corona de justicia, la cual me dará el Señor, juez justo, en aquel día; y no sólo a mí, sino también a todos los que aman su venida" (2 Ti. 4:6-8).

Que él haya basado su esperanza sobre la justicia de Dios es a la vez extremadamente significativo y profundamente instructivo.

Actos de juicio

Es muy común que algunos intérpretes bíblicos recalquen sólo aquellos pasajes e ideas que concuerdan con sus conceptos preconcebidos. De este modo, a aquellos que no quieren creer en la ira o el juicio de Dios, se les hace fácil o bien ignorar estas ideas, o diluirlas o de algún modo justificarlas. La racionalidad para tales acciones estriba en la creencia de que tales ideas como la ira y el juicio son incompatibles con el concepto de un Dios amoroso.

De hecho, es muy difícil eliminar la ira del Nuevo Testamento. Se hace imposible hacerlo en el Antiguo Testamento. Cuando uno realmente lee el Antiguo Testamento en vez de sólo pensar sobre él, los conceptos de ira y juicio se hallan en tantos libros, son de tantas épocas y están en tantas clases distintas de literatura, que se hace muy obvio que ellos forman parte de la corriente principal de las muchas acciones de Dios.

No le sorprende a uno escuchar estas palabras de Nahum:

"¿Quién permanecerá delante de su ira? ¿y quién quedará en pie en el ardor de su enojo? Su ira se derrama como fuego, y por él se hienden las peñas" (Nah. 1:6).

Escuchar palabras semejantes de Jeremías nos llama la atención aún más:

"Mas Jehová es el Dios verdadero; él es Dios vivo y Rey eterno; a su ira tiembla la tierra, y las naciones no pueden sufrir su indignación" (Jer. 10:10).

Escuchar las mismas ideas dentro de una de las porciones que más recalca la redención debe ser totalmente convincente:

"Por la iniquidad de su codicia me enojé, y le herí, escondí mi rostro y me indigné . . ." (Is. 57:17).

Y, sin embargo, con la multiplicidad de tal evidencia, muchos aún tratan de disimular la ira y el juicio de Dios. Desde la época más primitiva, los judíos, los cristianos y los paganos han procurado decir que tales descripciones son extrañas al amor de Dios tal y como se revela en el Antiguo Testamento y en Cristo. Tales actitudes y acciones de parte de Dios normalmente se describen como meramente condescendencias por causa de una comprensión limitada del pueblo de Dios.

Tales maniobras no son realmente necesarias. Falsean el mensaje del Antiguo Testamento en particular y el de la Biblia en general. Si los profetas hebreos hubieran querido describir las pasiones de Dios de otro modo o bien la carencia de ellas, de seguro podrían haberlo hecho. Tenemos que suponer que el Espíritu de Dios pudiera haberlos guiado a usar otros términos y otras ideas si hubiese querido. La misma multiplicidad de tales vocablos procedentes de tantas fuentes diferentes tiene que recibirse con seriedad. Por ser el uso tan común, se hace mucho más que una mera figura del habla. Ciertamente, es más que una simple concesión, sea al lenguaje humano o a las limitaciones humanas.

¿Cómo, pues, hemos de entender las acciones justicieras de Dios a la luz de sus acciones de amor? ¿Pueden las dos cosas reconciliarse? Este es precisamente el punto. El pueblo judío había experimentado el amor y la ira de Dios y había descubierto que ambos eran santos. Ambos provenían de Dios. Cualquier cosa proveniente de Dios era buena.

Nuestra cultura hace que tales descripciones de Dios nos repugnen. No hay pasión más condenada en la sociedad moderna que el enojo. Ha sido caracterizada como una pasión siniestra y maligna, como una fuerza impía que debe reprimirse en toda circunstancia. Esta actitud no es correcta; el enojo en sí no es impío, pero sus consecuencias pueden llegar a ser malas.

Puesto que el Antiguo Testamento en realidad no distingue las acciones justicieras de Dios de su ira, no podemos considerar la una sin la otra. Empero, puesto que los profetas parecen contemplar el juicio de Dios como brotando de su ira o su enojo, debemos fijar nuestra atención en ese concepto primero.

La ira de Dios

Se usan varias palabras en el Antiguo Testamento para describir la ira de Dios. Generalmente, son las mismas palabras que nosotros ocupamos para describir la ira, y no parecen poseer una fuerza marcadamente diferente de la que describe las pasiones humanas.

Sin embargo, debemos notar que el Antiguo Testamento explícitamente condena tanto el enojo irracional como la pérdida del autocontrol de parte del hombre. A Edom se le denunció porque:

"... violó todo afecto natural; y en su furor le ha robado siempre, y perpetuamente ha guardado el rencor" (Am. 1:11).

El libro de Proverbios nos dice en varios lugares que el enojo produce la discordia.

Con esta actitud respecto a la ira, parece muy ilógico que los profetas, cuyo mensaje principal se centraba en la justicia de Dios, describieran a Dios como teniendo un defecto moral. Parece que nuestro problema es que hemos procurado entender la ira de Dios psicológicamente. Enfoquémosla, más bien, teológicamente.

El Antiguo Testamento nunca consideró al enojo de Dios como algo sin explicación. El enojo divino nunca era una explosión irracional ni espontánea sino una reacción a la conducta de la gente. Como tal, era pronosticable. Sus causas estaban tan bien definidas que podían hacerse advertencias en contra de aquellas cosas que la provocaban. El enojo de Dios nunca era una fuerza explosiva ciega sino voluntaria y deliberada. Siempre era motivado por su interés en el bien y el mal.

Para nosotros, el enojo generalmente denota la imprudencia, algo de despecho y algo de iniquidad. Pero, tal y como se aplica a Dios, se asemeja más a lo que denominamos la indignación justa. Es provocada por acciones malas, vergonzosas y rebeldes de parte del pueblo de Dios. Ya que Dios es un juez justo, la indignación justa le atañe.

"Dios es juez justo, y Dios está airado contra el impío todos los días" (Sal. 7:11).

Un juez es imparcial para con la gente. Nunca es imparcial para con la maldad.

Esto nos trae al corazón del asunto. Son precisamente el amor y la preocupación de Dios los prerequisitos y las fuentes de su enojo. Porque se preocupa por su pueblo, su enojo puede encenderse contra ellos. A los profetas, les aterrorizaba la ira de Dios, pero esto nunca hacía que perdiesen su confianza en Dios y su compromiso con él.

La indiferencia ante el mal es un problema que la mayoría de nosotros condonamos. Además, la mayor parte de nosotros somos culpables de este mal. Nos sentamos en los bordes del campo de juego de la vida, permanecemos neutrales, imparciales y raras veces nos conmueven las injusticias hechas a los demás. La apatía ante el mal puede, a la larga, ser más seria que el mismo mal. Ciertamente es más universal, más contagiosa y más peligrosa. Los profetas descubrieron esta apatía de parte del pueblo de Dios. Por esto, su conciencia del enojo intenso de Dios llegó a ser aun mayor.

El Antiguo Testamento también era consciente de que el enojo divino se relacionaba con la paciencia y la indulgencia divinas.

"Misericordioso y clemente es Jehová; Lento para la ira, y grande en misericordia. No contenderá para siempre, Ni para siempre guardará el enojo. No ha hecho con nosotros conforme a nuestras iniquidades, Ni nos ha pagado conforme a nuestros pecados . . . Como el padre se compadece de los hijos, Se compadece Jehová de los que le temen. Porque él conoce nuestra condición; Se acuerda de que somos polvo" (Sal. 103:8-14).

Dios es paciente, longánimo y lento para la ira. Pero nunca es indiferente. A él le interesa lo que nosotros hacemos. Así es que el perdón divino nunca es indulgente, apático ni indiferente.

Además, la ira de Dios pocas veces figura como su última palabra. Siempre se caracteriza por cierta contingencia. Las acciones de la gente la provocan. También, las acciones de la gente pueden revocarla. En este sentido, Jeremías proclamó:

> "Por lo tanto, ahora enmienden su manera de ser y sus acciones, y obedezcan la voz del Señor su Dios, y el Señor cambiará de parecer respecto al mal que pronunció en contra de ustedes" (Jer. 26:13, traducción del autor).

Este era precisamente el problema de Jonás. El conocía la naturaleza de la ira de Dios y su contingencia. De modo que, cuando Dios perdonó a Nínive, Jonás oró y dijo:

> "Te pregunto, Señor, ¿no es esto lo que dije estando todavía en mi propio país? Por eso, me apresuré para huir hacia Tarsis; porque sabía que eres un Dios de gracia y misericordioso, tardo para la ira y que abundas en el amor leal y que te distancias del mal" (Jon. 4:2, traducción del autor).

Los profetas estaban bien enterados de que Dios no se deleitaba en el enojo. Puede ser necesario, pero nunca le agradaba. ¿Qué pues, le agradaba?

> ". . . yo soy Jehová, que hago misericordia, juicio y justicia en la tierra; porque estas cosas quiero, dice Jehová" (Jer. 9:24).

Y también,

> "He aquí que yo los reuniré de todas las tierras a las cuales los eché con mi furor, y con mi enojo e indignación grande; y los haré volver a este lugar, y los haré habitar seguramente. . .
>   Y me alegraré con ellos haciéndoles bien, y los plantaré en esta tierra en verdad, de todo mi corazón y de toda mi alma" (Jer. 32:37, 41)

Entre las naciones que eran vecinas de Israel había un concepto de que los dioses estaban llenos de malicia y de rencor. Pero esto nunca fue cierto dentro del Antiguo Testamento. El enojo nunca fue concebido como la disposición natural de Dios ni tampoco su costumbre. Su enojo cesaba. Su amor seguía para siempre (Ex. 20:5, 6). Vez tras vez, los profetas proclamaban que Dios había amado a su pueblo con un amor eterno.

"¿Qué Dios como tú, que perdona la maldad, y olvida el pecado del remanente de su heredad? No retuvo para siempre su enojo porque se deleita en misericordia" (Mi. 7:18).

Parece que el concepto del enojo era usado respecto a Dios para describir sus acciones, pero nunca como un adjetivo que describiera su naturaleza. El secreto tras su enojo era su amor. El enojo siempre era el producto de su amor. Su ira nunca se consideraba como el opuesto del amor sino el producto del mismo ante la desobediencia. El enojo de Dios ciertamente producía la destrucción y la angustia. Pero, entre su pueblo, nunca producía la desesperación. La calamidad y el juicio se aceptaban, porque provenían de Dios. Aun estos eran evidencias de su amor.

De modo que el Antiguo Testamento contemplaba el enojo y la ira de Dios como trágicamente necesarios. Eran trágicos, porque no eran lo que Dios deseaba para su pueblo. Eran necesarios por causa de su rebeldía terca. El enojo divino siempre se veía como el productor de la calamidad humana y el pesar divino. Nunca era arbitrario, sino era ocasionado por el pecado del hombre.

El juicio de Dios

La ira de Dios ante el pecado resultaba en el juicio sobre los pecadores. Ahora nos toca fijar nuestra atención en este juicio divino.

El vocablo hebreo que se traduce juicio se usa de dos modos distintos en el Antiguo Testamento. Es preciso que distingamos cuidadosamente entre estos usos. El primero de estos usos se refiere a asuntos legales. Puede describir una ley o estatuto. "Ahora bien, estos son los juicios que pondrás delante de ellos" (Ex. 21:1, traducción del autor). También se usa para describir el fallo o la sentencia pronunciada por un juez (Esd. 7:25, 26). Ninguno de estos usos es particularmente significativo a esta altura de nuestro estudio.

El segundo uso de este término hebreo surgió de un concepto más tardío. Este tiene que ver con las acciones de Dios al castigar a su pueblo por sus pecados. Se relaciona, obviamente, al fallo de un juez soberano. Pero su énfasis inmediato siempre recaía sobre los mismos eventos que Dios empleaba para castigar el pecado. Sin embargo, dentro de este uso, había dos conceptos básicos. Se usaba para describir las acciones de Dios en el presente inmediato y en el futuro cercano. Pero, se usaba también para describir sus acciones de juicio al final de los tiempos y al amanecer de una gran era nueva del futuro. Ignoraremos este último uso hasta ver la esperanza de Israel respecto al futuro.

El énfasis primordial del Antiguo Testamento respecto al juicio de Dios era que éste tenía lugar siempre dentro de la historia, tanto en el presente inmediato como en el futuro cercano de Israel. Como tal, el juicio de Dios siempre surgía de su ira. Con demasiada frecuencia consideramos que el juicio de Dios sea principalmente castigo del pecado. Ahora bien, sí era castigo, pero éste no era su énfasis primordial. Más bien, su énfasis básico no parece haber recalcado tanto el castigo como la redención. En este sentir, Isaías proclamaba: "Sion será redimida por el juicio" (Is. 1:27, traducción del autor). Para subrayar esto aún más, Amós describió una serie completa de los juicios de Dios que no lograron su propósito, porque no hicieron que Israel volviese a Dios:

> "Os hice estar a diente limpio en todas vuestras ciudades, y hubo falta de pan en todos vuestros pueblos, *mas no os volvisteis a mí*, dice Jehová. También, os detuve la lluvia tres meses antes de la siega... *no os volvisteis a mí*, dice Jehová. Os herí con viento solano y con oruga; la langosta devoró vuestros muchos huertos y vuestras viñas... *pero nunca os volvisteis a mí*, dice Jehová. Envié contra vosotros mortandad tal como en Egipto... *mas no os volvisteis a mí*, dice Jehová. Os trastorné como cuando Dios trastornó a Sodoma y Gomorra... *mas no os volvisteis a mí*, dice Jehová" (Am. 4:6-11, cursivas del autor).

Amós veía claramente que estos juicios pasajeros tenían el propósito primordial de hacer que Israel volviera a una relación correcta con Dios. Esto era tan obvio para los profetas que ellos no entendían por qué Israel no respondía. De este modo, Isaías cuestionó a su pueblo:

> "¿Por qué querréis ser castigados aún? ¿Todavía os rebelaréis?... Vuestra tierra está destruida, vuestras ciudades puestas a fuego, vuestra tierra delante de vosotros comida por extranjeros, y asolada como asolamiento de extraños" (Is. 1:5, 7).

El propósito evangelizador y redentor del juicio de Dios se consideraba como fundamental en el corazón y la mente de Dios. Cuando Judá se quejó por causa de la opresión de sus enemigos, el Señor replicó:

> "¿Por qué porfías conmigo? Todos vosotros prevaricasteis contra mí, dice Jehová. En vano he azotado a vuestros hijos; no han recibido corrección... He aquí yo entraré juicio contigo, porque dijiste: No he pecado" (Jer. 2:29, 35).

El castigo era real, pero el propósito era redentor.

Además, el juicio de Dios era histórico. Podía involucrar una calamidad natural, como una sequía o langostas. También, podía involucrar a enemigos, tales como Asiria o Babilonia. Isaías anunciaba el castigo que vendría sobre su pueblo al proclamar:

> "Oh Asiria, vara y báculo de mi furor, en su mano he puesto mi ira. Le mandaré contra una nación pérfida, y sobre el pueblo de mi ira le enviaré, para que quite despojos y arrebate presa, y lo ponga para ser hollado como lodo de las calles" (Is. 10:5, 6).

También los profetas veían claramente que el juicio de Dios era ineludible:

> "¡Ay de los que desean el día de Jehová! ¿Para que queréis este día de Jehová? Será de tinieblas, y no de luz; como el que huye de delante del león, y se encuentra con el oso; o como si entrare en casa y apoyare su mano en la pared, y le muerde una culebra" (Am. 5:18, 19).
>
> "Por eso yo también te hice enflaquecer hiriéndote, asolándote por tus pecados. Comerás, y no te saciarás, y tu abatimiento estará en medio de ti; recogerás, mas no salvarás, y lo que salvares, lo entregaré yo a la espada. Sembrarás, mas no segarás; pisarás aceitunas, mas no te ungirás con el aceite; y mosto, mas no beberás el vino" (Mi. 6:13-15).

La violación de los mandamientos justos de Dios demandaba el castigo, pero el poder de su amor no abandonaría a Israel. Al castigarle, Dios también buscaba atraerle. Aunque el juicio era seguro, tenía la mira de la redención. Sus actos de juicio dentro de la historia buscaban restaurar la relación que Israel había destruido por su pecado.

Fue sobre este fundamento que Pablo declaró: "Porque no nos ha puesto Dios para la ira, sino para alcanzar salvación por medio de nuestro Señor Jesucristo" (1 Ts. 5:9). El propósito final de Dios es " . . . que todos los hombres sean salvos y vengan al conocimiento de la verdad" (1 Ti. 2:4).

En resumen, el juicio de Dios es real, pero brota del amor de Dios. Aunque demandado por su justicia, en la historia, éste siempre tiene propósitos redentores.

Actos de poder soberano

En un sentido muy real, todas las obras de Dios son actos de poder. Pero algunos de sus actos enfocan principalmente su poder más bien que su amor, su justicia o su juicio. Los santos de Israel estaban bien seguros del poder soberano del Dios de Israel. Nada quedaba más allá de sus posibilidades. Esto sigue siendo cierto.

Soberanía en la liberación

El Antiguo Testamento está repleto de registros de los actos del poder de Dios, los cuales lo revelan como soberano en sus actos de liberación. Los libros de los Profetas Anteriores y los de Crónicas testifican a esto. Pero el registro primordial de su liberación se halla en Exodo, el cual registra la liberación divina de un grupo de esclavos de Egipto.

Ningún otro pueblo del mundo antiguo jamás escribió con tanta candidez su propia historia. Otras naciones buscaban encontrar sus cimientos en algún siglo de oro del pasado. Israel se remontaba a los actos poderosos de un Dios soberano que los libró del ejército egipcio y los condujo sano y salvo a través de un desierto hostil. Durante todo el episodio, ellos se mostraron dudosos, refunfuñantes, quejosos y rebeldes.

Debido al arreglo de los libros de la Biblia, usualmente señalamos a la creación (Gn. 1-2) como la primera evidencia del poder de Dios. Pero, una lectura cuidadosa del Antiguo Testamento, muestra que el énfasis principal de Israel respecto al poder de Dios se halla en la experiencia del éxodo. Fuera de Génesis, Job, Isaías y unos pocos salmos, poco se dice acerca del poder creador de Dios. En cambio, en casi todos los libros hay alusiones constantes a su poder libertador.

Ellos cantaban de este poder en sus cultos:

"Me acordaré de las obras de JAH; Sí haré yo memoria de tus maravillas antiguas . . . Con tu brazo redimiste a tu pueblo, A los hijos de Jacob y de José . . . En el mar fue tu camino, Y tus sendas en las muchas aguas; Y tus pisadas no fueron conocidas. Condujiste a tu pueblo como ovejas Por mano de Moisés y de Aarón" (Sal. 77:11-20).

Mientras cantaban de su poder, también reconocían sus propios pecados y su herencia pecaminosa.

"Pecamos nosotros, como nuestros padres . . . Nuestros padres en Egipto no entendieron tus maravillas; No se acordaron de la muchedumbre de tus misericordias, Sino que se rebelaron junto al mar, el Mar Rojo. Pero él los salvó por amor de su nombre, Para hacer notorio su poder . . . Los salvó de mano del enemigo, Y los rescató de mano del adversario . . . Entonces creyeron a sus palabras Y cantaron su alabanza" (Sal. 106:6-12).

Los profetas aludieron constantemente a su poder soberano y éste evidenciado por su gran acto de liberación. Oseas señalaba esto, cuando decía:

"Cuando Israel era muchacho, yo lo amé, y de Egipto llamé a mi hijo" (Os. 11:1).

Amós subrayaba el énfasis:

"Y a vosotros os hice subir de la tierra de Egipto, y os conduje por el desierto cuarenta años . . ." (Am. 2:10).

La mira de este énfasis era subrayar el propósito divino detrás de todos estos actos portentosos de liberación. Nunca estaban sólo para lucir el poder de Dios. Más bien, había un propósito doble en sus actos de liberación. Primero, eran para demostrar a Egipto la soberanía de Dios.

"Y sabrán los egipcios que yo soy Jehová, cuando extienda mi mano sobre Egipto, y saque a los hijos de Israel de en medio de ellos" (Ex. 7:5).

El segundo propósito detrás de los actos portentosos de liberación de Dios era demostrar a Israel que Dios era soberano. Aun antes del acto final del gran drama de la redención, a Moisés y a su pueblo se les dijo que Dios estaba liberándoles

"para que cuentes a tus hijos y a tus nietos las cosas que yo hice en Egipto, y mis señales que hice entre ellos; para que sepáis que yo soy Jehová" (Ex. 10:2).

Los dioses de Egipto eran impotentes ante el Dios soberano de Israel. Aun cuando Asiria derrotó a Israel y Babilonia conquistó a Judá, no eran sus dioses los que habían sido victoriosos, sino el Dios soberano de Israel quien había usado a esas naciones extranjeras para castigar a su propio pueblo. Al final de cuentas, Dios liberó a Israel del exilio:

"Consolaos, consolaos, pueblo mío, dice vuestro Dios. Hablad al corazón de Jerusalén; decidle a voces que su tiempo es ya cumplido, que su pecado es perdonado; que doble ha recibido de la mano de Jehová por todos sus pecados.

He aquí que Jehová el Señor vendrá con poder, y su brazo señoreará; he aquí que su recompensa viene con él, y su paga delante de su rostro. Como pastor apacentará sus rebaños; en su brazo llevará los corderos, y en su seno los llevará; pastoreará suavemente a las recién paridas" (Is. 40:1, 2, 10, 11).

Es evidente que la fe veterotestamentaria en los actos portentosos divinos de la liberación jugó un papel grande en el incipiente concepto neotestamentario de la redención. El Dios que había sacado a Israel de Egipto también sacó a su Hijo de la tumba y a su pueblo del pecado. El acto supremo de Dios en el Nuevo Testamento fue el *acto* de la liberación en el Calvario. Del mismo modo en que Israel recordaba la liberación del éxodo como la base de su esperanza futura en Dios, así el Nuevo Testamento miraba a la cruz para describir tanto lo que Dios había hecho por nosotros en Cristo como lo que él haría aun en el acto final de la liberación.

Soberanía en la creación

Al comenzar una discusión respecto a las enseñanzas neotestamentarias en torno a los actos de poder de Dios en la creación, urge que se entiendan algunas cosas claramente. Israel no vivió en un vacío, ni tampoco su fe se desarrolló en un vacío. Israel formaba parte del mundo antiguo. Cada nación contaba con una serie de historias o fragmentos de historias que abordaban la creación del mundo. Los escritores hebreos estaban bien enterados de muchas si no de todas estas. Ellos hacen alusión frecuente a ellas. Sería muy sorprendente que no lo hicieran. El aludir a ellas, no obstante, no significa necesariamente que los escritores bíblicos las creyesen.

Para ilustrar lo que quiero decir, piensen en la visita que el apóstol Pablo hizo a Atenas. No hay el menor indicio de que él creyera en ninguno de los ídolos que se adoraban en los múltiples altares allí. Sin embargo, comienza su sermón principal allí refiriéndose al altar que llevaba la inscripción: "AL DIOS NO CONOCIDO" (Hch. 17:16 sigs.). Pablo usó la idolatría de ellos como una base para principiar su sermón sobre Dios como creador y redentor. Además, mientras desarrollaba su sermón, citaba de sus escritores antiguos (Hch. 17:28). Utilizaba esas referencias a otros dioses y luego las aplicaba a Dios, el Padre de nuestro Señor Jesucristo.

Esencialmente, los escritores del Antiguo Testamento hicieron algo por el estilo. Aparentemente, utilizaban tales referencias antiguas para decir a la gente de su mundo que el Dios de Israel era el creador. Se han recalcado las similitudes entre muchas de estas historias antiguas. Sería muy sorprendente que no las hubiera. Son las diferencias las que nos enseñan lo que los antiguos predicadores estaban diciendo acerca del Dios de Israel.

Por haber conocido a Dios como Redentor en la experiencia del éxodo, llegaron a interesarse respecto a él como creador. Aprendamos de ellos en esto. Su testimonio primordial siempre giraba en torno al poder de Dios en la redención. Sólo después de haber dado este testimonio principal los escritores ponían atención en los actos de poder creador de Dios. Génesis 1-11 establecen el escenario para el drama de la redención, que comenzó con el llamamiento a Abraham (Gn. 12:1-3). Un énfasis renovado sobre el poder creativo de Dios no volvió a darse hasta siglos después de su liberación de Egipto.

No conozco a nadie que haya sido llevado a una fe en Jesús mediante una discusión de la creación. Los hombres son llevados a la salvación por contarles los actos redentores de Dios. Una vez que lo conozcan como salvador, entonces están preparados para que procuren entenderlo como creador.

El escritor de Génesis dijo muchas cosas en torno a los actos creadores de Dios, pero su énfasis estuvo sobre dos cosas. Primero que todo, fijaba su atención sobre Dios como el autor de la creación. En el primer relato de la creación, Génesis 1:1—2:4a, el nombre de Dios se halla treinta y cuatro veces. En el segundo relato, Génesis 2:4b-25, el nombre "Jehová Dios" se halla once veces. Su mira era no dejar ninguna duda en la mente de nadie respecto al origen de la creación. Lo que haya acontecido, Dios lo hizo.

El segundo énfasis del escritor de Génesis estriba en el hecho de que el hombre es el punto cumbre en la creación de Dios. El hombre fue hecho a la imagen de Dios y se le dio posesión y dominio sobre el mundo. Esto no era con la mira de explotarlo, sino usarlo como mayordomía dada por Dios.

> "Y creó Dios al hombre a su imagen, a imagen de Dios lo creó; varón y hembra los creó. Y los bendijo Dios, y les dijo: Fructificad y multiplicaos; llenad la tierra y sojuzgadla, y señoread en los peces del mar, en las aves de los cielos, y en todas las bestias que se mueven sobre la tierra" (Gn. 1:27, 28).

Es aquí en donde se nos presentan a los dos personajes en el estudio divino de la redención: Dios y el hombre. Pero los relatos de la creación aun tienen más que decir respecto al poder soberano de Dios.

Se nos dice que Dios creó simplemente con la palabra hablada. Otras historias antiguas contienen toda clase de desarrollos fantásticos respecto a cómo sus dioses hicieron el mundo. Los relatos veterotestamentarios nos cuentan de cómo Dios hablaba y con el poder de su palabra hacía que las cosas llegasen a ser.

También, se nos dice que hubo orden en los actos creadores de Dios. Había un plan deliberado que se llevó a cabo paso a paso. La creación no fue algo que sucedió fortuitamente ni por una serie de accidentes. Fue, más bien, fruto de la voluntad deliberada y el propósito de Dios. Además, se creó al mundo de tal modo que operaba a base de leyes y orden.

Es más, se nos dice llanamente que la creación era buena. Muchos pueblos antiguos y algunos modernos parecen creer que el mundo en sí es maligno. ¡Mentira! El escritor de Génesis claramente dice que "vio Dios todo lo que había hecho, y he aquí que era bueno en gran manera" (Gn. 1:31).

Dios era totalmente soberano en su creación. No hacía falta nadie más. Nada se escapaba de su control. No había ningún conflicto cósmico del cual salió el mundo como si fuese un montón de basura. Dios lo hizo solo y salió justo como él lo había planeado. Aunque pudiera decirse mucho más, estas cosas eran básicas y centrales.

Además, el mundo aún está bajo su control. Los libros de Job (38:1—41:34), Isaías (40:12-26; 42:5; 45:18), y Salmos claramente ilustran este aspecto de la fe de Israel. El Dios que actuó para crear al mundo aún lo controla:

> "Porque así dijo Jehová, que creó los cielos; él es Dios, el que formó la tierra, el que la hizo y la compuso; no la creó en vano, para que fuese habitada la creó: Yo soy Jehová, y no hay otro" (Is. 45:18).

Sus actos de poder creador demuestran su soberanía absoluta.

Soberanía en el milagro

Los hebreos estaban bien seguros de que el Dios que demostraba su poder en los actos de liberación y en la creación también mostraba su poder en lo que solemos llamar milagros. En esto es imperativo que intentemos entender los milagros con la misma terminología del Antiguo Testamento; de no ser así, nos desviaremos.

Nuestros términos alusivos al milagro normalmente hablan de una especie de evento sobrenatural. Pero no hablamos con mucha precisión al hacerlo. Atinadamente hablamos de las sanidades de Jesús y sus resucitaciones de los muertos como milagros. Pero también hablamos del "milagro del nacimiento". Ahora bien, no hay nada que sea más normal que el nacimiento. Todos entramos al mundo de ese modo. Cuando hablamos del milagro en este sentido, nos referimos a un acto que puede demostrar el poder de Dios y su amor, pero no tiene nada de sobrenatural. En virtud de esta imprecisión en nuestra terminología, necesitamos procurar entender estos actos de Dios en términos del mismo Antiguo Testamento.

Esto resultará en más claridad y más precisión. Hay tres vocablos clave que deben estudiarse.

La palabra más común que se usa para describir un milagro en el Antiguo Testamento es "señal". Se usa para describir alguna cosa o algún evento. Así, a Moisés se le dieron las señales de la vara que se convirtió en serpiente y la de la mano que se puso leprosa. "Si aconteciere que no te creyeren", dijo Dios, "ni obedecieren a la voz de la primera señal, creerán a la voz de la postrera" (Ex. 4:8). El arco iris en el cielo era una señal a Noé (Gn. 9:13). Estos textos sirven para ilustrar que una señal puede ser bien natural o sobrenatural. El énfasis principal de este término está en el hecho de que una señal se refiere a un significado más allá de sí misma. Lo que importa es la verdad detrás de la señal. Es fácil interesarnos tanto en la señal misma que hagamos caso omiso de la verdad a la que señala. Alrededor de una tercera parte de las veces que se usa este término en el Antiguo Testamento, alude a las plagas en Egipto. En casi cada caso, la señal destacaba la soberanía de Dios sobre los dioses de Egipto. Demasiadas veces ignoramos este hecho al leer de estos eventos magnos.

El segundo término más común en el vocabulario veterotestamentario respecto a los milagros se traduce como "maravilla" o "prodigio". Esto siempre se refiere a un evento extrardinario, aunque no necesariamente un evento sobrenatural. En ese sentido el cántico de Moisés habla de la liberación divina de los israelitas cuando el cruce del mar:

> "¿Quién como tú, oh Jehová, entre los dioses? ¿Quién como tú, magnífico en santidad, terrible en maravillosas hazañas, hacedor de prodigios?" (Ex. 15:11).

Ahora bien, la Biblia nos dice que las aguas fueron partidas "por recio viento oriental" que sopló toda la noche (Ex. 14:21). No hay nada más normal que un viento oriental, pero lo que logró fue anormal y extraordinario.

Este término se aproxima más tal vez a nuestra idea de milagro que cualquier otro del Antiguo Testamento. Es siempre extraordinario y siempre una demostración del poder asombroso de Dios. Y sin embargo, nunca se hace sólo para demostrar el poder divino sino para lograr su voluntad y sus propósitos.

El tercer término principal referente al milagro se usa casi tan a menudo como el segundo, pero hay poca consecuencia en su traducción. Se traduce como "señal", "maravilla" y aun como "milagro". El mismo término se refiere a un evento extraordinario que deja atemorizado al que lo percibe. Casi la mitad de sus usos se asocian con las plagas en Egipto.

El término normalmente alude a alguna especie de calamidad trágica, pero también puede referirse a un evento bueno. Como quiera que sea, la misma naturaleza del evento penetra hasta lo más recóndito de la mente humana y allí produce tanto pavor como terror ante el poder del Dios que lo hizo.

En lo que respecta al mismo vocabulario, pues, el milagro veterotestamentario despertaba el pavor en la mente del testigo. Bien podía ser un evento natural, anormal o sobrenatural. Fuese cual fuera la naturaleza verdadera del evento, siempre era realizado por Dios para lograr sus propósitos, Es más, regularmente señalaba a un significado más allá de sí mismo. El significado del evento era lo que le revestía de valor.

Dios nunca manifestaba su poder para su propio bien. Sus milagros eran testimonios de su presencia, su cuidado, su poder y su soberanía. A esta altura, tal vez convenga que tomemos nota de que parece haber tres cosas presentes en cualquier evento descrito por el Antiguo Testamento con su vocabulario de milagro. Primero, siempre estaba la cuestión de tiempo y lugar. Fuese que el evento fuera ordinario, sobrenatural o algo intermedio, siempre sucedía en el tiempo y el lugar correctos. De nada le hubiera servido a Israel si el viento oriental que partió las aguas hubiese soplado tres días antes o después. Tampoco hubiera sido de valor que hubiese tenido lugar nueve kilómetros arriba o abajo de la costa. Además, el asunto del tiempo y el lugar era muy a menudo resultado de una predicción específica. Estas cosas sucedían tanto cuando como en donde se había predicho que sucediesen.

El segundo rasgo básico de los milagros del Antiguo Testamento parece haber involucrado a un intérprete competente. Tenía que haber quien dijese, con autoridad: "Esta es la mano de Dios". Ni Israel ni Egipto hubiera sabido que el viento oriental venía de Dios a no ser que hubiera un Moisés que se lo dijera. Hay muchos eventos en el Antiguo Testamento en los cuales un observador de afuera pudiera haberlos atribuido a "una serie de circunstancias extrañas". Pero era el hombre de Dios quien indicaba que Dios lo había hecho.

El tercer rasgo básico que siempre parece figurar en las historias del Antiguo Testamento acerca de milagros es la cuestión de su significado. Siempre señala a una verdad mayor que la del evento mismo. Para los israelitas que salían de Egipto, la liberación al cruzar el mar fue de gran significado. Era cuestión de vida o muerte. Pero, una vez pasado el mismo evento, hubiera sido simplemente una historia interesante de una de las grandes obras de Dios en su pasado como pueblo. En vez de esto, sirvió como base no tan sólo de la alabanza a Dios, sino de su esperanza en Dios.

"Reprendió al Mar Rojo y lo secó, y les hizo ir por el abismo
como por un desierto. Los salvó de mano del enemigo, y los
rescató de mano del adversario. Cubrieron las aguas a sus
enemigos; No quedó ni uno de ellos. Entonces creyeron a
sus palabras y cantaron su alabanza... Sálvanos, Jehová
Dios nuestro, Y recógenos de entre las naciones, Para que
alabemos tu santo nombre, Para que nos gloriemos en tus
alabanzas. Bendito Jehová Dios de Israel, Desde la eternidad
y hasta la eternidad; Y diga todo el pueblo, Amén. Aleluya"
(Sal. 106:9-12, 47, 48).

Para los hebreos, pues, no era suficiente simplemente saber
que Dios había actuado en la creación de su mundo. Ellos también
sabían que él era soberano ahora sobre el mismo. El podía usar tanto
fuerzas naturales como sobrenaturales. El universo entero estaba
sujeto a su voluntad y su poder. ¡Aún lo está!

Cada una de estas categorías de los actos de poder de Dios tenía
un impacto poderoso sobre el Nuevo Testamento. El vocabulario y
los conceptos de los actos de liberación de Dios sirvieron de base
para el concepto neotestamentario de la liberación última de Dios en
Cristo Jesús. Mateo llamó la atención a esto al relacionar la
liberación de Israel de Egipto con el hecho de que Jesús fuera traído
desde allí a Nazaret (Mt. 2:13 sigs.). Es más, cuando Jesús
procuraba describir su misión y ministerio la noche antes de su
crucifixión, lo hizo en términos de la pascua y el pacto, ambos
procedentes del acto de liberación divina más grande en el Antiguo
Testamento.

Aunque el Nuevo Testamento no pone gran atención en los
actos de Dios en la creación, estos sí sirven de base para dos ideas
clave. Pablo se refería a la creación del hombre por Dios al decir: "De
modo que si alguno está en Cristo nueva criatura es" (2 Co. 5:17).
También, Juan anticipaba una creación totalmente nueva:

"Vi un cielo nuevo y una tierra nueva; porque el primer cielo
y la primera tierra pasaron . . . Y el que estaba sentado en el
trono dijo: He aquí yo hago nuevas todas las cosas . . ." (Ap.
21:1, 5).

Por último, los conceptos de milagro son completamente
fundamentales para el entendimiento neotestamentario de los actos
milagrosos de Dios. Jesús mismo nunca hizo un milagro sólo para
demostrar su poder. Siempre había un significado detrás de él. De
hecho, las tentaciones descritas en los Evangelios muestran a Jesús
como rehusando tajantemente el hacer milagros sólo por hacerlos
(Mt. 4:1-10; Lc. 4:1-13). Además, una de las expresiones más

comunes para describir los actos milagrosos del poder de Jesús es "señal".

Actos a través de la mediación

A menudo el Antiguo Testamento habla de los actos de Dios como siendo realizados por alguna fuerza mediadora o bien un intermediario. En un sentido muy real, técnicamente, puede ser que estos no sean actos de Dios sino de un mediador. Sin embargo, a la vez se describen regularmente como actos de Dios. Pocas de estas ideas de mediación, si algunas siquiera, alcanzaron su cumplimiento pleno dentro del Antiguo Testamento. Todas se desarrollaron más completamente en la literatura judía postcanónica y en el Nuevo Testamento. Sin embargo, ya que están claramente basadas en el Antiguo Testamento, debemos tenerlas en cuenta. No pueden ignorarse.

La primera de estas es la palabra creadora o "la palabra de Jehová". Hay varias ideas que deben combinarse aquí. Entre estas está la comprensión hebrea básica del concepto "palabra". Para el hebreo, la palabra, una vez pronunciada, tenía poder propio. Llegaba a ser una fuerza concreta en el mundo. Hay una vieja historia judía de un hombre y su hijo a quienes se les acercaba un enemigo. Cuando el enemigo empezó a maldecirles, el padre tiró al hijo hacia el suelo y se acostó encima de él para protegerle de las palabras del enemigo. Si tal cosa sucedía con las palabras de los hombres, ¿cuánto más con la palabra de Dios? Sus palabras, una vez habladas, parecían poseer un poder propio para lograr su voluntad.

Además, el relato de la creación en Génesis 1:1—2:4a refleja claramente el poder de la palabra hablada de Dios. Cuando Dios habla, las cosas suceden; su palabra tiene una fuerza creadora.

Más allá de esto, estaba la idea entre los profetas de "la palabra de Jehová". Vez tras vez, ellos repetían la expresión "vino a mí palabra de Jehová". Ahora bien, no hay evidencia clara de que ellos pensaran en "la palabra de Jehová" como teniendo una existencia o identidad separadas. Tampoco hay evidencia en su contra. Debemos por lo menos hacernos la pregunta, porque el Evangelio de Juan llanamente comienza, diciendo:

"En el principio era el Verbo, y el Verbo era con Dios, y el Verbo era Dios. Este era en el principio con Dios. Todas las cosas por él fueron hechas, y sin él nada de lo que ha sido hecho, fue hecho" (Jn. 1:1-3).

Juan claramente asociaba la existencia personal de la palabra de
Dios con sus actos creadores.

También, el libro de Isaías describe de forma clara la palabra de
Dios como teniendo un poder creador. Puede que aun la describa
como teniendo una identidad creadora y personalidad.

> "Porque como desciende de los cielos la lluvia y la nieve, y no
> vuelve allá, sino que riega la tierra, y la hace germinar y
> producir, y da semilla al que siembra, y pan al que come, así
> será mi palabra que sale de mi boca; no volverá a mí vacía,
> sino que hará lo que yo quiero, y será prosperada en aquello
> para que la envié" (Is. 55:10, 11).

No sería cierto aseverar que el Antiguo Testamento consideraba la palabra creadora de Dios como una persona. Pero las raíces
para tal desarrollo parecen estar allí. La palabra de Dios es
representada como agente para realizar los propósitos de Dios.
Parece tener un poder propio. Juan claramente edificó sobre la idea
en su cuadro magnífico de Cristo como coexistente con Dios y como
idéntico con él.

La segunda fuerza mediadora a la que alude el Antiguo
Testamento es el Espíritu de Dios. Las dos palabras que comúnmente se emplean para referirse al "espíritu" tienen sus raíces en las
ideas de "viento" o "aliento". Las palabras pueden traducirse así
dondequiera aparezcan. Sólo el contexto puede ayudarnos a determinar si significan algo más. En Génesis 1:2 me parece a mí que se
quería decir mucho más que simplemente "aliento" o "viento"
cuando el escritor decía: "El Espíritu de Dios se cernía sobre la faz
de las aguas" (traducción del autor). Y, sin embargo, en Génesis 2:7
probablemente no se quería decir más que "aliento" al decir:
"Entonces Jehová Dios . . . sopló en su nariz aliento de vida . . ."
Aunque sus usos más primtivos parecen indicar más que simple
aliento, ciertamente carecen de cualquier indicio de personalidad.
Al mismo tiempo, al Espíritu de Dios se le asocia con el Dios de la
creación en el libro de Job (Job 34:13, 14).

Es más, hay varias fuentes que asocian al Espíritu de Dios con
la inspiración profética. Por ende, Samuel le dijo a Saúl después de
haberlo ungido como rey: "Entonces el Espíritu de Jehová vendrá
sobre ti con poder, y profetizarás . . ." (1 S. 10:6). Ezequiel habló de
postrarse ante Dios al ser llamado como profeta:

> "Me dijo: Hijo de hombre, ponte sobre tus pies, y hablaré
> contigo. Y luego que me habló, entró el Espíritu en mí y me
> afirmó sobre mis pies, y oí al que me hablaba" (Ez. 2:1, 2).

El profeta Isaías describe al Mesías como siendo lleno del Espíritu del Señor:

"Saldrá una vara del tronco de Isaí, y un vástago retoñará de sus raíces. Y reposará sobre él el Espíritu de Jehová; espíritu de sabiduría y de inteligencia, espíritu de consejo y de poder, espíritu de conocimiento y de temor de Jehová. Y le hará entender diligente en el temor de Jehová . . ." (Is. 11:1-3).

Además, cuando Jesús comenzaba su ministerio, echó mano a una palabra similar del libro de Isaías para describir su propio ministerio:

"El Espíritu de Jehová el Señor está sobre mí, porque me ungió Jehová; me ha enviado a predicar buenas nuevas a los abatidos, a vendar a los quebrantados de corazón, a publicar libertad a los cautivos, y a los presos apertura de la cárcel; a proclamar el año de la buena voluntad de Jehová . . ." (Is. 61:1, 2a; Lc. 4:16-19).

También, parece que algunos escritores del Antiguo Testamento pensaban en el Espíritu de Dios como siendo o paralelo o idéntico a la mente y a la voluntad de Dios. En este sentido, el escritor sapiencial exclama:

"Atiende mi corrección; he aquí, yo derramaré mi espíritu sobre ti, haré que conozcas mis palabras" (Pr. 1:23, traducción del autor).

E Isaías claramente identificaba al Espíritu con el propósito y la voluntad de Dios (Is. 30:1).

Pero aún más, el Espíritu de Dios parece presentarse como una especie de principio vital que puede ser dado, retenido o retirado:

"Escondes tu rostro, se turban; Les quitas el hálito, dejan de ser, Y vuelven al polvo. Envías tu Espíritu, son creados, Y renuevas la faz de la tierra" (Sal. 104:29, 30).

El Espíritu también llega a reflejar la presencia de Dios entre su pueblo:

"El Espíritu de Jehová los pastoreó, como a una bestia que desciende al valle; así pastoreaste a tu pueblo, para hacerte nombre glorioso" (Is. 63:14).

También parece reflejar su presencia dentro del corazón del individuo: "Crea en mí, oh Dios, un corazón limpio, Y renueva un espíritu recto dentro de mí. No me eches de delante de ti, Y no quites de mí tu santo Espíritu" (Sal. 51:10, 11).

Ahora bien, no hay duda de que el Antiguo Testamento, en su

mensaje global, no entiende al Espíritu Santo del mismo modo
exaltado que se le entiende en el Nuevo Testamento. En cambio,
sería patentemente falso decir que no hay vislumbramientos de él
como representativo y tal vez hasta idéntico con el poder, la
presencia y el propósito del Dios viviente en el mundo. El Espíritu
de Dios en el Antiguo Testamento media la presencia y el propósito
de Dios a los hombres.

La tercera fuerza mediadora o concepto dentro del Antiguo
Testamento es la sabiduría. Originalmente, la sabiduría era una
astucia práctica y un modo de ver la conducta de la vida cotidiana.
Empero, en Job (particularmente en Job 28), algunos salmos y en
Proverbios 1-9, hay un cambio creciente en el modo de ver las cosas
y en sus énfasis. En Proverbios 1-9, la sabiduría asume una
personificación creciente. En estos capítulos la sabiduría grita en las
calles. Su consejo, aunque ofrecido, es rechazado. Sus enseñanzas,
si se acatan, conducen a la lealtad a Dios y a una vida abundante y
próspera.

En la literatura judía postcanónica ni se duda de la personificación de la sabiduría. Allí ella llega a ser plenamente personal y ayuda
en la tarea de llevar a los hombres a Dios para que vivan una vida
piadosa.

La cuarta fuerza mediadora que el Antiguo Testamento presenta es "el ángel del Señor". Ahora bien, el Antiguo Testamento
claramente distingue entre "el ángel del Señor" y todos los demás
seres angelicales. Hay algo muy particular en esto.

El ángel del Señor se menciona por primera vez en Génesis
16, en la historia de Agar. Agar, habiendo sido expulsada por Sarai,
fue encontrada por el ángel del Señor en el desierto. Después de una
larga conversación, ella termina dirigiéndose a él como al Señor, al
decir: "Tú eres Dios que ve" (Gn. 16:13).

Al ángel se le ve más claramente, sin embargo, en el llamamiento de Moisés. Ahí, " . . . se le apareció el ángel de Jehová en una
llama de fuego en medio de una zarza" (Ex. 3:2). Pero, cuando
Moisés se detuvo para investigar, ¡era Dios el que le hablaba desde
la zarza! (Ex. 3:4).

Pareciera que la relación entre el ángel del Señor y Dios mismo
se presenta aún más claramente en un encuentro posterior con
Moisés. Allí Dios dijo:

> "He aquí yo envío mi ángel delante de ti para que te guarde
> en el camino, y te introduzca en el lugar que yo he
> preparado. Guárdate delante de él, oye su voz; no le seas
> rebelde; porque él no perdonará vuestra rebelión, porque mi
> nombre está en él. Pero si en verdad oyeres su voz e hicieres

> todo lo que yo te dijere, seré enemigo de tus enemigos, y
> afligiré a los que te afligieren" (Ex. 23:20-22).

Acordándonos de que el concepto hebreo del nombre encierra tanto
carácter como naturaleza, al ángel del Señor se le presenta como
participando de la naturaleza divina. Además, él hace lo que sólo
Dios puede hacer: perdonar el pecado. Dígase lo que se dijere de
este ser, él se identifica muy estrechamente con el Dios de Israel.
En un sentido muy real, él es una extensión de Dios mismo.

Ahora bien, han habido intentos por identificar a uno o más de
estos mediadores (o actos mediadores o fuerzas) sea con el Hijo o
bien con el Espíritu Santo tal y como se ven en el Nuevo
Testamento. Todos esos intentos han tenido poco éxito. No parece
ser posible lograr una línea directa de conexión. Pero sí parece
haber alguna conexión entre el enfoque veterotestamentario en
torno a estas extensiones de Dios y el concepto del Padre, Hijo y
Espíritu Santo en el Nuevo Testamento.

Algunos han sugerido que la doctrina bíblica de la Trinidad era
un desarrollo enteramente neotestamentario o aun posterior al
Nuevo Testamento, al igual que otros han procurado ver claramente
en el Antiguo Testamento la misma doctrina. Yo creo que la verdad
está entre estos dos extremos. La pregunta que tenemos que
hacernos y contestar es: ¿Hay algunas bases en el Antiguo
Testamento que sirvan de raíces para la revelación trinitaria
neotestamentaria?

Pareciera que la respuesta es inequivocadamente clara. Hay
varias raíces diferentes sobre las que se desarrolló la revelación
trinitaria neotestamentaria. Como hemos visto, el Antiguo Testamento no se desenvolvió en un vacío; tenemos que reconocer que el
Nuevo Testamento tampoco.

Antes que nada, el Antiguo Testamento enseña claramente que
Dios es uno, una unidad. Así, el pregón principal del Antiguo
Testamento era y es: "Oye, oh Israel, el Señor nuestro Dios, el Señor
es uno" (Dt. 6:4, traducción del autor). Al mismo tiempo, hay una
consciencia cada vez mayor de la trascendencia divina. Dios
simplemente no encaja en las categorías humanas. El Antiguo
Testamento es intensamente consciente del hecho que "Dios soy, y
no hombre" (Os. 11:9). Dios simplemente estaba más allá de la
comprensión última del hombre.

Históricamente, los nombres de Dios no eran expresiones de su
pluralidad o su "multiplicidad". En cambio, dentro de ellos había un
reconocimiento velado de su diversidad tanto de carácter como de
actividad. Había un elemento multifacético en Dios.

Las formas plurales que se usan en los relatos creacionistas se han descartado fácilmente como siendo pluralidad de majestad o un residuo de algunos antiguos relatos politeístas. Y, sin embargo, cuando Dios buscaba plenamente reproducir su imagen, creó una comunidad de amor, no únicamente un solo ser. (Consideraremos esto con más detalles en el capítulo 5.) Pareciera que el escritor de Génesis proyectaba la imagen de Dios como viéndose más completamente en una relación de amor. Una persona sola no puede relacionarse consigo misma.

Cada uno de los mediadores o actos mediadores o poderes que acabamos de ver parecen ser desarrollos adicionales tendientes a la pluralidad. Cuando menos, proyectan el carácter multifacético de Dios. El se reveló de varios modos diferentes.

De modo que, me parece a mí ser totalmente equivocado el decir que no había vislumbramientos de conceptos trinitarios en el Antiguo Testamento. Pero, a la vez, necesitamos reconocer que sin el Nuevo Testamento, nunca se habría desarrollado doctrina alguna de la Trinidad. Pudiéramos haber desarrollado una doctrina de la pluralidad de Dios. La Trinidad es claramente la flor de esta raíz veterotestamentaria; pero es la flor; al principio sólo estaba la raíz.

Pero, habiendo dicho todo esto, necesitamos regresar al hecho de que lo que Israel supiera de Dios, lo sabía a base de sus acciones. Se descubría su misma naturaleza por medio de sus experiencias con él. A Dios el hombre no lo descubría solo ni lo creaba en su imaginación. A Dios se le encontraba. Ellos experimentaron su amor y su justicia. Mediante estos, experimentaron su enojo y su juicio, pero experimentaron estas cosas, porque él los amaba y demandaba la justicia. A través de todo esto, experimentaron su poder. En cada área de la vida, en cada experiencia, Dios estaba ahí. El era la presencia ineludible en cada momento de la vida; estaba tan cerca como el mismo aliento.

> "A dónde me iré de tu Espíritu? Y ¿a dónde huiré de tu presencia? Si subiere a los cielos, allí estás tú; Y si en el Seol hiciere mi estrado, he aquí, allí tú estás. Si tomare las alas del alba Y habitare en el extremo del mar, Aun allí me guiará tu mano, Y me asirá tu diestra" (Sal. 139:7-10).

De modo que, por encima de todo, Israel conoció a Dios como uno que actuaba. La suya no era una adoración a un "Movedor inmovible", como la de los griegos. Para Israel, Dios era visto y conocido por lo que él hacía. También es cierto para los seguidores de Jesucristo. Cuando Dios buscó cómo revelarse mejor, nos dio una vida qué contemplar, un Redentor que salva y un Señor que guía.

4

EL DIOS
QUE ELIJE

Aunque hemos procurado ser justos con la evidencia y fieles a los énfasis bíblicos, si se hubiera preguntado a un israelita antiguo, "¿cómo es Dios?", probablemente no habría contestado con lo que dijimos en los capítulos anteriores. Es muy cierto que Israel creía que Dios era viviente, personal y santo. También es cierto que creía que Dios se revelaba por sus acciones. Por tales actos él se mostraba como amante, justo y poderoso, mediando su presencia y sus bendiciones a ellos de varios modos.

Pero había algo mucho más céntrico en la comprensión israelita de Dios y de su relación con él. El era el Dios de la elección y el pacto. Ellos creían que Dios los había buscado, eligiéndoles para sí.

> "Porque tú eres pueblo santo para Jehová tu Dios; Jehová tu Dios te ha escogido para serle un pueblo especial, más que todos los pueblos que están sobre la tierra" (Dt. 7:6).

Mediante ese acto de elección de gracia, Dios estableció entonces su pacto con Israel, confirmando así la relación que habría de existir entre ellos.

> "Llamó Moisés a todo Israel y les dijo: Oye, Israel. . . Jehová nuestro Dios hizo pacto con nosotros en Horeb. No con nuestros padres hizo Jehová este pacto, sino con nosotros todos los que estamos aquí hoy vivos" (Dt. 5:1-3).

Aunque el Antiguo Testamento estaba seguro que Dios era el Dios de toda la tierra, también estaba seguro que era el Dios de Israel. Los había escogido; los había liberado; y luego estableció su pacto con ellos. Así que, Israel continuamente llamaba la atención al hecho de que era el pueblo de la libre elección de Dios. Aunque algunos intérpretes creen que el énfasis central del Antiguo Testamento estribaba en el pacto de Dios con Israel, me parece a mí que el énfasis central era más bien la elección de Dios a Israel. Por causa de su elección y su liberación, el pacto llegó a ser significativo. Sin la elección divina y la liberación, nunca hubiera habido siquiera un pacto.

Sea central la idea que fuere, es cierto que las dos ideas son las dos caras de una misma moneda. No hubiera habido un pacto sin la elección de Dios. En cambio, el pacto permanece como la evidencia suprema de su libre elección de Israel.

Esto nos trae a una consideración de la elección de Israel por Dios. Este concepto normalmente se estudia bajo el rubro de la doctrina bíblica de la elección. Sin embargo, esto suena tan teológico que produce temor. Por lo tanto, optaremos por el tema "La elección por Dios de Israel". Israel estaba plenamente convencido de que el acto supremo de Dios a favor suyo era su elección para que fuesen su pueblo.

Reconozcamos desde el principio, no obstante, que esta misma convicción sería causa de muchos problemas para ellos. Ellos consecuentemente consideraban que la elección de Dios era una garantía de privilegio. Se olvidaban de que ella conllevaba una responsabilidad adicional. Por su fracaso en no acordarse de esto, los profetas continuamente se veían obligados a llamarles a que volviesen a una correcta comprensión de la elección de Dios.

La elección por Dios de Israel

El concepto de un dios eligiendo a un pueblo no era nada nuevo en el antiguo Cercano Oriente. Otros pueblos, además de Israel, tenían dioses nacionales. Moab, por ejemplo, tenía a Quemos. Al igual que el Dios de Israel, Quemos guiaba a su pueblo en sus campañas militares. A los moabitas, se les describía como "hijos de Quemos" (Nm. 21:29, traducción del autor) al igual que se le llamaba a Israel "hijos de. . . Jehová vuestro Dios" (Dt. 14:1). De modo que, desde el inicio pudiera parecer que la comprensión israelita de su relación con su Dios era poco diferente de la suya respecto a la relación de cualquier otra nación con su dios.

Pero había una diferencia. La distinción entre las dos relaciones estribaba en su creencia en el acto de la libre elección redentora de Dios. Llega a ser muy obvio a primera vista que Israel estaba unido a Jehová de una manera muy distinta a la de la unión entre Moab y Quemos. De hecho, los dioses de las otras naciones dependían del bienestar continuo de la nación para su propia existencia. Si Moab dejara de ser, Quemos moriría. Sin nadie que lo adorase, simplemente dejaría de existir. La unión entre los dioses y las otras naciones era puramente naturalista.

La unión de Israel con su Dios era totalmente diferente. Nunca se cuestionó si Dios dejaría de existir en caso de que Israel desapareciera. Israel dependía de Dios, pero Dios nunca dependía de Israel. Otros dioses dependían de sus pueblos para que les alimentasen con sus sacrificios. El Dios de Israel no era así:

> "Si yo tuviese hambre, no te lo diría a ti; Porque mío es el mundo y su plenitud" (Sal. 50:12).
> "Porque mía es toda bestia del bosque, Y los millares de animales en los collados" (Sal. 50:10).

Más bien, no era la necesidad que tuviese Dios de Israel sino su elección de ellos la que siempre era el corazón de su relación. Desde el punto de vista de Israel, la elección de Dios era siempre central.

> "Cuando Israel era muchacho, yo lo amé, y de Egipto llamé a mi hijo" (Os. 11:1).
> "No por ser vosotros más que todos los pueblos os ha querido Jehová y os ha escogido, pues vosotros érais el más insignificante de todos los pueblos; sino por cuanto Jehová os amó. . ." (Dt. 7:7, 8a).

En este acto divino de la elección redentora encontramos el mismo fundamento de la fe de Israel. Hay muchos vocablos que se usan para describir este acto de elección divina, pero tres son básicos para nuestro estudio a esta altura. Todos son verbos, palabras de acción.

El primero de estos es el verbo "escoger". Alude a un acto libre de gracia, la elección de Dios de quienesquiera con el propósito de usarlos o bendecirlos. Israel fue descrito como "mi escogido" por Dios (Is. 45:4). El los seleccionó de todas las naciones de la tierra para que fuesen su propia posesión (Dt. 7:6).

> "He aquí, de Jehová tu Dios son los cielos, y los cielos de los cielos, la tierra, y todas las cosas que hay en ella. Solamente de tus padres se agradó Jehová para amarlos, y escogió su descendencia después de ellos, a vosotros, de entre todos los pueblos, como en este día" (Dt. 10:14, 15).

Debido a esta elección especial a Israel, Dios cuidaba sobremanera de ellos al decir:

> ". . .porque daré aguas en el desierto, ríos en la soledad, para que beba mi pueblo, mi escogido" (Is. 43:20b).

Tan característico era el uso de este verbo para describir la relación de Dios con Israel que ellos finalmente llegaban a llamarse "el pueblo escogido". Además, era precisamente este término el que se adaptó en 1 Pedro para describir a la comunidad cristiana como el nuevo pueblo de Dios. Allí, se nos describe como "linaje escogido" (1 P. 2:9). La elección de Israel por Dios siempre fue entendida fundamentalmente como de pura gracia. Era tanto no ganada como inmerecida. Aún la es.

El segundo término clave en el vocabulario bíblico tocante a la libre elección por Dios de Israel es el verbo "conocer". Tal como se señaló en el capítulo uno, "conocimiento", en el Antiguo Testamento, era algo adquirido por la experiencia íntima. El verbo "conocer" quería decir tener esa clase de experiencia íntima. De este modo, se nos dice que: "Conoció Adán a su mujer Eva, la cual concibió y dio a luz a Caín" (Gn. 4:1). Allí la palabra se usó para describir el conocimiento más íntimo que un hombre y una mujer pudieran tener el uno del otro: el de la relación sexual. Ahora bien, aunque este verbo no alude normalmente al sexo, sí parece aludir siempre a ese conocimiento personal, íntimo, experimental entre las personas.

En base a esto, Dios habló a Israel por Amós, diciendo:

"A vosotros solamente he conocido de todas las familias de la tierra; por tanto, os castigaré por todas vuestras maldades" (Am. 3:2).

En los capítulos anteriores, Amós había aclarado bien que Dios era consciente de otros pueblos. Lo que se decía aquí era que su "conocimiento" de Israel estaba en un plano diferente a aquel de las otras naciones. Es más, esta era una experiencia continua que Dios compartía con su pueblo. Por esto dijo:

"Yo conozco a Efraín, e Israel no me es desconocido; porque ahora, oh Efraín, te has prostituído, y se ha contaminado Israel" (Os. 5:3).

Por alguna razón que sólo brota de la naturaleza de Dios, éste optó por entrar en las experiencias de Israel y permitir a ellos que lo experimentaran de modo singular. Fue sobre este fundamento que Jesús más tarde edificaba, cuando decía: "Yo soy el buen pastor; y conozco mis ovejas, y las mías me conocen, así como el Padre me conoce y yo conozco al Padre. . ." (Jn. 10:14, 15a). Hay una relación íntima entre Jesús y sus seguidores de la misma clase que la que existe entre el Hijo y el Padre.

Pero, volviendo al Antiguo Testamento, esta relación experimental compartida entre Dios e Israel ponía una obligación especial sobre Israel. Ya que habían sido altamente privilegiados, se esperaba que ellos fuesen siervos fieles. Por lo tanto, fallar en este punto era especialmente trágico. Además, el fallar exigía el castigo cierto y seguro.

El tercer término principal que se usa en el contexto de la libre elección de Dios a Israel se traduce como "conseguir", "adquirir" o "comprar". Fue en base a esta palabra que surgió el concepto de la compra de Israel por Dios:

> "¿Así desquitas al Señor, oh pueblo necio e ignorante? ¿No es él tu padre quien te compró, quien te formó y quien te estableció?" (Dt. 32:6, traducción del autor). "Acuérdate de tu congregación, la que adquiriste desde tiempos antiguos, La que redimiste para hacerla la tribu de tu herencia" (Sal. 74:2).

Es más, la relación singular de Dios con Israel era tenida por base de temor de parte de otros.

> "Entonces los caudillos de Edom se turbarán; A los valientes de Moab les sobrecogerá temblor; Se acobardarán todos los moradores de Canaán. Caiga sobre ellos temblor y espanto; A la grandeza de tu brazo enmudezcan como una piedra; Hasta que haya pasado tu pueblo, oh Jehová" (Ex. 15:15, 16).

Se debe notar que nunca había ningún indicio de que la compra que Dios hizo de Israel involucrase un precio que tuviese que pagarse a otro. Simplemente era un precio que tenía que pagarse. El énfasis era sobre el resultado: mediante esto, Dios obtenía a Israel. Ellos le pertenecían de un modo muy singular.

En base al estudio breve de este vocabulario básico y sus usos, vemos el porqué Israel estaba convencido de que Dios los había escogido. Esta elección se reflejaba en su conocimiento de ellos y en su compra o adquisición. La relación divina con Israel nunca era natural sino el resultado de la elección moral de Dios. La existencia continua de Israel nunca se veía como necesaria para el propio ser de Dios. Aunque parece que a veces el pueblo creía que su existencia continua era necesaria para mantener el honor de Dios, esto no era cierto. Esta era una de las lecciones más profundas que los profetas buscaban enseñar a Israel. El pueblo se enorgullecía por ser el pueblo escogido. Por lo tanto, esperaban que Dios les diera la victoria, que protegiera sus intereses, y que los exaltara entre todas las naciones. Los profetas anunciaban que era al revés. Por haber sido escogidos, sus responsabilidades en cuanto al servicio obediente eran mayores. Es más, por haber fallado en no dar esto, el juicio sobre ellos sería mas seguro. Ellos habían sido elegidos, no por su propia amabilidad sino por causa del amor de Dios. Era por causa de la pura gracia, el favor inmerecido de Dios. Se esperaba que ellos se maravillaran ante la elección de Dios en vez de inflarse de engreimiento.

Además de esta terminología básica referente a la elección de Dios, había dos cuadros pictóricos de esta escogencia que figuraban a menudo en los mensajes de los profetas. Estos cuadros tienen que ver con la paternidad y el matrimonio. De manera que, a Israel se le describió tanto como el hijo de Dios, su primogénito, como su esposa. Algunas veces ambas imágenes se usan en el mismo pasaje. Así, Oseas clamaba:

> "Contended con vuestra madre, contended; porque ella no es mi mujer, ni yo su marido; aparte, pues, sus fornicaciones de su rostro, y sus adulterios de entre sus pechos" (Os. 2:2).

Pero, también lloró:

> "Cuando Israel era muchacho, yo lo amé, y de Egipto llamé a mi hijo. cuanto más yo los llamaba, tanto más se alejaban de mí; a los baales sacrificaban, y a los ídolos ofrecían sahumerios. Yo con todo eso enseñaba a andar al mismo Efraín, tomándole de los brazos; y no conoció que yo le cuidaba" (Os. 11:1-3).

Y cuando Isaias denunció los pecados de Judá, lo hacía con estas palabras:

> "Oid, cielos, y escucha tú, tierra; porque habla Jehová: Crié hijos, y los engrandecí, y ellos se rebelaron contra mí. El buey conoce a su dueño, y el asno el pesebre de su señor; Israel no entiende, mi pueblo no tiene conocimiento" (Is. 1:2, 3).

Jeremías, en cambio, pintaba con patetismo el cuadro de Israel como esposa:

> ". . .Me he acordado de ti, de la fidelidad de tu juventud, del amor de tu desposorio, cuando andabas en pos de mí en el desierto, en tierra no sembrada" (Jer. 2:2).

Se podría pretender que estas figuras se derivaran de las religiones naturalistas de los pueblos vecinos de Israel, y puede ser que haya habido algo de relación. Pero Israel sostenía estas ideas con una diferencia marcada. Esta estribaba en su concepto de la libre elección de Dios. Dios se relacionaba con Israel, no por causa de obligación alguna, sino por su elección propia. Además, a Israel le correspondía responder o no. Dios los había sacado de Egipto, pero no les obligó a salir. El los había guiado en el desierto, pero a ellos no se les forzó a que siguiesen.

A menos que forzáramos demasiado la figura de Israel como hijo y ver así la relación como naturalista, Ezequiel buscó aclarar otra dimensión. Este pintaba la relación de Israel como hijo en términos de adopción (Ez. 16:1-7). Pero, también señalaba que esta relación era seguida por el compromiso y el matrimonio (Ez. 16:8-14). Ya que Israel experimentaba una doble elección, su rechazo final de esta elección de Dios era aun más censurable.

Es obvio que estas figuras tuvieron gran impacto sobre el Nuevo Testamento. Pablo alude varias veces a la adopción de los cristianos dentro de la familia de Dios. Apocalipsis proclama su visión de la consumación final al decir:

"Y yo Juan vi la santa ciudad, la nueva Jerusalén, descender del cielo, de Dios, dispuesta como una esposa ataviada para su marido" (Ap. 21:2).

El Antiguo Testamento claramente entreteje dos tradiciones en torno a la elección de Israel por Dios. Una de estas se remonta a su elección de ellos en el éxodo. La otra a la elección por Dios de Abraham, Isaac y Jacob, los patriarcas. Aunque ambas reflejan la misma iniciativa divina, hay énfasis levemente diferentes.

La tradición de la elección de los patriarcas les llamaba la atención al propósito total de Dios. Recalcaba los largos procesos históricos que Dios utilizó para efectuar su voluntad y su elección. La tradición de la elección en torno a la experiencia del éxodo, en cambio, llamó la atención a un gran evento en cataclismo en el cual Dios irrumpió en la historia para adueñarse de Israel.

En su historia subsecuente, las dos tradiciones afectaron de modo diferente la autoimagen de Israel. Corrían el riesgo de depender demasiado de su calidad de "hijos de Abraham". Esto llegó a ser motivo de gran orgullo, y tuvo que ser atacado aun por Juan el Bautista:

"y no penséis decir dentro de vosotros mismos: A Abraham tenemos por padre; porque yo os digo que Dios puede levantar hijos a Abraham aun de estas piedras" (Mt. 3:9).

En cambio, la memoria de la liberación de Egipto era a la vez humillante y alentadora. El Dios que había hecho algo de valor de un grupo de esclavos impotentes podría volver a hacerlo. La tradición de Egipto recordaba a Israel que había sido elegido por la pura gracia. Si se entendía correctamente, la tradición patriarcal recordaba a Israel que había sido elegido para el servicio:

> "Y haré de tí una nación grande, y te bendeciré, y engrandeceré tu nombre, *y serás bendición*" (Gn. 12:2, cursivas del autor).

Ambas tendencias aún están con nosotros. Cuando nosotros, los que somos seguidores de Jesucristo, recordamos lo que éramos cuando Jesús nos salvó, nos humillamos y nos alentamos. Somos humillados por su amor asombroso; somos alentados por la esperanza de que Jesús, quien nos salvó, también podrá ciertamente guardarnos. En cambio, cuando nos fijamos demasiado en nuestra nueva relación con Dios, existe una tendencia muy real a enorgullecernos por lo que somos. ¡Qué triste que no hemos aprendido la lección de que la elección redentora de Dios es por la pura gracia, por el favor inmerecido de Dios!

Había dos ideas subsidiarias, pero relacionadas, las cuales surgieron de la comprensión israelita de la elección de Dios. La primera afirmaba que su elección requería que ellos fuesen usados en el servicio. No se puede ignorar el hecho de que su elección conllevaba la honra y la gloria. Pero, parece que su propósito siempre era que Israel respondiese con lealtad obediente. El pacto, el cual consideraremos con más detalles más tarde en este capítulo, no era un convenio mutuo entre Dios e Israel. Más bien, se basaba en lo que Dios ya había logrado. Israel ya era libre de Egipto cuando llegó a Sinaí. El pacto se le ofrecía en Israel en base a su respuesta a la gracia de Dios.

Es más, no involucraba ninguna obligación de parte de Dios. El ya había asumido sus obligaciones antes de que se diese el pacto. Dios libremente aceptaba una relación con Israel, lo escogió, lo libró. Como su respuesta, Israel había de servirle y obedecerle:

> "Ahora, pues, si diereis oído a mi voz, y guardareis mi pacto, vosotros seréis mi especial tesoro sobre todos los pueblos; porque mía es toda la tierra. Y vosotros me seréis un reino de sacerdotes, y gente santa" (Ex. 19:5, 6).

Como resultado del servicio que Israel le debía a Dios, había una conciencia creciente de que aquél tenía una obligación para con las naciones. Esto se nota más claramente en el llamamiento a Jeremías. A él, Dios dijo:

> "Mira que te he puesto en este día sobre naciones y sobre reinos, para edificar y para plantar" (Jer. 1:10).

Esta conciencia de una misión a las naciones aumentó aun más durante el exilio y aun después. Si Dios es el único Dios, entonces le incumbía a Israel compartirlo con las naciones. Así es que la elección de Israel por Dios llegó a enfocar el hecho de que eran mediadores de su revelación a todos los hombres. Si ellos no hubieran atesorado la revelación de Dios, no hubiera habido un registro sobre el cual edificara el Nuevo Testamento. Pero, al servir a Dios y al ministrar a las naciones, Israel reflejaba la naturaleza y el carácter del Dios que le había escogido.

La elección por Dios de individuos

En general, los libros que abordan la elección de Israel por Dios a menudo ignoran su elección de los individuos o tratan el tema superficialmente. Es demasiado importante para que sea tratado así. La elección divina de los individuos para que rindan servicio obediente es fundamental en el Antiguo Testamento. Se ha hecho muy común en círculos evangélicos hablar del "llamamiento" de Dios. El llamado de Dios es su elección de un individuo para que éste lo sirva.

Hay en realidad dos clases básicas de individuos a quienes Dios elige en el Antiguo Testamento. La primera y tal vez la menos importante involucraba a aquellos llamados a una clase de servicio que no fuera la del profeta. Había muchas de estas clases.

Las narraciones patriarcales obviamente enfocan la elección de Abraham, Isaac y Jacob.

> "Ahora bien, el Señor le dijo a Abram (Abraham), 'sal de tu patria y de tu parentela y de la casa de tu padre y ve a la tierra que yo te mostraré. Y yo haré de ti una gran nación, y te bendeciré, y haré que tu nombre sea grande, para que seas bendición. Bendeciré a los que te bendijeren, y a aquel que te maldijere, yo maldeciré, y por tí todas las familias de la tierra serán bendecidas'" (Gn. 12:1-3, traducción del autor).

A Abraham se le llamaba al servicio obediente. Había de relocalizar a su familia sin saber adónde iba. Al hacerlo, se le bendeciría. También, él llegaría a ser bendición a todos los demás miembros de la raza humana. Ambas cosas sucedieron.

Aunque no se nos da el mismo lujo de detalle respecto al llamamiento de Isaac y Jacob, se hace evidente que los materiales más tardíos del Antiguo Testamento aceptaban la idea de que a los tres se les incluía en el llamado repetido. A través del resto del Antiguo Testamento, los principios de Israel como un pueblo se ven consecuentemente como referidos a estos tres patriarcas. Es fácil

descartar el carácter personal del llamamiento patriarcal en pro de
un llamamiento nacional, ya que la nación de Israel descendió de
estos tres hombres. Pero, las narraciones bíblicas los enfocan como
individuos con diferencias personales. Abraham era la figura
imponente de la fe. Isaac era quieto y solidario. Jacob era el
intrigante y el timador. Pero todos eran usados por Dios para
cumplir su propósito divino. Pese a sus debilidades, se les llamaba;
ellos obedecían y las bendiciones de Dios caían sobre ellos y
mediante ellos éstas fluían a otros.

En el Antiguo Testamento hay una tradición mayor tocante a la
elección divina a David como rey:

> "Dijo Jehová a Samuel: ¿Hasta cuando llorarás a Saúl,
> habiéndolo yo desechado para que no reine sobre Israel?
> Llena tu cuerno de aceite, y ven, te enviaré a Isaí de Belén,
> porque de sus hijos me he provisto de rey. . . Y Samuel tomó
> el cuerno del aceite, y lo ungió en medio de sus hermanos; y
> desde aquel día en adelante el Espíritu de Jehová vino sobre
> David. . ." (1 S. 16:1, 13).

Más tarde, el llamamiento a David se reafirmó y se engrandeció:

> ". . .Así ha dicho Jehová de los ejércitos: Yo te tomé del redil,
> de detrás de las ovejas, para que fueses príncipe sobre mi
> pueblo, sobre Israel; y he estado contigo en todo cuanto has
> andado, y delante de tí he destruido a todos tus enemigos, y
> te he dado nombre grande, como el nombre de los grandes
> que hay en la tierra. . . Asimismo Jehová te hace saber que él
> te hará casa. . . Y será afirmada tu casa y tu reino para
> siempre delante de tu rostro, y tu trono será estable
> eternamente" (2 S. 7:8-16).

Otra vez, he aquí un individuo escogido por Dios desde una
herencia no favorable para lograr un gran propósito. Es cierto que
Dios lo bendijo y a otros por él. Pero su llamado no le confirió ningún
privilegio más allá de los demás llamados a servir. Más tarde,
cuando David pecó con Betsabé, se le llamó a cuentas, y tuvo que
encarar el juicio, porque él había abusado de su responsabilidad (2
S. 11:12). Otra vez, algunos han procurado no reconocer a éste
como un llamado individual al decir que el llamado se enfocaba en
toda su familia y no solamente en David. En realidad, lo opuesto era
cierto. Primeramente se centró en David y después se amplió para
incluir a su casa y su linaje.

Se podría alargar esta lista mucho más. Dios escogió a reyes, a
sacerdotes, a jueces y a otros. Estos procedían de todo tipo de
trasfondo e incluían tanto a mujeres como a hombres. Todos eran

líderes sobre los cuales el Espíritu evidentemente ponía sus dones. Se les daban las habilidades necesarias para cumplir los propósitos divinos. Se les escogía a todos para el servicio, para servir a Dios mediante el servicio a su pueblo.

Si uno de estos individuos llamados abandonaba sus responsabilidades tal como lo hizo el rey Saul, Dios no lo abandonaba de inmediato. Más bien, Dios buscaba la forma de que volviese. Pero en cada caso, parece que cada uno tenía la libertad de obedecer o no.

El enfoque principal sobre el llamamiento individual en el Antiguo Testamento tenía que ver con el llamamiento a ser profeta, un vocero de Dios. Cada profeta describió su experiencia de llamado de un modo particular. Isaías dijo: ". . .ví yo al Señor sentado sobre un trono alto y sublime" (Is. 6:1). Jeremías simplemente registraba: "Vino, pues, palabra de Jehová a mí" (Jer. 1:4). Ezequiel era más gráfico y pintaba un cuadro del Señor como viniendo a él en una tempestad. Lo resumía, diciendo:

> ". . .Esta fue la visión de la semejanza de la gloria de Jehová. Y cuando yo la ví, me postré sobre mi rostro, y oí la voz de uno que hablaba. Me dijo: Hijo de hombre, ponte sobre tus pies, y hablaré contigo" (Ez. 1:28b—2:1).

Amós, en cambio, era más prosaico al decir:

> ". . .No soy profeta, no soy hijo de profeta, sino que soy boyero, y recojo higos silvestres. Y Jehová me tomó de detrás del ganado, y me dijo: Ve y profetiza a mi pueblo Israel" (Am. 7:14, 15).

Cada profeta de Dios estaba ocupándose de lo suyo cuando Dios intervino en sus vidas. Moisés estaba "apacentando. . . las ovejas de Jetro su suegro" cuando Dios irrumpió en su vida (Ex. 3:1). Isaías estaba adorando en el templo (Is. 6:1). Ezequiel era cautivo de los babilonios en el exilio, cerca del río Quebar (Ex. 1:1-3). Oseas estaba en casa experimentando el dolor de un hogar destruido y el de una esposa infiel (Os. 1-3).

Pese a sus diferencias individuales, había un hilo común en sus experiencias. Tanto era así que, de hecho, sus llamamientos parecen ser registrados con un esbozo común en el cual se da el mismo tipo de información básica acerca de cada uno. Era casi como si estas cosas fuesen necesarias para verificar las credenciales del profeta para que hablase las palabras de Dios.

Primero, a cada uno cuyo llamamiento se registra se le daba un sentido de la presencia de Dios. El llamamiento siempre era iniciado por Dios. Aunque a veces se puede hablar de algunos de los profetas como voluntarios, es preciso entender que la iniciativa siempre venía de Dios. Sin importar lo que cada una de estas personas estuviera haciendo, Dios irrumpió en su conciencia.

Dios siempre venía con un mensaje. El mismo involucraba algunas cosas diferentes, pero siempre terminaba con una revelación absoluta del hecho de que al profeta se le escogía para hacer la obra de Dios sobre la tierra. De este modo, Dios le dijo a Moisés:

> "...Bien he visto la aflicción de mi pueblo que está en Egipto, y he oído su clamor a causa de sus exactores; pues he conocido sus angustias, y he descendido para librarlos de mano de los egipcios, y sacarlos de aquella tierra a una tierra buena y ancha, a tierra que fluye leche y miel. . . Ven, por tanto, ahora, y te enviaré a Faraón, para que saques de Egipto a mi pueblo, los hijos de Israel" (Ex. 3:7-10).

Jeremías no tan sólo tenía este sentido de ser escogido sino que también era consciente de un sentido de predestinación en torno a su tarea. Más que nadie en el Antiguo Testamento, era consciente del lugar que ocupaba en los propósitos últimos de Dios.

> "Vino, pues, palabra de Jehová a mí, diciendo: Antes que te formase en el vientre te conocí, y antes que nacieses te santifiqué, te dí por profeta a las naciones" (Jer. 1:4, 5).

De vez en cuando, un profeta podría parecer como un voluntario, como en el caso de Isaías cuando le dijo a Dios: "Heme aquí, envíame a mí" (Is. 6:8). Empero, la iniciativa siempre estaba con Dios. Este vino primero a Isaías.

El llamamiento de los profetas también involucraba siempre una revelación del propósito último de Dios para sus vidas. Además, había una comisión para una tarea específica dentro de ese propósito. Cada una era diferente, pero todas eran semejantes. Moisés debía volver a Egipto para sacar a Israel de su esclavitud ante Faraón y su pueblo. Amós debía viajar al Reino del Norte. Isaías debía quedarse y predicar al Reino del Sur. Jeremías tenía una misión tanto a Judá como a todas las naciones circunvecinas. Ezequiel tenía una misión para con los exiliados en Babilonia.

Al ser desafiados con estas tareas tremendas los profetas respondieron de varias maneras. Moisés primero quiso cambiar de tema. Al fin, intentó esquivar el llamamiento del todo (Ex. 3:11; 4:13). Isaías, al encarar un ministerio ante un pueblo que no respondería, prorrumpió: "¿Hasta cuándo, Señor?" (Is. 6:11). Jeremías atribuía su ineptitud a su juventud al responder: "¡Ah! ¡ah, Señor Jehová! He aquí, no sé hablar, porque soy niño" (Jer. 1:6).

La palabra última de Dios a cada uno de estos hombres se dirigió a su situación específica. A Moisés se le regañó. A Isaías se le limpió y se le dotó de poder. A Jeremías se le alentó suavemente. El hecho es que Dios satisfizo cada una de sus necesidades individuales.

Aunque los llamamientos proféticos compartían una forma en común, cada uno tenía su propio carácter único. Cada individuo llevaba su propia personalidad a su encuentro con Dios. Cada uno de ellos era un individuo particular que encaraba su propia crisis histórica. Ninguno era una fotocopia del otro. Mediante todos, Dios hablaba su palabra a situaciones históricas específicas. El usaba a los hombres tal y como eran, ofreciéndoles su poder, moviéndolos con su propósito y así logrando su voluntad.

De modo que Dios no tan sólo llamó a la nación Israel para que hiciera su voluntad; también llamó a individuos dentro de esa nación para servirlo. Este sentido de llamamiento divino sirvió de substrato a mucho del Nuevo Testamento. Nadie cuestionaba que Dios actuaba así. Cuando el Espíritu Santo le indicó a la iglesia en Antioquía que enviase misioneros, nadie cuestionó este hecho. (Hch. 13:1-3). También, había una verdadera conciencia de que Dios había elegido a la comunidad cristiana en su totalidad. Por esto, Pablo llamaba a los cristianos los "escogidos de Dios" (Col. 3:12). También, la Primera Epístola de Pedro los describe (y a nosotros) como "linaje escogido" (1 P. 2:9). De modo que este sentido de un llamamiento especial a un servicio especial impregnaba todo el Nuevo Testamento.

La elección por Dios de no israelitas

Un rasgo de la libre elección de Dios que a menudo se pasa por alto es el hecho de que el Antiguo Testamento, de manera constante, habla de Dios como escogiendo a pueblos o naciones que no eran Israel o los israelitas. A otras naciones se les podía escoger y de hecho eran escogidas para un servicio que no conllevaba ningún privilegio. Podría describírsela como una elección sin pacto.

Aparte de Israel, a otras naciones se les podía llamar desde los fines de la tierra para efectuar la voluntad de Dios. Así Isaías contemplaba a Asiria:

> "Oh, Asiria, vara y báculo de mi furor, en su mano he puesto mi ira. Le mandaré contra una nación pérfida, y sobre el pueblo de mi ira le enviaré, para que quite despojos, y arrebate presa, y lo ponga para ser hollado como lodo de las calles" (Is. 10:5, 6).

Jeremías tenía un concepto similar respecto a las tribus del norte y de Babilonia:

"Por tanto, así ha dicho Jehová de los ejércitos: Por cuanto no habéis oído mis palabras, he aquí enviaré y tomaré a todas las tribus del norte, dice Jehová, y a Nabuconodosor rey de Babilonia, mi siervo, y los traeré contra esta tierra y contra sus moradores y contra todas estas naciones en derredor. . ." (Jer. 25:8, 9).

Es importante que notemos que aunque Isaías veía a Dios como empleando a Asiria para castigar a Judá, también era consciente de que Asiria no se daba cuenta de ello. El dice, tocante a Asiria:

"Aunque él no lo pensará así, ni su corazón lo imaginara de esta manera, sino que su pensamiento será desarraigar y cortar naciones no pocas" (Is. 10:7).

El mismo hecho de que Dios pudiera usar a Asiria para lograr sus propósitos, aun sin que ella se diera cuenta de ello, se consideraba como un testimonio a la grandeza de su poder y a la realidad de su sabiduría soberana. Así, Dios podía integrar a su propósito y a su voluntad a quienes, por su propia naturaleza, eran completamente ajenos a su voluntad.

Cuando Dios usaba a tal nación, no era base para que ésta se jactase:

". . .después que el Señor haya acabado toda su obra en el monte de Sión y en Jerusalén, castigará el fruto de la soberbia del corazón del rey de Asiria, y la gloria de la altivez de sus ojos. . . ¿Se gloriará el hacha contra el que con ella corta? ¿Se ensoberbecerá la sierra contra el que la mueve? ¡Como si el báculo levantase al que lo levanta; como si levantase la vara al que no es leño!" (Is. 10:12, 15).

Estas naciones y pueblos no eran otra cosa sino instrumentos en la mano de Dios. Podían ser usados y desechados como él quisiera. Comprendamos claramente que esto no tiene nada que ver con el amor de Dios o la condición espiritual del pueblo en cuestión. Es sólo otra evidencia de su soberanía.

Además, nunca se nos acuse de suponer que esta idea simplemente se basaba en un concepto de la historia que hiciera a Dios responsable por todo cuando ocurría. Dios específicamente escogía a estos pueblos para hacer su voluntad. Empero, no hay ninguna implicación de que estas naciones eran sumisas u obedientes a esa voluntad de modo consciente. Es más, esta clase de elección divina no implicaba que las naciones tuviesen una comprensión de su naturaleza o siquiera un conocimiento de él. Es claro también que no había de por medio un llamamiento a la actividad misionera.

El punto es que estas naciones podían realizar y de hecho realizaron actos moralmente reprensibles; sin embargo, Dios las utilizó sin que colaborasen. Este concepto del uso de naciones extranjeras por Dios no se halla sólo en los profetas, sino también en los libros históricos y en Deuteronomio. Pablo claramente refleja la idea de que Dios puede usar todas las cosas para lograr su voluntad (Ro. 8:28).

El Antiguo Testamento también estaba seguro que Dios podía usar individuos no hebreos tanto como las naciones extranjeras. Pero en esto parece haber una variedad de elecciones más amplia. Algunos eran escogidos por Dios para un servicio que conllevaba algún grado de honor. De este modo Ciro, el rey de Persia, derrocó a Babilonia y puso un edicto que decía:

"Así dice Ciro, rey de los persas: Jehová, el Dios de los cielos, me ha dado todos los reinos de la tierra; y él me ha mandado que le edifique casa en Jerusalén, que está en Judá. Quien haya entre vosotros de todo su pueblo, sea Jehová su Dios con él, y suba" (2 Cr. 36:23).

Debe notarse que esta era su política hacia todos los pueblos que habían sido cautivos en Babilonia.

Pero Dios dijo tocante a Ciro:

". . .Es mi pastor, y cumplirá todo lo que yo quiero, al decir a Jerusalén: Serás edificada; y al templo: Serás fundado" (Is. 44:28).

"Así dice Jehová a su ungido, a Ciro, al cual tomé yo por su mano derecha, para sujetar naciones delante de él y desatar lomos de reyes; para abrir delante de él puertas, y las puertas no se cerrarán: Yo iré delante de tí, y enderezaré los lugares torcidos. . . Por amor de mi siervo Jacob, y de Israel mi escogido, te llamé por tu nombre; te puse sobrenombre, aunque no me conociste" (Is. 45:1-4).

Es obvio que de ningún modo Ciro actuaba con una sumisión consciente a la voluntad de Dios. No había experimentado a Dios en el sentido que lo hicieran Isaías o David. Pero, al mismo tiempo, su voluntad y sus propósitos estaban de acuerdo con la voluntad y los propósitos de Dios.

Había otros individuos de la antigüedad que fueron usados por Dios sin que mediara un propósito en común. Sus acciones simplemente eran usadas para cumplir la voluntad de Dios. El punto que los escritores bíblicos destacaban era que Dios era totalmente soberano.

". . .no hay más que yo; yo Jehová, y ninguno más que yo" (Is. 45:6).

La dádiva por Dios del pacto

Tal y como señalamos anteriormente, los conceptos de pacto y elección están relacionados de modo significativo. Ninguno de los dos puede entenderse sin el otro. Sin embargo, si Dios no hubiera escogido a Israel, no habría habido un pacto. Al mismo tiempo, es muy dudoso que hubiésemos entendido completamente la elección de Israel por Dios si no fuera por el pacto. Es a esto a lo que ahora dedicamos nuestra atención.

No hay duda de que el concepto del pacto entre Dios e Israel es un rasgo central para la comprensión de la relación que existía entre Dios e Israel. El pacto no era el acto redentor que había llevado a Israel a la existencia, pero era la expresión abierta y la confirmación pública de tal acto. El acto redentor de Dios halla su expresión más obvia en la liberación de Egipto. Este evento siempre se consideraba como el hecho fundamental de toda la fe y la religión del Antiguo Testamento. No obstante, es muy evidente que la experiencia de la libre elección de Dios a Israel en el éxodo encontraba su expresión y su confirmación en el pacto. De modo que la expresión más plena del acto redentor de Dios puede hallarse en el pacto.

Aunque el pacto parece ser subsidiario a la elección divina, aquél no puede descartarse a la ligera. Pertenece a las fuentes más primitivas del Antiguo Testamento y puede trazarse a través de toda la tradición. De principio a fin, los autores veterotestamentarios se interesaban profundamente en los pactos entre Israel y Dios.

Antes de ver más de cerca al concepto veterotestamentario del mismo pacto, debemos examinar primero algunos pactos típicos del antiguo Cercano Oriente. Había dos tipos básicos de pactos en el mundo de Israel. El primero de estos se ha clasificado como el "pacto de paridad" o "tratado de paridad". Este tipo de pacto solía hacerse entre dos personas que eran más o menos iguales en cuanto a posición social o política. Este era el tipo de acuerdo que vemos entre Jacob y Labán:

> "Respondió Labán y dijo a Jacob. . . Ven, pues, ahora, y hagamos pacto tú y yo, y sea por testimonio entre nosotros dos" (Gn. 31:34, 44).

También era la clase de pacto por la cual David y Jonatán comprometieron su amor el uno para con el otro (1 S. 20:8). Mediante tales acuerdos, se lograba la paz entre dos partes y cada una de ellas se comprometía con la otra si bien no en el amor, por lo menos en la amistad. El acuerdo total era sellado y atestiguado en la presencia de Dios.

El pacto de paridad se negociaba entre dos individuos iguales. A veces, el pacto era declarado y vuelto a declarar hasta que las dos partes estaban satisfechas con los términos.

Sin embargo, el concepto básico del pacto en el Antiguo Testamento no versaba sobre un pacto entre iguales sino entre Dios e Israel. Por mucho tiempo los intérpretes de este pacto lo consideraron o bien una modificación del pacto de paridad o bien una forma peculiar a Israel. Ahora sabemos que esta idea no era cierta. En años recientes, debido a los resultados de la arqueología, se han estudiado numerosos documentos gubernamentales de naciones ubicadas en la parte occidental de Asia, con documentos que se remontan al segundo milenio a. de J.C. Entre estos documentos se hallan varios pactos que se distinguían de los pactos de paridad más comunes.

A estos pactos se les ha llamado generalmente "pactos de soberanía". Estos se hacían entre un gran soberano o "gran rey" y su vasallo. El soberano o "gran rey" se distinguía del rey ordinario en que aquél gobernaba sobre muchos reinos. Los asirios, por ejemplo, llamaban a su rey por este título:

> "Entonces el Rabsaces se puso en pie y clamó a gran voz en lengua de Judá, y habló diciendo: Oíd la palabra del gran rey, el rey de Asiria" (2 R. 18:28).

El pueblo de Israel usaba este título para referirse al rey asirio. Así dijo Oseas:

> "Cuando Efraín vio su enfermedad y Judá su llaga, entonces Efraín fue a Asiria y mandó a buscar al gran rey" (Os. 5:13, traducción del autor).

Además, a veces a este soberano se le llamaba "rey de reyes y señor de señores". Este título indicaba su autoridad sobre otros gobernantes en la región. No era simplemente un gobernante entre iguales, sino que guardaba una autoridad sobre ellos. Es importante reconocer que este era precisamente el papel que asumía el Dios de Israel. El es el Señor de los ejércitos. También es digno de notarse que al victorioso Hijo de Dios se le llama "Rey de reyes, y Señor de señores" (1 Ti. 6:15; Ap. 19:16).

El pacto que se efectuaba entre el soberano y su vasallo era una promesa o un vínculo hecho obligatorio mediante un juramento entre las dos partes. Era un acuerdo al cual cada uno de ellos entraba aunque no existían modos legales de hacerlo cumplir. No había corte a la que se pudiera apelar en caso de que uno de los pactantes violase los términos.

Un estudio pormenorizado de estos pactos de soberanía demuestra que existían siete rasgos comunes discernibles en la mayor parte de ellos. No todo pacto contenía todos estos rasgos. Tampoco se hallan en el mismo orden si bien el orden era más o menos consecuente.

El pacto de soberanía típico comenzaba con la identificación del gran rey. Era éste el que ofrecía el pacto. Así, podía leerse: "Yo soy el gran rey, fulano, rey de reyes y señor de señores". Esto nos trae a la memoria de forma inmediata el principio del pacto en Exodo:

"Y habló Dios todas estas palabras, diciendo: Yo soy Jehová tu Dios" (Ex. 20:1, 2).

La misma clase de expresión se halla en la ceremonia de la renovación del pacto bajo Josué: ". . .Así dice Jehová, Dios de Israel. . ." (Jos. 24:2).

El segundo rasgo del pacto de soberanía consistía normalmente en una presentación detallada del fondo histórico, el cual describía la relación existente entre el soberano y el vasallo. Esta usualmente recalcaba especialmente las acciones benévolas del soberano. Esta nunca era simplemente una recitación esteriotipada sino una histórica. Su propósito parece haber sido el de intentar unir al vasallo con el soberano por los lazos de amor. Esto, también, halla su paralelo en la declaración veterotestamentaria del pacto: ". . .que te saqué de la tierra de Egipto, de casa de servidumbre" (Ex. 20:2). El culto de renovación del pacto bajo Josué recuerda la dirección de Dios y su liberación desde los tiempos de Abraham hasta sus propios días (Jos. 24:2-13).

Un tercer rasgo del pacto típico de soberanía era la prohibición de que el vasallo entrase en alianzas extranjeras. Su único compromiso tenía que ser con el gran rey. Nótese cómo esto se deja ver en el Antiguo Testamento. En el documento fundamental en Exodo, se le dijo a Israel: "No tendrás dioses ajenos delante de mí" (Ex. 20:3). En la declaración de renovación del pacto de Josué a Israel se le dijo: ". . .quitad de entre vosotros los dioses a los cuales sirvieron vuestros padres al otro lado del río, y en Egipto. . ." (Jos. 24:14).

El cuarto rasgo del pacto de soberanía era la declaración de las estipulaciones básicas y las obligaciones del pacto. Constaba de una lista de las obligaciones del vasallo para con el gran rey. Esto se ajusta precisamente al pacto que Moisés presentó a Israel.

"No te harás imagen. . . No tomarás el nombre de Jehová tu Dios en vano. . . Acuérdate del día de reposo para santificarlo. . . Honra a tu padre y a tu madre. . . No matarás. No cometerás adulterio. No hurtarás. No hablarás contra tu prójimo falso testimonio. No codiciarás." (Ex. 20:4-17).

Estos eran los deberes y las obligaciones de Israel para con Dios. Estos se los debían por lo que Dios había hecho por ellos.

Un quinto rasgo del pacto de soberanía era la estipulación respecto a dónde había de depositarse el documento pactuario y respecto a cuándo debía leerse públicamente. Normalmente se guardaba en el santuario del vasallo y debía leerse públicamente de forma periódica. A Israel, se le mandó que guardase las dos tablas del pacto en el arca, el cual debía guardarse en el lugar santísimo (Ex. 25:21; 1 R. 8:9). Es más, se leía públicamente a menudo. Moisés celebró tal culto de renovación después del pecado de Aarón con el becerro de oro y también más tarde cuando Israel llegó a la llanura de Moab (Ex. 34; Dt. 5). Josué dirigió tal ceremonia de renovación al llegar al fin de su vida (Jos. 24). Además, parece que tales ceremonias se tenían cada vez que se coronaba a un nuevo rey y tal vez aún con mas frecuencia.

Un sexto rasgo del pacto de soberanía normal involucraba la cuestión de testigos. A los dioses del gran rey y a los de su vasallo se les llamaba para ser testigos del pacto. A esto normalmente le seguía un llamamiento a los montes y a los ríos, a los cielos y a la tierra, a los vientos y a las nubes, para que fuesen testigos. Tal y como se esperaría, en el pacto de Israel, faltan tales testigos. Sin embargo, debe notarse que en la celebración de la renovación del pacto de Josué, la gente fue identificada como testigos:

> "Y Josué respondió al pueblo: Vosotros sois testigos contra vosotros mismos, de que habéis elegido a Jehová para servirle. Y ellos respondieron: Testigos somos" (Jos. 24:22)

También, cuando los profetas tronaban sus denuncias contra Israel por la violación del pacto, ellos de modo constante llamaban a los cielos y a la tierra para que testificasen en contra de Israel:

> "Oíd, cielos, y escucha tu, tierra; porque habla Jehová. . . Israel no entiende, mi pueblo no tiene conocimiento" (Is. 1:2, 3).
> "Oíd ahora lo que dice Jehová: Levántate, contiende contra los montes, y oigan los collados tu voz. Oíd, montes, y fuertes cimientos de la tierra, el pleito de Jehová; porque Jehová tiene pleito con su pueblo, y altercará con Israel" (Mi. 6:1, 2).

El séptimo y concluyente rasgo del pacto de soberanía era una lista de bendiciones y maldiciones. Estas caerían sobre el vasallo según su modo de cumplir los términos del pacto o según su desacato de ellos. Estas eran las únicas sanciones que se hallaban en el pacto. Aunque ninguna de éstas se relaciona de modo directo con la declaración del pacto en Exodo 20, hay varias listas de ellas en contextos de pacto dentro del Antiguo Testamento (Ex. 23:20-33; Lv. 26; Dt. 27-28).

El estudio de estos documentos antiguos también revela que cuando una de las partes moría, bien el soberano o el vasallo, el pacto tenía que renovarse. Ahora bien, aunque este no era el caso concreto en Israel, esto bien podría explicar el contraste entre "nosotros" y "nuestros padres" en la ceremonia de renovación en Moab:

> "Llamó Moisés a todo Israel y les dijo: Oye, Israel, los estatutos y decretos que yo pronuncio hoy en vuestros oidos; aprendedlos, y guardadlos, para ponerlos por obra. Jehová nuestro Dios hizo pacto con nosotros en Horeb. No con nuestros padres hizo Jehová este pacto, sino con nosotros todos los que estamos aquí hoy vivos" (Dt. 5:1-3).

En resumen, la evidencia es abrumadora de que al documento básico que contiene la declaración de la fe israelita se le dio un armazón que se había pedido prestado al mundo en el cual vivían. Fue claramente adaptado y se le llenó de nuevo significado. Pero el armazón mismo puede ser reconocido e identificado. Es precisamente esto lo que hace que sea tan importante. Ciertas formas comunican ciertas cosas, aun antes de que se descubran los contenidos. Cuando llega un sobre con aspecto "oficial" y el remitente es claramente el Ministerio de Hacienda, se puede sospechar que se trata del impuesto sobre la renta. Cuando su auto ha estado estacionado con exceso de tiempo y usted ve un papelito debajo del limpiaparabrisas, no hace falta que lea el contenido para saber que ya le debe una multa al municipio. La misma forma comunica. Del mismo modo sucede con la forma o el armazón en el cual el pacto de Israel estaba colocado. Antes de que se leyera palabra alguna, claramente se sabía que se le reconocía a Dios como el gran rey de Israel. Ellos habían de ser sus siervos obedientes. De por si sola la forma comunicaba esto. La forma, pues, ponía el fundamento para la comprensión tanto del contenido como las exigencias del pacto de Dios.

Con todo esto como trasfondo, fijemos nuestra atención en el significado básico del pacto para Israel. Su fundamento estribaba en el carácter de Dios como rey. El era el gobernante supremo de su nación. Así, cuando más tarde pidieron un rey humano que les gobernase, esto se vio como un rechazo a Dios.

> "Entonces todos los ancianos de Israel se juntaron, y vinieron a Ramá para ver a Samuel, y le dijeron: He aquí tú

has envejecido, y tus hijos no andan en tus caminos; por
tanto, constitúyenos ahora un rey que nos juzgue, como
tienen todas las naciones. Pero no agradó a Samuel esta
palabra que dijeron... Y Samuel oró a Jehová, Y dijo Jehová
a Samuel: Oye la voz del pueblo en todo lo que te digan;
porque no te han desechado a ti, sino a mí me ha desechado,
para que no reine sobre ellos" (1 S. 8:4-7).

Era el pacto lo que había establecido claramente la relación rey-
siervo entre Dios e Israel.

El término básico en el Antiguo Testamento traducido como
pacto parece haber significado originalmente "lazo" o "grilletes".
Cuando las personas se comprometían mediante un pacto, se les
consideraba como unidas. En un sentido muy real, llegó a significar
la creación de una hermandad artificial o una relación familiar de
adopción. Esto también es precisamente lo que se describe como
existiendo entre Israel y Dios. El pacto sellaba el hecho de que ellos
habían sido escogidos por Dios como sus hijos o bien como su
esposa. Ya hemos indicado esto en nuestro estudio de la elección de
Israel por Dios.

Además, la relación de pacto implicaba un fin y un propósito
comunes para los pactantes. En un sentido muy real, el entrar en un
pacto era equivalente a hacer las paces. La alianza antigua de
soberanía a menudo era el acto final para terminar un conflicto.
Aunque este concepto de la terminación de un conflicto puede no
haberse dado en Israel, al mismo tiempo el pacto muy frecuentemente se asociaba con la idea de la paz. De este modo, cuando
Ezequiel anticipaba la restauración de Israel después del exilio, la
describía de esta manera:

> "Y estableceré con ellos pacto de paz, y quitaré de la tierra
> las fieras; y habitarán en el desierto con seguridad, y
> dormirán en los bosques. Y daré bendición a ellas y a los
> alrededores de mi collado, y haré descender la lluvia en su
> tiempo; lluvias de bendición serán" (Ez. 34:25, 26).
>
> "Y haré con ellos pacto de paz, pacto perpetuo será con ellos;
> y los estableceré y los multiplicaré, y pondré mi santuario
> entre ellos para siempre. Estará en medio de ellos mi
> tabernáculo, y seré a ellos por Dios, y ellos me serán por
> pueblo" (Ez. 37:26, 27).

El hacer un pacto en el Antiguo Testamento se describía con la
frase "cortar un pacto". Puede que esto se refiera a métodos de
escribir en el antiguo Cercano Oriente, uno de los cuales era el
marcar figuras en barro suave; otro método era cincelar letras en
piedra. Fuera el método que fuese, las letras eran literalmente

cortaduras en el material. También, se sellaban los pactos muy a menudo mediante el cortar un animal por la mitad (Gn. 15). La imagen detrás de esto era que si uno violaba los términos del pacto sería tratado del mismo modo que la víctima del sacrificio.

Frecuentemente se sellaban los pactos mediante el estrechar de las manos o por un beso (1 S. 10:1; 2 R. 10:15). También eran sellados por un regalo (2 S. 18:3, 4). Los pactos de naturaleza más seria eran sellados a menudo con una comida de comunión (Gn. 26:27-31; 2 S. 3:17-21). Aunque no había una comida que se asociara directamente con el pacto dado en Exodo, a través de toda la historia de Israel la comida pascual era considerada como la celebración principal del pacto. Es también obvio que Jesús recogió esta idea y la utilizó cuando estableció la cena del Señor como la confirmación de su nuevo pacto (Mt. 26:26-28; Mr. 14:22-25; 2 Co. 11:23-26).

Debe reiterarse también que el pacto entre Dios e Israel no puede considerarse ni evaluarse en términos de un pacto entre personas iguales. Nunca se pensó en términos de un trueque o de un acuerdo negociado. En Sinaí, es muy evidente que la iniciativa era totalmente de Dios. El pacto se le ofreció a Israel en base a los términos de Dios. Ellos bien podían aceptarlos o rechazarlos. No los podían cambiar. Esto puede ayudarnos a distinguir entre la elección divina de Israel y el pacto hecho con Israel. Dios escogió a Israel y el pueblo no tuvo nada que ver con eso. El pacto fue la expresión de su voluntad para el pueblo escogido. Ellos podían rechazarlo. Su voluntad primero se conoce en su elección. Se engrandeció y se detalló en su pacto. En el éxodo, Dios demostró su elección de Israel. En Sinaí, él puso sus demandas respecto a su servicio obediente.

Además, esta asociación entre la elección y el pacto implicaba que no había ningún sentido en el cual el pacto era bilateral. No había obligaciones de parte de Dios. El ya había asumido sus obligaciones al elegir a Israel. Lo que el pacto hizo, fue imponer obligaciones sobre Israel, las cuales correspondían a una respuesta obediente al acto divino de elección de gracia.

El hecho esencial es que el pacto era incondicional. No había de por medio derecho a la terminación. Puesto que el pacto estribaba en la elección de Dios y ésta brotaba de su misma naturaleza, él siempre permanecería leal a sus escogidos. En cambio, Dios no compelería de ningún modo a Israel a que permaneciese en el pacto. Tal compulsión destruiría la misma naturaleza del pacto. Pero, el Antiguo Testamento aclara muy bien que Israel, una vez comprometido con el pacto, no tenía el derecho de salirse del mismo. Los profetas continuamente indicaban que si Israel trajera el pacto a su fin, no sería porque tuviera el derecho a hacerlo. Cualquier retiro del pacto se consideraría como un repudio deshonroso. Tales acciones se describían como traición e infidelidad. Estas siempre eran moralmente reprensibles.

Israel podía salirse del pacto. Dios no lo haría. Pero si Israel saliera, siempre sería una rebelión pecaminosa. Así Isaías los describía:

> "...Crié hijos, y los engrandecí, y ellos se rebelaron contra mí... ¡Oh gente pecadora, pueblo cargado de maldad, generación de malignos, hijos depravados! Dejaron a Jehová, provocaron a ira al Santo de Israel, se volvieron atrás" (Is. 1:2-4).

Oseas y otros profetas se valieron de la imagen del adulterio para describir la violación del pacto de Israel. Jeremías lo resume:

> "Pero como la esposa infiel abandona a su compañero, así prevaricasteis contra mi, oh casa de Israel, dice Jehová" (Jer. 3:20)

El rechazo del pacto por parte de Israel era a su vez rechazado por los profetas.

Las tradiciones en torno al pacto en el Antiguo Testamento ponen un énfasis sobre el pacto formal en el Sinaí. Al mismo tiempo, había una expresión menos formal del pacto con los patriarcas. Ambos pactos encajan muy bien en el concepto total del Antiguo Testamento respecto a la elección y el pacto divinos. Cada vez que Dios optaba por actuar mediante la gracia, siempre sellaba esa elección con un pacto, el cual imponía obligaciones sobre su pueblo. Las obligaciones siempre eran para su propio bien, aunque no siempre las advertía como tales en el momento.

Finalmente, en una comprensión cabal del pacto somos llevados a encarar el contraste entre la lealtad de Dios y el fracaso de Israel. La historia completa de Israel demostró que Israel fracasó al no guardar el pacto vez tras vez. Cuando Israel rechazaba el pacto, era considerado como perfidia e infidelidad.

Es más, hemos notado que aunque Israel rechazara el pacto, Dios no rechazaría a sus elegidos. El no fallaría a Israel aunque Israel le fallara a él. Esto es precisamente lo que él hizo. Por su gracia, no los desechó sino que los buscó, procurando renovar su lealtad.

Oseas lo proclamó muy eficazmente:

> "Por tanto, he aquí yo rodearé de espinos su camino, y la cercaré con seto, y no hallará sus caminos. Seguirá a sus

> amantes, y no los alcanzará; los buscará, y no los hallará.
> Entonces dirá: Iré y me volveré a mi primer marido; porque
> mejor me iba entonces que ahora. . . Pero he aquí que yo la
> atraeré y la llevaré al desierto, y hablaré a su corazón. . . y allí
> cantará como en los tiempos de su juventud, y como en el
> día de su subida de la tierra de Egipto. En aquel tiempo, dice
> Jehová, me llamarás Ishi. . ." (Os. 2:6, 7, 14-16).

Describía a Dios como llevando a Israel de nuevo al desierto en
donde otra vez lo cortejaría y ganaría su amor, iniciando así
nuevamente el noviazgo y el matrimonio.

Así los profetas retrataban el juicio de Dios sobre Israel como
teniendo propósito redentor. De modo constante, él buscaba ganar a
Israel de nuevo para su amor y para los frutos de sus bendiciones
dentro del pacto. De este modo, la historia de Israel llegó a ser una
historia de pecado y de salvación, de juicio y de redención, de
rebelión y de restauración. Dios era siempre capaz de bendecir y
salvar. Deseaba hacerlo siempre y cuando Israel volviera a su
voluntad amorosa por la obediencia.

Era en base a esto que surgió la esperanza de un nuevo pacto.
Oseas lo declaró primero (Os. 2:18-23), pero Jeremías fue el que
más completamente lo desarrolló con su visión magnífica del futuro
de Dios:

> "He aquí que vienen días, dice Jehová, en los cuales haré
> nuevo pacto con la casa de Israel y con la casa de Judá. No
> como el pacto que hice con sus padres el día que tomé su
> mano para sacarlos de la tierra de Egipto; porque ellos
> invalidaron mi pacto, aunque fui yo un marido para ellos,
> dice Jehová. Pero este es el pacto que haré con la casa de
> Israel después de aquellos días, dice Jehová: Daré mi ley en
> su mente y la escribiré en su corazón; y yo seré a ellos por
> Dios, y ellos me serán por pueblo. Y no enseñará ninguno a
> su hermano, diciendo: Conoce a Jehová; porque todos me
> conocerán, desde el más pequeño de ellos hasta el más
> grande, dice Jehová; porque perdonaré la maldad de ellos, y
> no me acordaré más de su pecado" (Jer. 31:31-34).

Se tratará este concepto más ampliamente en el capítulo 8, cuando
consideremos la esperanza de Israel respecto al futuro.

No obstante, hemos de notar que se esperaba que el pacto fuese
la respuesta del hombre ante la elección libre de Dios. Cuando
fallaba la respuesta, Israel se ponía fuera del pacto. Pero, eso sí,
Israel no podía ponerse fuera de la elección libre de Dios. Ella aún
permanecía.

De modo creciente los profetas se daban cuenta de que la
capacidad de Israel para responder a las demandas de los actos

misericordiosos de Dios sería posible sólo si Dios hiciera que su corazón fuera de su misma naturaleza. Era esto lo que ansiaban y era esto lo que anticipaban cada vez más con expectación. Así, Dios dijo por medio de Ezequiel:

> "Os daré corazón nuevo, y pondré espíritu nuevo dentro de vosotros; y quitaré de vuestra carne el corazón de piedra, y os daré un corazón de carne. Y pondré dentro de vosotros mi Espíritu, y haré que andéis en mis estatutos, y guardéis mis preceptos, y los pongáis por obra" (Ez. 36:26, 27).

Sólo por el nuevo acto de la gracia de Dios podría ser renovado el pacto y satisfechas sus demandas. A través de todo esto, una convicción permanece segura. El pacto de Dios con Israel nunca sería quebrantado de parte de él.

Una palabra final necesita ser dicha respecto al pacto. Ya que tenemos la ventaja de verlo desde este lado de la cruz y conocemos el concepto del cumplimiento final del nuevo pacto en Jesús, debemos notar que había ciertas limitaciones en el antiguo pacto que tenían que ser eliminadas antes de que pudiera cumplirse cabalmente. Este pacto, también, era un paso en la revelación creciente de Dios.

El antiguo pacto no era con individuos sino con la nación. Esto llegó a ser una cuestión importante en la predicación de Jeremías y de Ezequiel. La respuesta de un grupo nunca puede obligar la respuesta del individuo. Es más, el antiguo pacto se efectuaba con aquellos que tenían derechos legales. Por lo tanto, nunca exigía la respuesta de niños, esposas, esclavos y extranjeros. Estos eran llevados juntamente con el grupo.

Finalmente, el pacto mismo sólo presentaba una comprensión limitada de Dios. A él se le conocía mayormente como rey y como legislador. Por su trasfondo, también se le veía como redentor, pero en el pacto antiguo no se le conocía en su revelación personal completa. Esto esperaba la revelación de Jesucristo.

Así es que el antiguo pacto era limitado. Falló. Pero apuntaba más allá de sí mismo al Dios de la elección, quien finalmente llamó a todo el pueblo a sí en Jesucristo. Además, nos preparó para comprender mejor lo que Jesús hizo y lo que está haciendo.

5

EL HOMBRE COMO CRIATURA DE DIOS

Hasta ahora hemos fijado nuestra atención en el concepto veterotestamentario de Dios. El era el hecho supremo de la vida para Israel. Empero hemos de recordar que había dos protagonistas principales en el drama de estos hombres de la antigüedad. Eran Dios y el hombre. Génesis 1 señala el lugar de Dios en su universo como el Señor soberano. Génesis 2 describe la creación del hombre el dominio que se le dio sobre su mundo. Todo lo demás en la Biblia pone su atención sobre estas dos figuras centrales y sobre la relación entre ellas. Para poder captar cabalmente las raíces que el Antiguo Testamento nos da para nuestra comprensión del Nuevo Testamento, es preciso que consideremos ahora este segundo actor en el escenario del drama divino de la redención.

Hemos notado que los hebreos entendían a Dios primordialmente mediante su relación con el mundo y con sus vidas. Debemos notar también que su comprensión de la humanidad, es decir, de sí mismos, estaba matizada por su relación con Dios. De modo que si vamos a captar de verdad algo de su autoconciencia, hemos de hacerlo al dirigir nuestra atención al "hombre como criatura de Dios".

El hombre como individuo

El problema de la naturaleza del hombre es tan antiguo como el mismo hombre. Este problema se ha planteado desde los tiempos mas antiguos.

> "Cuando veo tus cielos, obra de tus dedos, La luna y las estrellas que tu formaste, digo: ¿Qué es el hombre para que

tengas de él memoria, Y el hijo del hombre, para que lo
visites? Le has hecho poco menor que los ángeles, Y lo
coronaste de gloria y de honra. Le hiciste señorear sobre las
obras de tus manos; Todo lo pusiste debajo de sus pies" (Sal.
8:3-6).

Los hebreos eran siempre conscientes del significado del hombre
tanto como de su insignificancia. Al considerar su propia existencia,
ellos centraban su atención en dos aspectos principales de la
existencia del hombre: su individualidad y su colectividad. El
hombre siempre era un individuo estando en la presencia de Dios.
Pero, a la vez, nunca estaba solo. El siempre formaba parte de un
grupo mayor: una familia, un clan, una tribu o la misma nación.
Debemos familiarizarnos con ambas dimensiones de su autocomprensión.

El hombre como una creación de Dios

La naturaleza humana siempre ocupaba el primer plano de la
autoconciencia del hebreo. Sabía que su propia persona era algo
mucho menos que Dios. Un buen resumen de este aspecto de su
pensamiento puede descubrirse al considerar los vocablos básicos
por los cuales se describía a sí mismo. Estos retratan su finitud, su
carácter de criatura y su relación con Dios.

Fundamental para este aspecto de su existencia era el término
"polvo." Se nos dice:

"Entonces Jehová Dios formó al hombre del polvo de la
tierra, y sopló en su nariz aliento de vida, y fue el hombre un
ser viviente" (Gn. 2:7).

Después de la rebelión de Adán en el huerto de Edén, Dios concluyó
su pronunciamiento de juicio al decir:

"Con el sudor de tu rostro comerás el pan hasta que vuelvas
a la tierra, porque de ella fuiste tomado; pues polvo eres, y al
polvo volverás" (Gn. 3:19).

No había lugar para orgullo ni para la autoexaltación. Es muy
humillante ser descrito en términos de polvo. El polvo es algo sobre
el cual se camina, algo que se sacude de los pies, algo que se barre.
Una comprensión correcta de esta idea es muy útil para captar
el concepto veterotestamentario de la vida humana. Una afirmación
básica del Antiguo Testamento es que el hombre fue hecho por Dios
"del polvo de la tierra", y que Dios le dio el soplo de la vida. Llegara a
ser lo que llegase a ser el hombre, lograra lo que lograse, el hombre
aún era polvo.

Al hombre nunca se le consideraba como un espíritu noble, preso temporalmente en la materia maligna del cuerpo. Esa idea, de hecho, llegó a ser una de las herejías contra las cuales tuvieron que luchar los cristianos neotestamentarios. Dentro de su estado natural, tal y como Dios lo había creado, el hombre era creación unificada que poseía la vida al igual que todas las criaturas vivientes de Dios. El mundo material era el medio natural del hombre. Amplíese como se quiera ampliar el concepto de la vida del Antiguo Testamento tanto como el del Nuevo Testamento, lo dicho anteriormente es irreducible.

Aun así, aunque el hombre era polvo, era más que sólo polvo. Era la creación especial del Dios viviente. Dios había soplado algo en él.

Los hebreos también describían al hombre como "carne". Esto tenía un significado mucho más amplio que el de la carne animal. La carne podía ser la manifestación exterior del ser interior. La carne podía aludir al ser humano en su totalidad:

> "Por lo tanto, mi corazón está contento, y mi gloria se regocija; de verdad, mi carne mora con seguridad" (Sal. 16:9, traducción del autor).

Es mas, ser "de una sola carne", fuera por parentesco o por matrimonio era relacionar el ser total con otro (Gn. 37:27; 2:24).

Para el Antiguo Testamento, el hombre era de la tierra. Era carne y polvo. Sin embargo, era más que esto, mucho más, porque el hombre también era alma, una alma viviente. Desgraciadamente, varias traducciones antiguas nos han legado unos conceptos equivocados respecto al significado de esta idea. Cuando se nos dice que Dios "sopló en su nariz aliento de vida, y fue el hombre un ser viviente" (Gn. 2:7), el vocablo hebreo es *nephesh hayah*. Algunos intérpretes han procurado usar esto para diferenciar entre el hombre y los animales., Esto, empero, no puede hacerse, porque cuando Génesis nos dice que Dios hizo "seres vivientes" (Gn. 1:20, 21, 24), el término allí es *nephesh hayah* también. ¿Qué describe, pues, este término?

Primero, *nephesh* no puede ser separado del cuerpo. El hombre es polvo animado, habitado por un *nephesh*. Hay razón para creer que su significado original era "garganta" o "cuello". (Nunca se usó en el Antiguo Testamento con este significado, pero sí tiene ese uso en otros idiomas semíticos.) Para los tiempos del Antiguo Testamento, el vocablo había sufrido un leve cambio de significado. Cuando este se aplicaba al hombre, parece haber tenido tres significados afines. Era el principio vital básico. Muy parecido al aliento, era aquello absolutamente necesario para que existiera la vida. Se asociaba con el aliento tanto como con la sangre. Si faltaba cualquiera de las dos, la vida no era posible. Ocasionalmente se usaba casi como un pronombre alusivo a la persona en su totalidad.

El uso más común de *nephesh* cuando se refería a una persona, significaba la totalidad de su ser. El deseo y la agitación se originaban en el *nephesh*. Aparentemente, aludía a la vida interior de la persona, pero siempre había alguna clase de manifestación exterior. Es menester que notemos que *nephesh* no seguía con alguna especie de existencia por separado después de la muerte. De hecho, hay por lo menos una cita en donde se llama *nephesh* a un cadáver (Nm. 5:2). Relacionado íntimamente con la vida misma, *nephesh* en una persona normalmente existía sólo mientras viviera la persona. Era ciertamente un paso en la revelación del concepto del alma en el hombre. Pero de ningún modo puede describirse como el alma humana. Desgraciadamente, no hay palabra castellana que traduzca adecuadamente este término hebreo. Por lo tanto, a menudo los traductores emplean o "aliento" o "alma". Ninguna de las dos sirve bien.

Vale la pena notar que los hebreos no tenían palabra alguna que tradujera "cuerpo". Cuando querían referirse al cuerpo de alguien, empleaban bien la palabra que se traducía "carne" o empleaban *nephesh*. Al usar éste, parece que daban la idea de que *nephesh* era un aspecto interior del cuerpo. La existencia física de una persona aparentemente era la manifestación exterior de su *nephesh*.

El ultimo término que emplearemos para ayudarnos a comprender la calidad de criatura del hombre es la palabra que se traduce espíritu. En su trasfondo, esta palabra aparentemente significaba originalmente "viento" o "aliento". No variaba la forma de la palabra cuando se refería al espíritu de Dios o al espíritu del hombre.

A menudo se usaba de tal modo que el espíritu del hombre se consideraba como don de Dios que no era permanente en el hombre (Nm. 11:17, 25, 26; 1 S. 11:6; 16:14). En este sentido aludía a alguna especie de poder divino que moraba en el hombre. Pero también, había un sentido en el cual el espíritu de una persona estaba siempre presente mientras hubiera vida. En este sentido es claramente el espíritu del hombre y no el de Dios.

De nuevo, hemos de fijarnos en que los hebreos nunca contemplaban al espíritu del hombre de igual modo que los griegos. En el Antiguo Testamento el espíritu puede ser una parte permanente del hombre, pero los hebreos nunca aceptaban que el espíritu del hombre tuviera una existencia aparte del cuerpo. Más bien, parecía referirse a los aspectos más altos y nobles de la conciencia humana. Para el hebreo, ni el espíritu, ni *nephesh*, ni la carne humana existían independientemente. Hacían falta las tres cosas juntas para que hubiera una persona verdadera.

Se podría decir que el espíritu era la parte superior o la más alta del *nephesh*. Esta siempre era la parte más baja, más terrenal del ser espiritual del hombre. Ambas cosas, espíritu y *nephesh*, eran los aspectos interiores de la carne de la persona. La carne era la parte exterior de la naturaleza espiritual de la persona.

Es muy significativo notar el impacto que tuvo este concepto global sobre el desenvolvimiento de la revelación de Dios. Dada esta clase de concepto en torno a la existencia humana, ningún hebreo pudiera haber creído que Jesús estuviera vivo después de su crucifixión sin que hubiera una resurrección corporal. Desde su punto de vista, era necesario que carne, *nephesh*, y espíritu se reunieran para que hubiera vida verdadera. Además, lo mismo puede decirse con respecto a la esperanza neotestamentaria de una resurrección corporal individual. Esto, también, era necesario para que tal esperanza tuviera significado auténtico para los hebreos durante el tiempo de Jesús. Los griegos pudieran haber creído en una existencia "espiritual" y así estar convencidos. No así con los hebreos. De este modo Dios proveyó justo la evidencia que hacía falta para ofrecer a los cristianos judíos primitivos una base para la fe tanto como la esperanza. Tal es el poder y la sabiduría divinos.

El hombre, pues, era creación de Dios. Aquel no era igual que Dios, puesto que había sido hecho por Dios. Sin embargo, a la vez, el hombre no era simplemente un animal más desarrollado. Se relacionaba con los animales en virtud de su carne y su *nephesh*. Pero su espíritu hacía que el hombre fuese distinto. Aunque hecho de la tierra, su espíritu lo calificaba para compañerismo con Dios.

La autocomprensión del hombre.

Los hebreos poseían un concepto más amplio del hombre, sin embargo, que ser simplemente la creación de Dios. Podemos empezar a entender algo de esta autocomprensión más amplia al examinar el modo en que ellos describían las distintas partes del cuerpo. Es obvio que el hombre es más que la suma de todas las partes del cuerpo. Al mismo tiempo, un estudio de este autoanálisis es de gran ayuda para que comprendamos lo que los hebreos realmente creían acerca de sí mismos.

Para los hebreos antiguos, el corazón no se asociaba con las emociones (según nuestro uso) sino con la voluntad, la mente y el propósito. El corazón era el centro de la voluntad y la razón, por ende se asociaba directamente con el aspecto intelectual del hombre. El hebreo no tenía un vocablo para "cerebro"; simplemente hablaban del "tuétano de la cabeza". Tampoco tenían una palabra que significara la voluntad humana. A menudo empleaban la expresión "corazón" para aludir al propósito del hombre. De modo que decían: "El corazón de Faraón se endureció" para indicar que su propósito estaba bien fijo (Ex. 7:13). También, cuando los habitantes de Siquem habían determinado seguir a Abimelec, se nos dice: ". . .Y el corazón de ellos se inclinó a favor de Abimelec. . ." (Jue. 9:3). Además, cuando el paje de armas de Jonatán quería expresar su concordancia de propósito con su amo, dijo simplemente: "He aquí, estoy contigo; tal tu corazón, así el mío" (1 S. 14:7 traducción del autor).

El uso más comun del vocablo corazón, no obstante, era simplemente para describir la mente. Una expresión muy común, "hablar el corazón", significaba simplemente recordar o pensar. Es más, cuando Salomón replicó a la oferta de Dios de una dádiva, él oró:

> "Da a tu siervo, por lo tanto, un corazón entendido para poder gobernar a tu pueblo, con el fin de que pueda yo discernir entre el bien y el mal, porque, ¿quien es capaz de gobernar a éste, tu gran pueblo?" (1 R. 3:9, traducción del autor).

Además, el salmista oraba:

> "Sean gratos los dichos de mi boca y la meditación de mi corazón delante de ti, Oh Jehová, roca mía, y redentor mío" (Sal. 19:14).

El corazón era el centro de juicio, de pensamiento y de meditación. Corazón se usaba también para describir lo que entendemos por conciencia. De esta manera, Job apelaba a una conciencia limpia para comprobar su inocencia:

> "Mi justicia tengo asida, y no la cederé; No me reprochará mi corazón en todos mis días" (Job 27:6).

Y cuando a David le dolía su conciencia culpable, se nos dice: "Después de esto se turbó el corazón de David, porque había cortado la orilla del manto de Saúl" (1 S. 24:5). Los salmos describen el anhelo de una conciencia limpia, al decir:

> "Crea en mí, oh Dios, un corazón limpio, y renueva un espíritu recto dentro de mí" (Sal. 51:10).

Jeremías también desmentía la validez del antiguo refrán: "Que tu conciencia sea tu guía", al proclamar:

"Engañoso es el corazón más que todas las cosas, y perverso; ¿quién lo conocerá?" (Jer. 17:9).

De modo que el corazón no era el centro de los sentimientos tanto como del pensamiento, el lugar en donde se determinaban los propósitos de la vida, y en donde se conocía bien la culpa o la inocencia. Esto es de gran significado, ya que hace que se recalque la evangelización en el Nuevo Testamento. Pablo escribió:

". . .si confesares con tu boca que Jesús es el Señor, y creyeres en tu corazón que Dios le levantó de los muertos, serás salvo. Porque con el corazón se cree para justicia, pero con la boca se confiesa para salvación" (Ro. 10:9, 10).

Su base para la salvación era la entrega de la mente, la voluntad o el propósito al Señor Jesús. La salvación no depende de una respuesta de la emoción sino de la voluntad. Esto no quiere decir que la decisión carecerá de emoción, pero sí significa que el compromiso fundamental con Cristo tiene que partir de la voluntad. Este es el énfasis de la última invitación de la Bilbia:

"Y el Espíritu y la Esposa dicen: "Ven". Y el que oye, diga: Ven. Y el que tiene sed, venga; y el que *quiera* (determine, proponga), tome del agua de la vida gratuitamente" (Ap. 22:17, cursivas del autor).

El segundo vocablo principal que nos ayuda a entender la autoconciencia de los hebreos es "sangre". Obviamente, en la mayoría de los casos sangre se refiere literalmente al líquido que fluye dentro del cuerpo humano. Sin embargo, la palabra también parece simbolizar la muerte, especialmente una muerte violenta. Cuando los profetas dicen que la tierra está "llena de sangre", tienen este significado.

Para nuestros propósitos, el significado más importante de sangre se nos da en la expresión "la vida está en la sangre".

"Pero carne con su vida, que es su sangre, no comeréis" (Gn. 9:4).
"Porque la vida de la carne en la sangre está, y yo os la he dado para hacer expiación sobre el altar por vuestras almas; y la misma sangre hará expiación de la persona" (Lv. 17:11).
"Solamente que te mantengas firme en no comer sangre; porque la sangre es la vida, y no comerás la vida juntamente con su carne" (Dt. 12:23).

El fundamento de estas aseveraciones probablemente estribaba en la observación práctica de que cuando una persona o un animal perdía su sangre, dejaba de vivir. Sin embargo, el significado teológico es vastamente mayor. El contexto de estos y otros pasajes parece indicar claramente que este énfasis describía que la vida acababa cuando se perdía la sangre. De modo que se decía que un asesino tenía sangre sobre las manos o sobre la cabeza. No era literalmente sangre la que tenía allí sino la culpa por haber quitado una vida. "Ocultar sangre" era esconder el hecho de haber quitado una vida. Asesinar a un hombre o quitar su vida por cualquier modo injusto significaba "pecar contra sangre inocente".

Ahora bien, si la sangre era sinónimo de la vida, y pareciera que sí, entonces lo sagrado de la sangre parece estribar en el hecho de que sólo Dios da la vida. El hombre puede quitarla, pero no la puede dar. Por lo tanto, la sangre era especialmente sagrada, porque simbolizaba aquello que sólo Dios podía dar —¡la vida!

La importancia de esto en su desarrollo neotestamentario es muy clara: la sangre de Jesús. Por esto, Pablo dijo:

> "Pues mucho más, estando ya justificados en su sangre, por él seremos salvos de la ira. Porque si siendo enemigos, fuimos reconciliados con Dios por la muerte de su Hijo, mucho más, estando reconciliados, seremos salvos por su vida" (Ro. 5:9, 10).

En esto Pablo llegaba a una conclusión basándose en el concepto veterotestamentario de que la vida estaba en la sangre. Para Pablo, cuando Jesús dio su sangre por nuestros pecados, él dio su vida.

El tercer término de mayor significado para nuestra comprensión de la autoconciencia de los hebreos es el vocablo "entrañas". Estas eran la sede de las emociones. Este vocablo encuentra su paralelo en la expresión contemporánea "sentimiento visceral". Empleadas de manera semejante estaban las palabras "riñones" o "lomos". De este modo, Job dijo después de su gran pasaje de esperanza y confianza, "mis riñones desfallecen dentro de mí" (Job 19:27, traducción del autor). Además, conocemos la expresión "entrañas de compasión" tal y como se usa en algunas traducciones en inglés de 1 Juan 3:17.

También, hay otros términos que describen partes del cuerpo que nos dan discernimientos adicionales en torno a la autocomprensión de los hebreos. Así, "la diestra" llegó a simbolizar la autoridad. "El brazo" llegó a ser sinónimo de poder. "El pie" se usaba a menudo para expresar la subyugación de una persona por otra. En todas estas expresiones (y en otras) el hombre siempre se veía como limitado. Estaba limitado por el tiempo y el espacio. Aunque bien era el hombre más que cuerpo, sin cuerpo no era nada. El énfasis hebreo sobre lo concreto nunca se aprecia más que en su comprensión de su propia naturaleza.

La muerte como la terminación de la vida.

De varias maneras la postura veterotestamentaria en torno a la muerte es muy distinta a la de los hombres modernos. En la muerte, la unidad del hombre se desintegraba. Cuando se separaban la carne, *nephesh*, y el espíritu, el hombre dejaba de existir. A los hombres, nunca se les permitía olvidar su propia mortalidad. El hombre ciertamente tenía cierta semejanza a Dios, pero también tenía semejanza a los animales en que era mortal. El escritor de Génesis indicó claramente que la mentira de la serpiente consistió en una ilusión respecto a una inmortalidad natural o inherente en el hombre. Era la serpiente la que le dijo a Eva: "No morirás" (Gn. 3:4). Más bien, la muerte era el denominador común para todos los hombres. "...también morirá el sabio como el necio" (Ec. 2:16).

El Antiguo Testamento no contaba con un concepto general en torno a la vida después de la muerte. Cuando la muerte venía, todo se acababa. Aunque había ciertos vislumbres de la posibilidad de la vida después de la muerte, nunca llegaron a formar parte de la corriente principal del pensamiento veterotestamentario. (Veremos esto con más pormenores en el capítulo 8, en la sección "El destino individual".) Debemos recordar que toda esta cuestión estaba aún debatiéndose en la época del Nuevo Testamento. Los saduceos, quienes no creían en una resurrección, buscaron enredar a Jesús en una discusión (Mt. 22:23-33). Además, cuando Pablo estaba siendo enjuiciado en Jerusalén, la mención de la resurrección de los muertos hizo que todo el Sanedrín entrase en conflicto.

"...se produjo disensión entre los fariseos y los saduceos, y la asamblea se dividió. Porque los saduceos dicen que no hay resurrección, ni ángel, ni espíritu; pero los fariseos afirman estas cosas... Y habiendo grande disensión, el tribuno, teniendo temor de que Pablo fuese despedazado por ellos, mandó que bajasen soldados y le arrebatasen de en medio de ellos, y le llevasen a la fortaleza" (Hch. 23:7-10).

Pero aun en la corriente principal del pensamiento veterotestamentario la muerte nunca se veía como meramente la no existencia. La muerte se veía como una forma muy débil de la vida. Los hebreos hablaban de "sombras" que vivían en el lugar de los muertos. Pero la suya no era una existencia verdadera tal y como la vida sobre la tierra. Pero también, estas sombras se relacionaban con las personas que antes vivían, del mismo modo que la sombra de una persona se relaciona con su cuerpo físico. Pareciera que esto representaba un paso en la idea que estaba en vía de desarrollo, de alguna especie de vida más allá de la tumba. La expresión veterotestamentaria más común para designar la muerte era "reunirse con los padres". Esta, aparentemente, era una referencia a la reunión de sus sombras en este mundo tenebroso de existencia.

La morada de los muertos se conocía como Seol. Parece que a veces esto no era más que un sinónimo de la tumba. Otras veces, llegaba a significar el lugar en donde vivían las sombras. Era ahí donde iban las sombras de la gente después de la muerte. Cuando más, era una región fétida de virtual aniquilamiento. Una vez que una persona entraba al Seol, se cerraban herméticamente los portones, y nadie podía volver a "la tierra de los vivientes". Además, en el Seol no se tenía compañerismo con Dios, el dador de la vida. De este modo, el salmista endechaba:

> "Porque en la muerte no hay memoria de ti; En el Seol,
> ¿quién te alabará?" (Sal. 6:5).

No tan sólo es el Seol la morada de los muertos, sino "acercarse al Seol" se refiere a la cercanía de la muerte o por lo menos la amenaza de la muerte. En base a un estudio de los muchos salmos que versan sobre el Seol, llega a ser claro que el temor a la muerte no resultaba tanto del temor a la extinción sino del temor a una separación final de Dios.

Cuando más, el Seol no era sino un reflejo tenue del mundo de la vida y de la luz. La misma oscuridad del Seol reflejaba la ausencia de cualquier presencia verdadera de Dios. Cuando menos, el Seol llegaba a ser la tierra del olvido silencioso, en la cual se vedaba toda luz y se terminaba toda relación con Dios.

En un sentido muy real, para el hebreo la muerte era a la vez el fin de la vida y la forma mas endeble de la vida. Por causa de esto, cualquier clase de debilidad de la vida podía describirse como una forma de la muerte. Estar vivo, verdaderamente vivo, implicaba la posesión de todas las facultades y estas con toda su plenitud. Cualquier cosa menos que esto era algo menos que la vida plena. La postura básica hebrea, pues, sostenía que si uno tenía una enfermedad o impedimento en el cuerpo, esto significaba que ya comenzaba a experimentar el poder desintegrador de la muerte. Probablemente esto explica la razón por que la enfermedad del cuerpo acarreaba la misma clase de impureza ritual que la muerte.

Además, enfermarse era ser llevado a las mismas puertas del Seol. Pero lo opuesto era igualmente cierto. Gozar de buena salud significaba que le permitía andar con Dios en la plenitud de la vida.

Aunque el escritor de Génesis claramente asociaba la muerte

con la rebelión pecaminosa del hombre, tal relación llegó a ser una de las creencias principales en períodos tardíos del Antiguo Testamento. Cualquier forma de la muerte, fuese la enfermedad u otra cosa, llegó a entenderse como una consecuencia directa del pecado del hombre. (Volveremos a abordar este tema en el capítulo 6, bajo la sección titulada "Las consecuencias del pecado".)

La actitud respecto a la muerte de los hebreos se distinguía en muy poco de las actitudes comunes en nuestro tiempo. Había una actitud de indiferencia total. Constataban esto la intriga y la lucha entre Esaú y Jacob justo cuando su padre, Isaac, estaba en el lecho de la muerte (Gn. 27). Se le encaraba a la muerte como una realidad normal de la vida. No se la podía esquivar ni escapar. Los negocios de la vida eran de mucho más importancia que la muerte inminente de un ser querido.

En cambio, cuando el individuo encaraba la muerte, este no era tan apático o fatalista en su actitud. Los salmistas demuestran un terror creciente al aproximarse la muerte. Se registran varias ocasiones cuando una persona, cerca de la muerte, tomaba medidas extraordinarias para evitar la arremetida de la muerte. En este sentido, considérese la suerte de Ezequías o la de Naamán, el leproso (Is. 38:1-8; 2 R. 5:1-14). Había una definida y creciente oposición a la muerte.

Pero, al mismo tiempo, había aquellos cuyas vidas habían llegado a ser tan amargas que anhelaban la muerte. Job es un ejemplo perfecto.

> "Después de esto abrió Job su boca, y maldijo su día. Y exclamó Job, y dijo: Perezca el día en que yo nací, Y la noche en que se dijo: Varón es concebido. . . ¿Por qué no morí yo en la matriz, O expiré al salir del vientre?. . . ¿Por qué se da luz al trabajado, Y vida a los de ánimo amargado, Que esperan la muerte, y ella no llega, Aunque la buscan más que tesoros; Que se alegran sobremanera, Y se gozan cuando hallan el sepulcro?" (Job 3:1-3, 11, 20-22).

En varias ocasiones Jeremías también parece haber anhelado la muerte.

En general, sin embargo, la actitud del Antiguo Testamento respecto a la muerte era la de sentido común. Los hebreos no pasaban mucho de su tiempo en lo que llamaríamos la reflexión filosófica. La muerte era un hecho de la vida. Era inevitable; no había que buscarla, pero tampoco había que negarla cuando ésta llegaba. En general, no se protestaba la mortalidad del hombre. El mundo era bueno; Dios era bueno. En virtud de que la muerte era una parte de la experiencia en el mundo, habría sido un acto de impiedad e ingratitud ver la muerte de otro modo. De este modo, Job expresaba la actitud tradicional al decir:

> ". . .Desnudo salí del vientre de mi madre, y desnudo volveré allá. Jehová dio, y Jehová quitó; sea el nombre de Jehova bendito" (Job. 1:21). . .
> "¿Recibiremos de Dios el bien, y el mal no lo recibiremos?" (Job 2:10).

Acercándose al final del período veterotestamentario, Israel empezó a preguntarse si no había algo más y mejor más allá de esta vida. Empezaron a cuestionar algunas cosas que las actitudes tradicionales no podían satisfacer. Pero hemos de esperar para examinar su respuesta hasta que veamos el concepto global de su esperanza respecto al futuro.

El hombre como integrante de una comunidad

En nuestra sociedad contemporánea hemos puesto gran énfasis en el hombre como individuo. Glorificamos la individualidad, y parece que valoramos sobremanera el poder establecer nuestra propia identidad. No era así en el Israel antiguo. Ellos recalcaban grandemente el formar parte de un grupo mayor, fuese este una familia, un clan, una tribu o la nación. El grupo mayor parece haber tenido una solidaridad de la cual el individuo formaba parte como alguien distinto pero a la vez interrelacionado. Ninguna persona era una isla, sino que incidía en todos los demás miembros de su grupo del mismo modo que ellos incidían en él. De manera muy palpable, el individuo se consideraba a menudo como una extensión de su grupo.

Fundamental en esta idea es el concepto de la responsabilidad colectiva por el pecado. El pecado particular de una persona nunca se consideraba como un asunto privado del individuo. Cuando a Israel se le dijo que destruyese todo cuanto había en Jericó, ". . .Acán, hijo de Carmi, hijo de Zabdi, hijo de Zera, de la tribu de Judá, tomó del anatema. . ." (Jos. 7:1). Aunque un solo hombre pecó, se nos dice que ". . .los hijos de Israel cometieron una prevaricación" (Jos 7:1). Esto se subrayó posteriormente cuando a Josué se le dijo:

> "Israel ha pecado, y aun ha quebrantado mi pacto que yo les mandé; y también ha tomado del anatema, y hasta han hurtado, han mentido, y aun lo han guardado entre sus enseres. Por esto los hijos de Israel no podrán hacer frente a sus enemigos. . ." (Jos. 7:11, 12).

Finalmente, cuando se descubrió que Acán era culpable, no se consideró como suficiente que éste fuese destruido sino que se destuyó a su familia y todas sus posesiones también (Jos. 7:24, 25). El pecado de Acán acarreó castigo para todo Israel, y su culpa incidió en toda su familia.

Lo mismo puede señalarse en cuanto a Jeroboam, el hijo de Nabat, el primer rey del Reino del Norte, de Israel. Se nos dice frecuentemente que éste pecaba y que "hacía que Israel pecase". Al decir esto, aparentemente se indicaba que no tan sólo daba mal ejemplo a la nación por su pecado, sino que su pecado acarreaba culpa colectiva para la nación. Además, también podemos ver en este ejemplo que el individuo no tan sólo se relacionaba a sus contemporáneos, sino que se unía a las generaciones pasadas tanto como a las venideras.

Este sentido de colectividad se relaciona muy específicamente al desarrollo del Nuevo Testamento. De este modo, Jesús encierra a todos los creyentes en su propia personalidad, y nosotros recibimos los beneficios de su muerte y su resurrección. Es más, una de las figuras predilectas de Pablo respecto a la iglesia es "el cuerpo de Cristo". Por esto parece indicar claramente que todos somos miembros los unos de los otros. Aunque el dedo no es la mano, ni el ojo el pie, ningún miembro del cuerpo puede subsistir sin los otros.

> "Además, el cuerpo no es un solo miembro, sino muchos. . .
> Pero ahora son muchos los miembros, pero el cuerpo es uno
> solo. . . si un miembro padece, todos los miembros se duelen
> con él, y si un miembro recibe honra, todos los miembros
> con él se gozan. Vosotros pues, sois el cuerpo de Cristo, y
> miembros cada uno en particular" (1 Co. 12:14, 20, 26, 27).

Ahora bien, nada de esto niega que la persona sea también individual. Lo que necesitamos reconocer es que el Antiguo Testamento claramente enseña nuestra interrelación, y que el Nuevo Testamento recoge esto, y lo amplía más. De hecho, este sentido de colectividad era tan central que la gente constantemente explicaba las catástrofes que les sobrevenían atribuyéndolas a los pecados de sus padres. Jeremías, tanto como Ezequiel, atacaron este concepto, haciendo así más bien un énfasis sobre la responsabilidad individual.

> "En aquellos días no dirán más: Los padres comieron las
> uvas agrias, y los dientes de los hijos tienen la dentera, sino
> que cada cual morirá por su propia maldad; los dientes de
> todo hombre que comiere las uvas agrias, tendrán la
> dentera" (Jer. 31:29, 30).

> "Vino a mi palabra de Jehová, diciendo: ¿Qué pensáis
> vosotros, los que usáis este refrán sobre la tierra de Israel,
> que dice: Los padres comieron las uvas agrias, y los dientes
> de los hijos tienen la dentera? Vivo yo, dice Jehová el Señor,
> que nunca más tendréis por qué usar este refrán en Israel.
> He aquí que todas las almas son mías; como el alma del
> padre, así el alma del hijo es mía; el alma que pecare, esa
> morirá" (Ez. 18:1-4).

Al mismo tiempo, aunque estos profetas subrayaban la responsabilidad personal por el pecado, ellos seguían recalcando la colectividad de la nación. El hombre era a la vez colectivo e individual. Aunque siempre pertenecía a un grupo, también era responsable personalmente por su propio pecado. No se le permitía culpar a otro.

La sociedad moderna ha desarrollado su psicología y su sociología en sentido completamente contrario. En un momento queremos sostener nuestra individualidad al afirmar: "lo que yo haga no hará daño a nadie más". Y, sin embargo, cuando nos vemos en dificultad, siempre queremos culpar a nuestra herencia, nuestra niñez o nuestra sociedad. No queremos aceptar la responsabilidad por nuestros hechos. ¡Qué trágico! De manera urgente necesitamos escuchar esta palabra del Antiguo Testamento. Yo soy parte de un cuerpo colectivo. No hay modo de eludir esto. Al mismo tiempo soy responsable por mi propio pecado. No puedo eludir esto tampoco.

La imagen de Dios

La imagen de Dios es de gran importancia para cualquier consideración de la enseñanza del Antiguo Testamento respecto al hombre como creación de Dios. Este es un término que a menudo es ignorado por los intérpretes, y aun más, se le trata con una superficialidad que desmiente su importancia. El concepto es muy importante, aunque figure en pocos pasajes. Esta idea está en el trasfondo de mucho del pensamiento del Antiguo Testamento en torno al hombre, y también fue recogida y usada por el Nuevo Testamento.

El pasaje clave para nuestra consideración se halla en el primer capítulo de la Biblia.

> "Entonces dijo Dios: Hagamos al hombre a nuestra imagen,
> conforme a nuestra semejanza; y señoree en los peces del
> mar, en las aves de los cielos, en las bestias, en toda la tierra,
> y en todo animal que se arrastra sobre la tierra. Y creó Dios al
> hombre a su imagen, a imagen de Dios lo creó; varón y
> hembra los creó. Y los bendijo Dios, y les dijo: Fructificad y
> multiplicaos; llenad la tierra, y sojuzgadla, y señoread en los

peces del mar, en las aves de los cielos, y en todas las bestias
que se mueven sobre la tierra" (Gn. 1:26-28).

Es a la vez fácil y sencillo declarar que el hombre fue creado a la
imagen de Dios. Es bien diferente comprender claramente lo que la
expresión quería decir.

Se ha sugerido que los hebreos concebían a Dios como teniendo
alguna especie de forma mucho después de haber superado la etapa
primitiva de antropomorfismos. Dios es espíritu, pero nunca se le
concebía como espíritu sin forma. Pareciera que Dios difería del
hombre en este punto, no tanto por una ausencia de forma sino por
la "materia" de su ser. El Antiguo Testamento es muy claro respecto
al hecho de que Dios exhibe su forma en la gloria (Ex. 16:7, 10;
24:17; 33:8, 22 y otros). En virtud de esto podemos concluir que el
hombre fue creado con forma corporal según un patrón divino.

Hay quienes no están nada de acuerdo con esto. Afirman que
los antropomorfismos del Antiguo Testamento son meros acomodos
al lenguaje humano, y que no deben entenderse literalmente.
Dirían que a Dios se le entendía como puro espíritu sin tener forma,
pero con capacidad de asumir una cuando fuese necesario. Si esto
es verdad, entonces se nos hace muy difícil creer que la imagen de
Dios se refiera a forma cualquiera. Más bien, se aplicaría únicamente a características espirituales e intangibles.

Me parece a mí que la verdad está en un punto intermedio
entre estos dos extremos. Las mismas palabras que se usaron para
describir la relación entre Dios y el hombre en Génesis 1 también se
usaron para describir la relación entre Adán y Set justo cuatro
capítulos después:

> "Y vivió Adán ciento treinta años, y engendró un hijo a su
> semejanza conforme a su imagen, y llamó su nombre Set"
> (Gn. 5:3).

Es muy obvio aquí que el escritor usaba los términos "imagen" y
"semejanza" para referirse a un parecido físico. Un hijo se parece a
su padre. Negar toda clase de forma, pues, parece ser una postura
demasiado fuerte. En cambio, Dios es espíritu. Ciertamente es
mucho más que forma. Parecería que limitar la imagen de Dios a
sólo semblanza de forma es limitarla demasiado. La imagen de Dios
en el hombre es mucho más que sólo forma.

La idea de dominio, de autoridad estaba en el plan de Dios antes
de que el hombre fuese creado. En su primer mandato al hombre
después de su creación, se otorgaron la autoridad y el dominio. A la
humanidad se le dijo que se reprodujera, que subyugase la tierra y
que tuviera autoridad sobre toda criatura viviente de la tierra. Al

igual que Dios, quien tenía autoridad suprema sobre su creación, al
hombre se le dio autoridad limitada y poder sobre el mundo y sus
criaturas. Esto parecería indicar claramente que "la imagen de
Dios" incluía esta autoridad.

Además, dentro de la narración de Génesis, notamos que la
distinción entre el hombre y las demás clases de vida animal no era
cuestión de forma física tanto como de naturaleza espiritual. Era
ésta la que compartía con Dios a diferencia de la creación más baja.
Al igual que los animales, el hombre tenía un cuerpo físico
vitalizado por el aliento y la sangre. Sin embargo, ciertamente no es
una declaración cabal de la postura bíblica del hombre el decir que
éste era simplemente un cuerpo animado. Por su naturaleza
espiritual el hombre fue creado para tener compañerismo con Dios y
servirlo obedientemente. ¡Dios no tenía compañerismo con ninguna
otra criatura! Empero, Dios caminaba y conversaba con el hombre
en la frescura del atardecer. Además, a los animales no se les dieron
mandatos de Dios como al hombre. Y a ninguno de los animales se
le atribuyó la libertad moral. De modo que, podemos decir también
que parte de la imagen de Dios en el hombre parece ser su
naturaleza espiritual.

Es característico del pensamiento del Antiguo Testamento que
el hombre pueda comprender y hacer la voluntad de Dios. Se espera
que él camine como Dios mande. No era sólo la criatura de Dios; se
le creó para el servicio de Dios. El salmista canta:

"Le has hecho poco menor que los ángeles, Y lo coronaste de
gloria y de honra" (Sal. 8:5).

Si se cree que los ángeles fueron creados para servir a Dios en el
cielo, se cree que el hombre fue creado para servir a Dios en la
tierra. El mandato de Dios se le dio en el momento de la creación. El
mandato no era algo severo o fastidioso que lo sujetase a su creador
con dominio cruel. También, se reconocía que la obediencia a Dios
no era sólo el deber del hombre, sino también era su privilegio.
Además, la obediencia a Dios acarreaba bendición.

Era esta obediencia la que hacía posible el compañerismo con
Dios. Pero ese compañerismo con Dios se rompió con la desobediencia del hombre. En la narración de su pecado en el huerto de Edén,
la peor calamidad que le acaeció al hombre fue que se le arrojó de la
presencia de Dios, y ya no gozaba de la libre relación con su
hacedor. En el principio, no obstante, había compañerismo.

Después del quebrantamiento de este compañerismo, la narración del Antiguo Testamento y la historia de la humanidad señalan
al hecho de que el hombre es un ser religioso incurable. Durante

toda época y bajo toda condición, el hombre ha buscado a Dios. Hay algo en la imagen de Dios que hace imposible que el hombre halle una vida plena independiente de Dios. Bien puede ser que la búsqueda del hombre por Dios constituya parte de la imagen de Dios.

Sea esto como fuere, la imagen ciertamente puede verse en la aseveración: "varón y hembra los creó" (Gn. 1:27). Esto no implica que haya una relación varonil-femenil dentro de la deidad. Esto se niega llanamente a través de todo el Antiguo Testamento. Más bien, parece que la imagen de Dios se palpa más claramente en una relación amorosa, en una comunidad de amor. Tal vez la imagen de Dios no se vea con más claridad que en una relación amorosa y altruista entre dos personas que están comprometidas la una a la otra.

La idea de la imagen de Dios no ocurre en otra parte del Antiguo Testamento fuera de Génesis. Se reitera una vez aquí:

> "El que derramare sangre de hombre, por el hombre su sangre será derramada; porque a imagen de Dios es hecho el hombre" (Gn. 9:6).

En este pasaje duro sobre el juicio, se le advierte a la humanidad que la justicia y el juicio caerían sobre aquel que destruyera la imagen de Dios en otro. ¿Será que esto también nos previene en contra de la destrucción de la imagen de Dios en nosotros mismos?

Aunque el mismo término "la imagen de Dios" no figura en el resto del Antiguo Testamento, sus implicaciones se dejan ver una y otra vez. Es casi seguro que se encuentra en la idea del espíritu del hombre, la dimensión más elevada de su *nephesh*. Dios es espíritu, y el hombre tiene espíritu. La constitución física del hombre, tal y como vimos antes en este capítulo, es una expresión exterior de su ser interior. Su constitución interior es una expresión de la imagen de Dios.

Ciertamente, el Nuevo Testamento recoge el concepto de la imagen de Dios, y lo lleva más lejos. De modo que Pablo describió a Jesús como "la imagen del Dios invisible": (Col. 1:15). A continuación relacionó ésta a la autoridad, al compañerismo y a la obediencia. Además, cuando Dios buscó restaurar la imagen manchada por el pecado del hombre, colocó al hombre redimido en una nueva comunidad de amor, la iglesia. Es en esta nueva comunidad de amor en donde mejor se ve la imagen de Dios. Por ser nuevas criaturas en Cristo, la imagen divina se ha restaurado en nosotros (2 Co. 5:17).

Al que quiera ver la imagen perfecta de Dios, hemos de

señalarle a Jesús. Al que quiera ver la imagen de Dios en vidas humanas ordinarias, hemos de señalarle a la iglesia. La imagen de Dios en el mundo de hoy debe verse mejor, no en el cristiano aislado, sino en el creyente que esté en una relación de amor con sus compañeros. Cuán trágico es que a menudo nosotros manchemos esa imagen renovada con el mismo orgullo antiguo y nuestras pequeñeces.

La relación del hombre con Dios

El hombre, pues, es criatura de Dios. Cada uno de nosotros es un individuo, pero a la vez somos todos partes los unos de los otros. No podemos, ni nos atrevemos a aislarnos los unos de los otros. Además, todos fuimos hechos a la imagen de Dios. Se nos hizo con el propósito de que viviéramos en una relación de amor los unos con los otros. También, se nos dio una naturaleza espiritual con el fin de que nuestros corazones no encontrasen la paz hasta no encontrarla en Dios.

Es nuestro parentesco espiritual con Dios el que está detrás de toda nuestra naturaleza religiosa. Tristemente, es este parentesco espiritual el que fomenta nuestro orgullo, haciendo así que busquemos ser iguales a Dios. Esta es la base de nuestro pecado, tal y como veremos en el próximo capítulo.

Empero, el Antiguo Testamento nunca perdió de vista el hecho de que el hombre no es Dios. Se le hizo un poco menor que Dios, pero siempre es menor que Dios (Sal. 8:5). En cambio, el Antiguo Testamento es igualmente claro cuando dice que el hombre no debe considerarse como totalmente diferente a Dios. Cualquier idea semejante apenas podría ser aceptada por el creyente en la encarnación.

El cuerpo del hombre claramente está habitado por algo más que el aliento. También tiene espíritu—una personalidad que lo distingue de los animales, y que lo identifica con Dios. Se piensa también de Dios en términos de espíritu. Como tal, él puede comunicar su Espíritu al hombre. Este es un elemento principal en el pensamiento veterotestamentario en torno a ambos: a Dios y al hombre.

Al hombre también se le encomiendan los mandatos de Dios. Se espera que él los obedezca al servir a Dios. Pero los mandatos siempre son para el bien del hombre. Son diseñados de tal modo que cuando el hombre los obedece, resultan las bendiciones.

Finalmente, en alguna medida el hombre puede ser alzado hasta la misma personalidad de Dios. Puede ser inspirado, puede oír la palabra de Dios, puede hablar con Dios, y puede proclamar la

palabra de Dios a otros hombres. El puede ser lleno del espíritu de
Dios para servir en el altar, para ejercitar el liderazgo político, o
puede compartir la sabiduría con la posteridad.

Cuando se ha dicho todo, el hombre es una creación especial de
Dios. Como tal, éste tiene una relación especial a su creador. Pero el
hombre puede destruir esta relación. El hombre fue creado para ser
un poco menor que Dios. Esto representa lo mejor del hombre. Pero
cuando lo peor del hombre se ve, se convierte en algo poco mejor
que un demonio. Es este aspecto de su naturaleza que veremos
ahora.

6

EL HOMBRE EN REBELION

La mayoría de las fábulas infantiles terminan con el estribillo: "y vivieron felices". Parecería que la historia veterotestamentaria del hombre debiera haber terminado así. El hombre era la criatura de Dios, el punto cumbre de la creación. Hecho a la imagen de Dios, se esperaba que tuviese compañerismo con su creador. Hecho un poco menor que Dios, era el objeto del amor leal de su Señor soberano.

Empero, el Antiguo Testamento no es una fábula infantil. Adán y sus hijos no vivieron felices. La historia tiene un fin trágico. La vida del hombre con Dios se manchó; la relación se echó a perder, y el hombre llegó a ser un poco mayor que los demonios. El Antiguo Testamento es muy claro respecto a lo que Dios esperaba del hombre. Pero es igualmente claro al afirmar que no todo salió bien. Esto nos hace encarar la rebelión pecaminosa del hombre en contra de su creador. Si hemos de entender el resto del mensaje del Antiguo Testamento, es preciso que captemos su concepto del pecado, porque el hombre era un pecador. Aún lo es. El Antiguo Testamento tiene mucho que decir respecto a este hecho en la existencia humana.

Los conceptos del pecado

Según el pensamiento del Antiguo Testamento, al hombre se le dio la libertad moral. El podía tomar sus propias decisiones, fijando así sus propios patrones de vida. Por lo tanto, él podía usar su libertad para resistir la voluntad de Dios. Y esto fue lo que hizo. Fue el pecado lo que separó al hombre de Dios, destruyendo así el compañerismo íntimo de los días en el huerto. Su consecuencia final resultó en calamidad sobre el hombre.

Al considerar las enseñanzas veterotestamentarias respecto al pecado, se hace claro que gran número de pecados específicos que se mencionan eran ofensas rituales, quebrantamientos de los códigos cúlticos. Pero esto no constituye el concepto completo del pecado en el Antiguo Testamento. De hecho, aparte de esas secciones que se ocupan de intereses levíticos o sacerdotales, no se le daba gran importancia. No debemos ignorar el hecho de que aunque muchos de los códigos legales abordaban cuestiones rituales, el Antiguo Testamento tiene un interés profundo y genuino en el pecado moral.

Además, todos los ritos de purificación provistos debían ser acompañados de la penitencia y la restitución cuando esta fuera posible. La ley misma nunca alentaba el pensamiento fácil de que el pecado era cuestión liviana. Nunca era la intención de la ley enseñar que el pecado podría resolverse mediante un puro acto formal, sobre todo cuando éste se consideraba como pura formalidad.

También, es muy probable que quienes enfatizaron en la historia tardía de Israel las ofensas rituales tuviesen en mente una verdad más profunda. Si bien había que tomar muy seriamente los pecados rituales, cuanto más los pecados más graves se verían con horror.

Al principio, el pecado se contemplaba como el acto del mismo hombre de desobediencia espontánea contra Dios. Aun cuando el hombre atiende las voces seductivas que lo separan de Dios, su acto de desobediencia es siempre suyo. El carácter fundamental del pecado, tal y como el Antiguo Testamento lo pinta, es que crea una barrera entre el hombre y su hacedor, separándolo así de Dios. Antes de que Dios expulsara a Adán del huerto, éste se había escondido primero de Dios (Gn. 3:8, 23). Una vez entrado el pecado en la experiencia humana, el hombre se daba cuenta de que había una barrera entre él y Dios, y esta barrera era del hombre mismo y no de Dios.

Es más, todo pecado esencialmente es contra Dios. La reacción divina ante el pecado no era solo castigarlo. En un sentido muy real, es el mismo pecador el que se castiga a si mismo y a los que están en su derredor. Sin embargo, el Antiguo Testamento reconocía que Dios no era un mero espectador en este mundo. Por estar activo en la historia, Dios no simplemente creó un universo que disciplinara al pecador. Más bien, Dios mismo era activo en la disciplina del pecador. Esto representa una evidencia clara de la ira de Dios tanto como de su justicia. Pero, también es evidencia de su amor. El amor de Dios lo obligó a que disciplinara al hombre para su propio bien, y

para que éste se diera cuenta de su insensatez. Aun en aquellos
casos en donde se veía poca posibilidad de reforma, el juicio de Dios
parece tener el propósito de despertar en otros una conciencia de la
insensatez absoluta del pecado. Es mucho más característico del
Antiguo Testamento concebir el castigo del pecado en términos de
disciplina y no tanto como penal, más redentor que destructivo. No
obstante, hay que ver que todos esos pensamientos estaban presentes de algún grado.

Parece que hay cuatro categorías básicas o clases de pecado
descritas por el Antiguo Testamento. Puede que el hebreo antiguo
no haya clasificado su pecado de estas maneras precisas, pero los
tipos de pecados descritos por él encajan muy bien en estas
categorías.

Primera, hay esos actos que simplemente describen un desvío
del camino correcto. Se recalca aquí el acto exterior. Así que,
cuando Dios anunció a Samuel la caída de la casa de Elí, dijo:

> "Y le mostraré que yo juzgaré su casa para siempre, por la
> iniquidad que él sabe; porque sus hijos han blasfemado a
> Dios, y él no los ha estorbado" (1 S. 3:13).

La confesión que Saúl hizo a David se hizo en los mismos términos.

> ". . .He pecado; vuélvete, hijo mío David, que ningún mal te
> haré más, porque mi vida ha sido estimada preciosa hoy a
> tus ojos. He aquí yo he hecho neciamente, y he errado en
> gran manera" (1 S. 26:21).

La misma clase de pecado fue denunciada por Isaías cuando dijo:

> "Pero también éstos erraron con el vino, y con sidra se
> entontecieron; el sacerdote y el profeta erraron con sidra,
> fueron trastornados por el vino; se aturdieron con la sidra,
> erraron en la visión, tropezaron en el juicio" (Is. 28:7).

En cada uno de estos casos el énfasis principal parece haberse
colocado sobre el acto exterior, el cual no alcanzaba las demandas
de Dios ni sus expectaciones.

La segunda categoría básica de pecado descrita por el Antiguo
Testamento recalca la culpa que lleva el pecador. Se enfatiza la
consecuencia del acto sobre la cabeza del culpable. Hace que el
pecador se dé cuenta de su culpabilidad. No se cuestiona que el
pecador pueda protestar su inocencia; el pecador sabe de sobra que
es culpable, y no finge ser otra cosa. Tal fue el clamor de Faraón
ante Moisés:

> ". . .He pecado esta vez; Jehová es justo, y yo y mi pueblo
> impíos" (Ex. 9:27).

Cuando Abimelec de Gerar reclamaba a Isaac por fingir que su esposa era simplemente su hermana, dijo:

> ". . .¿Por qué nos has hecho esto? Por poco hubiera dormido alguno del pueblo con tu mujer, y hubieras traído sobre nosotros el pecado" (Gn. 26:10).

De modo que había un interés general respecto a la carga de culpa que el pecador tenía que llevar.

Una tercera clase de pecado que se describe en el Antiguo Testamento nos llama la atención a la rebelión. En esto el énfasis recae sobre el motivo detrás del acto pecaminoso. En estas ocasiones, el pecador de modo consciente, premeditado y con perfidia violaba los mandamientos, y así traicionaba la lealtad de aquél ante quien era responsable. Que éste haya sido el sentido puede apreciarse viendo el uso secular de dicha idea. Cuando Joram era rey sobre Judá, ". . .se rebeló Edom contra el dominio de Judá, y pusieron rey sobre ellos" (2 R. 8:20). Su énfasis religioso se establece en los codigos legales:

> ". . .El hombre o la mujer que cometiere alguno de todos los pecados con que los hombres prevarican contra Jehová y delinquen, aquella persona confesará el pecado que cometió, y compensará enteramente el daño, y añadirá sobre ello la quinta parte, y lo dará a aquel contra quien pecó" (Nm. 5:6, 7).

La cuarta clase de pecado mencionada por el Antiguo Testamento es aquella en donde el acto es llanamente malo. Hay un mal inherente en tales acciones que no admite discusión. De modo que cuando Samuel reclamaba a Israel por su impiedad al pedir un rey y por rechazar a Dios, dijo:

> ". . . para que conozcáis y veáis que es grande vuestra maldad que habéis hecho ante los ojos de Jehová, pidiendo para vosotros rey" (1 S. 12:17).

El autor de Proverbios expresó este concepto y sus consecuencias con palabras poco diplomáticas, "El que sembrare iniquidad, iniquidad segará" (Pr. 22:8). También, el juicio en contra de una adúltera se detalla con términos semejantes:

> "Entonces la sacarán a la puerta de la casa de su padre, y la apedrearán los hombres de su ciudad, y morirá, por cuanto hizo vileza en Israel fornicando en casa de su padre; así quitarás el mal de en medio de ti" (Dt. 22:21).

Expresado de modo sencillo, el pecado en el Antiguo Testamento era una y la totalidad de estas cosas. El pecado siempre era menos que lo correcto; siempre representaba un apartarse del camino recto. Siempre resultaba en la culpa del pecador. Este quedaba condenado ante su juez. Siempre era rebelión contra una autoridad establecida. A nadie se le podía culpar por el pecado sino al pecador. Finalmente, el pecado siempre era inherentemente malo. No era cuestión simplemente de violar alguna regla caprichosa, sino que era cuestión de hacer el mal.

Aunque esta clase de análisis es bastante atinada, y se ajusta al mensaje del Antiguo Testamento, deja algo que desear. Es hecha frecuentemente por los expositores tanto como por los exégetas. Al mismo tiempo, podría considerarse como la imposición de un enfoque moderno sobre un sistema antiguo de pensamiento. Tal vez se pueda lograr un mejor discernimiento al hacer un estudio del vocabulario básico alusivo al pecado en el Antiguo Testamento.

Las clases de pecado

Se ha dicho que la gente, al hablar su idioma, desarrolla varias palabras para describir aquellas cosas con las cuales está más familiarizada, y tiene pocas palabras para describir las cosas de menos familiaridad. De esta manera, el arábigo tiene muchas palabras para describir varias clases de arena, pero tiene pocas palabras alusivas a la nieve. Entre los esquimales, sin embargo, lo opuesto es cierto. Los hebreos tenían más palabras para describir el pecado que para cualquier otra idea en su idioma. Esto probablemente nos dice que eran muy conscientes del pecado en sus vidas. El Antiguo Testamento ciertamente respalda esa idea. Al estudiar el vocabulario israelita respecto al pecado, nos limitaremos a cinco vocablos principales y sus sinónimos. Estas eran las palabras clave para describir la conciencia del pecado en el Antiguo Testamento. La lista podría ampliarse, pero no contribuiría mucho a nuestra comprensión final.

El pecado como errar al blanco.

La palabra hebrea básica que expresa la idea de pecado se funda en el concepto de arrojar, lanzar tirar al blanco. Es la palabra *chata'*, y simplemente quiere decir "errar al blanco". Al describir el ejército de la tribu de Benjamín, la palabra fue usada en su sentido original.

> "De toda aquella gente había setecientos hombres escogidos,
> que eran zurdos, todos los cuales tiraban una piedra con la
> honda a un cabello, y no erraban" (Jue. 20:16).

El sentido antiguo de esta palabra nos da la pista acerca de su sentido alusivo al pecado. La palabra normalmente se traduce llanamente *pecado*. Su énfasis siempre recaía sobre el hecho de que la persona no había alcanzado su meta al no vivir según las normas. El mismo vocablo no connota el motivo de errar al blanco. Podía ser intencional o podría ser accidental. Sólo el contexto nos puede ayudar en el descubrimiento del motivo. En algunos pasajes no hay modo alguno de hacer este descubrimiento, pero el hecho central siempre estaba claro; fuera el motivo que fuese, el pecador no había alcanzado la meta. Su vida era menos de lo que Dios esperaba de ella. El vocablo se usaba con igual fuerza en el sentido legal o en el sentido moral. Puede significar fallar en no vivir según una ley precisa o fallar en no vivir según una obligación moral.

Cuando Saúl amenazaba a David, Jonatán lo regañó al decir:

> ". . . No peque el rey contra su siervo David, porque ninguna cosa ha cometido contra ti, y porque sus obras han sido muy buenas para contigo; pues él tomó su vida en su mano, y mató al filisteo, y Jehová dio gran salvación a todo Israel. Tú lo viste, y te alegraste; ¿por qué, pues, pecarás contra la sangre inocente, matando a David sin causa?" (1 S. 19:4, 5).

Jonatán no negaba que el rey, su padre, tenía la autoridad para matar a David, pero hacerlo sin causa era errar al blanco.

Esta es la palabra más común en el Antiguo Testamento que significa pecado. La misma palabra nunca parece definir el motivo para el pecado. Más bien, sencillamente señalaba el hecho básico de que el pecado era fracaso. Seguramente, este vocablo puso el fundamento para la aseveración del apóstol Pablo cuando decía que no había diferencia fundamental entre el judío y el gentil ante Dios, "por cuanto todos pecaron, y están destituidos de la gloria de Dios" (Ro. 3:23).

Esta palabra básica para pecado a veces se usa como sinónima de *rasha'*, la cual se traduce como "ser impío" o "ser culpable". He aquí un término que parece ser de carácter más legal al connotar la idea de que no tan solo la persona ha errado al blanco sino que se le ha culpado por haberlo errado. Esto también implica que el errar al blanco fue intencional. El impío o la persona culpable se halla condenado ante el tribunal de la justicia de Dios. El salmista hace un paralelo de las dos ideas al decir:

> "Bienaventurado el varón que no anduvo en consejo de malos, Ni estuvo en camino de pecadores. . ." (Sal. 1:1).

Su consejo era sencillo. No andar en el consejo de los que han errado al blanco. Además, no escuchar el consejo de aquellos que han sido condenados por haberlo errado. La razón para esto es declarada con denuedo por Isaías:

"No hay paz para los malos, dijo Jehová" (Is. 48:22).

Esto fue subrayado por Ezequiel. Dios habló a través de él, al decir:

"He aquí que todas las almas son mías; como el alma del padre, así el alma del hijo es mía; el alma que pecare, ésa morirá" (Ez. 18:4).

El resultado final de errar al blanco era la muerte. Fue sobre este fundamento que Pablo escribió: "La paga del pecado es muerte" (Ro. 6:23). Errar al blanco, fuese accidentalmente o fuese adrede, era fatal. Aún lo es.

El pecado como extravío

La segunda palabra principal en el Antiguo Testamento que se traduce como pecado es *shagah*. El cuadro que pinta su raíz es sencillamente "divagar", "extraviar". Describía la idea de una oveja que se extraviaba del rebaño. Es una palabra que ha dado problemas a los traductores; se ha traducido como "errar", "pecar por error", "pecar sin querer", o "extraviar".

La investigación de los pasajes en donde se usa, parece dejar dos énfasis básicos. A menudo se usa con un sentido de pecar por ignorancia en lugar de pecar por rebelión o por negligencia. Así, la ley ritual decía:

". . . Cuando alguna persona pecare por yerro en alguno de los mandamientos de Jehová sobre cosas que no se han de hacer, e hiciere alguna de ellas. . . ofrecerá a Jehová, por su pecado que habrá cometido, un becerro sin defecto para expiación.

Si toda la congregación de Israel hubiere errado, y el yerro estuviere oculto a los ojos del pueblo, y hubieren hecho algo contra alguno de los mandamientos de Jehová en cosas que no se han de hacer, y fueren culpables; luego que llegue a ser conocido el pecado que cometieren, la congregación ofrecerá un becerro por expiación, y lo traerán delante del tabernáculo de reunión" (Lv. 4:2, 3, 13, 14).

Ezequiel recalcó esto aún más al amonestar:

"Así harás el séptimo día del mes para los que pecaron por error y por engaño, y harás expiación por la casa" (Ez. 45:20).

El salmista, al alabar la palabra de Dios, indicaba que ella le evitaba caer en esta clase de pecado.

> "Antes que fuera yo humillado, descarriado andaba, Mas ahora guardo tu palabra. Bueno me es haber sido humillado, Para que aprenda tus estatutos. Mejor me es la ley de tu boca Que millares de oro y plata" (Sal. 119:67, 71, 72).

El énfasis principal de esta palabra, pues, parece indicar un extraviarse por ser criatura.

Al mismo tiempo, hay otro énfasis que no parece tan obvio, pero no por eso menos real. Hay un énfasis más profundo que implica buena intención de parte del que se extraviaba. Se proponía hacer lo correcto, pero fracasaba. Esto indica la tragedia del fracaso humano tanto como el aspecto demoníaco del pecado. Ninguna otra palabra para pecado en el Antiguo Testamento lleva precisamente este énfasis.

La palabra, de ese modo, describe a la persona que luchaba por vivir según las demandas y las expectaciones de Dios, pero fracasaba. Fracasaba, bien porque su naturaleza humana o sus circunstancias no permitían su éxito. Había algo demoníaco en este mundo que lo obligaba a errar al blanco. Pero, ya que Dios hizo a él tanto como al mundo, esta clase de pecador arremetía contra Dios y lo culpaba a él. De este modo, Job gritaba con dolor:

> "En su mano está el alma de todo viviente, Y el hálito de todo el género humano. . . Suyo es el que yerra, y el que hace errar" (Job 12:10, 16).

Aun cuando Job parecía estar listo para confesar algo de pecado, echaba la culpa a Dios.

> "Aun siendo verdad que yo haya errado, Sobre mí recaería mi error. Sabed ahora que Dios me ha derribado, Y me ha envuelto en su red" (Job 19:4, 6).

En este caso el pecador estaba consciente de su pecado, pero aun más estaba consciente de que había sido engañado, que lo habían descarriado. El había fracasado seguramente, pero había algo fuera de él mismo que lo había conducido al fracaso. Esta palabra indicaba ese poder abrumador que obligaba a que los hombres pecasen. Enfocaba la importancia de aquel que estaba siendo arrastrado hacia la destrucción. Describía el sentido trágico de la futilidad que se apoderaba de la persona que deseaba hacer el bien, pero no podía.

Es precisamente sobre este sentido del pecado que Pablo edificaba al escribir con un sentido de futilidad exasperante:

> ". . . mas yo soy carnal, vendido al pecado. Porque lo que hago, no lo entiendo; pues no hago lo que quiero, sino lo que aborrezco, eso hago. . . De manera que ya no soy yo quien hace aquello, sino el pecado que mora en mí. Y yo sé que en mí, esto es, en mi carne, no mora el bien: porque el querer el bien está en mí, pero no el hacerlo. Porque no hago el bien que quiero sino el mal que no quiero, eso hago" (Ro. 7:14-19).

Esta es una descripción altamente gráfica de la situación en la cual cada uno de nosotros se ha hallado. Nos proponemos hacer el bien, pero fracasamos. ¡Cuán trágico es ese fracaso!

El pecado como rebelión.

Con la tercera palabra clave en el Antiguo Testamento que se traduce como pecado, llegamos a un concepto muy activo y dinámico. La palabra *pasha'* significa "rebelarse", y así normalmente se traduce en sus formas verbales. Sin embargo, cuando se usa como un sustantivo, los traductores frecuentemente usan el vocablo "transgresión". Parecería ser mucho más preciso y más consecuente usar el termino "rebelión", porque éste es el sentido que encierra el hebreo.

Este significado del vocablo se hace claro en sus usos seculares. Regularmente se usaba para describir una revuelta premeditada de un vasallo en contra de su amo. De manera que destruía un pacto o una relación pacífica. De este modo, al describir la revuelta de las tribus norteñas en contra del nieto de David, Roboam, se decía: "De este modo se rebeló Israel contra la dinastía de David hasta el día de hoy" (1 R. 12:19 *Dios Habla Hoy*). También se usó para hablar de la revuelta de Edom contra Judá (2 R. 8:20).

En su uso religioso, la palabra describe la rebelión contra Dios más que el rechazo de mandamientos o la violación de leyes. El pecado, pues, se consideraba como rebelión contra la voluntad y la autoridad de Dios. Es por esto que considero que "transgresión" es una traducción muy débil y hasta equivocada.

Son los profetas quienes realmente hacen que la palabra exprese la conciencia de pecado en Israel. Amós desafiaba al Reino del Norte con una invitación sarcástica:

> "Vengan a Betel, y rebélense; Vengan a Gilgal y multipliquen la rebelión" (Am. 4:4, traducción del autor).

Amós describía la adoración idolátrica y el comportamiento injusto de Israel como un desafío abierto a su Dios. El señalaba el orgullo altivo del pueblo que hacía valer sus derechos sobre los de su Dios. Sus actos de rebeldía se describieron junto con una lista larga de sus injusticias arrogantes.

"Porque sé cuántas son tus rebeliones, y cuán grandes son tus pecados" (Am 5:12, traducción del autor).

He aquí un pueblo que había errado al blanco, porque deliberadamente había rechazado la voluntad de su Dios.

Oseas también ocupaba este término al advertir a su pueblo respecto a las consecuencias de la rebeldía. Justo sus últimas palabras a Israel fueron:

"Quien sea sabio, que comprenda estas cosas; quien sepa discernir, que las conozca; porque los caminos del Señor son justos, y los rectos caminan en ellos, mas los rebeldes tropiezan en ellos" (Os. 14:9, traducción del autor).

Además, al denunciar la apostasía declarada de Judá, Isaías de Jerusalén tronaba:

"Oíd, cielos, y escucha tú, tierra; porque habla Jehová: Crié hijos, y los engrandecí, y ellos se rebelaron contra mí" (Is. 1:2).

Anunció aún más el juicio de Dios sobre ellos:

"Pero los rebeldes y pecadores a una serán quebrantados, y los que dejan a Jehová serán consumidos" (Is. 1:28).

La sección del libro de Isaías que más aborda la gran redención de Dios también hace alusión frecuente a la rebelión del pueblo de Dios. Al explicar el por qué del exilio de Israel, Dios dijo:

"He aquí por tus iniquidades fuisteis vendidos, y por tus rebeliones tu madre fue repudiada" (Is. 50:1, traducción del autor).

También, en la gran predicción sobre una liberación futura, Dios habló por el profeta, al decir:

"Pero él fue herido por nuestras rebeliones; él fue golpeado por nuestras iniquidades; sobre él estaba el castigo que nos sanó, y por sus latigazos somos curados. Por la opresión y el juicio él fue quitado; y en cuanto a su generación, ¿quién consideraba que el era cortado de la tierra de los vivientes, golpeado por la rebelión de mi pueblo?" (Is. 53:5, 8, traducción del autor).

Esta rebelión no siempre aludía a una "insurrección armada". Más bien, más a menudo implicaba simplemente que el pecador se exaltaba por encima de Dios. Su orgullo arrogante lo llevaba a la rebelión. Fue esto lo que aconteció a Adán y Eva en el huerto (Gn. 3). Fue esto lo que hizo que el hijo pródigo se apartase en la parábola de Jesús (Lc. 15:11-24). Pero, era la misma clase de orgullo arrogante la que hizo que el hermano mayor se quedase fuera en la oscuridad en la misma parábola (Lc. 15:25-32). Era precisamente esta clase de pecador que Pablo describía, al escribir:

> ". . . estando atestados de toda injusticia, fornicación, perversidad, avaricia, maldad; llenos de envidia, homicidios, contiendas, engaños, y malignidades; murmuradores, detractores, aborrecedores de Dios, injuriosos, soberbios, altivos, inventores de males, desobedientes a los padres, necios, desleales, sin afecto natural, implacables, sin misericordia; quienes habiendo entendido el juicio de Dios, que los que practican tales cosas son dignos de muerte, no sólo las hacen, sino que también se complacen con los que las practican" (Ro. 1:29-32).

La rebelión viene siendo el rechazo rotundo de la autoridad del creador de parte de la criatura. Es el intento por el ser humano de exaltarse por encima de Dios.

El pecado como alejarse

Hay dos vocablos que el Antiguo Testamento usa para describir el pecado como un alejarse. Estas palabras, aunque algo relacionadas al concepto de la rebelión, no parecen colocar el mismo énfasis sobre la arrogancia o el orgullo. Estas palabras connotan más la idea de la deserción o la apostasía. La idea central no es el alejarse de Dios en el sentido de rechazo tanto como un desertar, un traicionar a Dios. Parece que hay más que una nota subyacente de traición en el vocablo.

El vocablo más común de los dos se deriva de *shubh*. Esta es la misma palabra que se usa para describir el "volverse a Dios" o "arrepentimiento". Los profetas describían claramente el hecho de que los hombres podían volverse a Dios, negando así los reclamos de otros, al igual que los hombres podían apartarse de Dios, negando así sus reclamos sobre ellos. La segunda palabra es *sarar*. De uso menos frecuente, esta parece connotar lo mismo que la primera. De modo absoluto, no hay consecuencia entre los traductores de estos vocablos. Se han traducido como "apostasía", "caídas en el pecado", "infidelidad", "rebelión", y otras expresiones de uso menos frecuente.

De este modo Oseas usaba las formas de *shubh* para describir el pecado de Israel:

> "Entre tanto, mi pueblo está adherido a la rebelión contra mí; aunque me llaman el Altísimo, ninguno absolutamente me quiere enaltecer" (Os. 11:7).

También usaba formas similares para invitar a Israel a que volviera a Dios.

> "Vuelve, oh Israel, a Jehová tu Dios; porque por tu pecado has caído. Llevad con vosotros palabras de súplica, y volved a Jehová. . ." (Os. 14:1, 2).

A continuación se halla la promesa de su aceptación por Dios, ocupando la misma raíz:

> "Yo sanaré su rebelión, los amaré de pura gracia; porque mi ira se apartó de ellos" (Os. 14:4).

Jeremías también señalaba esta dimensión del pecado de Israel. También, es éste el que tan claramente demuestra que los dos términos son paralelos en su significado.

> "Tu maldad *[sarar]* te castigará, y tus rebeldías *[shubh]* te condenarán" (Jer. 2:19).

Jeremías también demostraba el sentido doble que tenía el concepto en un hermoso juego de palabras. El invitaba:

> "Convertíos, hijos rebeldes, y sanaré vuestras rebeliones" (Jer. 3:22).

De nuevo, recalcaba este sentido doble al proclamar:

> "¿Por qué es este pueblo de Jerusalén rebelde con rebeldía perpetua? Abrazaron el engaño, y no han querido volverse" (Jer. 8:5).

Además, cuando Jeremías confesaba los pecados de su pueblo, suplicando así que Dios actuara en liberación, él recalcaba la traición de su pueblo.

> "Aunque nuestras iniquidades testifican contra nosotros, oh Jehová, actúa por amor de tu nombre; porque nuestras rebeliones se han multiplicado, contra ti hemos pecado" (Jer. 14:7).

El pueblo de Judá había errado al blanco, porque ellos se habían alejado de Dios con traición.

Jeremías también utilizaba *sarar* para describir el pecado de su pueblo al decir:

"Pero este pueblo tiene un corazón terco y traicionero; ellos han traicionado y se han alejado" (Jer. 5:23, traducción del autor).

El era consciente de que ellos con terquedad querían salirse con la suya. El salmista también hizo énfasis en esto:

"A fin de que pongan en Dios su confianza, Y no se olviden de las obras de Dios; Que guarden sus mandamientos, Y no sean como sus padres, generación contumaz y rebelde; Generación que no dispuso su corazón, Ni fue fiel para con Dios su espíritu" (Sal. 78:7, 8).

Es muy probable que esta idea de "salirse con la suya" sirva de trasfondo para uno de los contrastes más profundos en el Nuevo Testamento. Pedro describió la traición de Judas al decir: ". . . de que cayó judas por transgresión, para irse a su propio lugar" (Hch. 1:25). En cambio, a los otros Jesús había dicho, ". . . voy, pues, a preparar lugar para vosotros" (Jn. 14:2). El pecado más bajo es abandonar el lugar que el Señor nos ha preparado con el fin de preparar nuestro propio lugar. Siempre conduce a la traición y la perfidia. Pero tal actuación no tan solo es el pecado más bajo, sino también la mayor insensatez. La persona que con más fervor proclame respecto a su vida "lo hice a mi manera", es a la vez traidor e insensato.

El pecado como culpa

La quinta descripción básica del pecado en el Antiguo Testamento recalcaba la culpa del pecador. Era un término forense, señalando así al pecador como condenado, y éste dándose cuenta de ello. El término se centraba en los resultados del pecado en la vida del pecador. El término básico es *'awon,* y normalmente se traduce como "iniquidad" o "culpa". Me parece a mí que "iniquidad" es una traducción demasiado débil. "Culpa" es más enfática y describe mejor el sentido verdadero.

Este énfasis se deja ver claramente en varias ocasiones. Jeremías proclamaba: "Porque mis ojos están puestos sobre sus caminos, y no me son escondidos, ni tampoco me es oculta a los ojos su culpa (Jer. 16:17, traducción del autor). Isaías también gritaba: "¡Ay de aquellos que sacan la culpa con cuerdas de falsedad!" (Is. 5:18, traducción del autor). También en el hermoso canto del Siervo Sufriente se nos dice:

"Mas él fue herido por nuestras rebeliones; fue lastimado por
nuestras culpas; sobre él estaba el castigo que nos hizo
completos, y con sus llagas somos curados" (Is. 53:5,
traducción del autor).

Para indicar la carga de esta culpa tanto como la conciencia de
ella de parte del pecador, el salmista prorrumpió:

"Porque mis culpas están por encima de mi cabeza; pesan
como una carga demasiado pesada para mí" (Sal. 38:4,
traducción del autor).

La culpa acumulada en base a toda una serie de pecados se había
vuelto demasiado pesada para llevar. En cambio, el alivio que se
sentía cuando se quitaba la carga era inequívoco.

"Bienaventurado aquel cuya rebelión ha sido perdonada,
cuyo pecado ha sido cubierto. Bienaventurado es el hombre
a quien el Señor no impute la culpa" (Sal. 32:1, 2,
traducción del autor).

Hay veces cuando esta palabra que se traduce como "pecado"
también parece describir no tan solo la culpa sino también el castigo
que la acompañaba. De ese modo, Caín exclamó a Dios: "Mi culpa
es insoportable" (Gn. 4:13, traducción del autor). En este contexto
parece que Caín aludía al castigo tanto como al sentido de culpa.
Ambos eran una carga para él.

Había otro término en el Antiguo Testamento que connotaba la
culpa y éste era 'asham. Este término se usaba casi exclusivamente
en el contexto de la ley ritual y parece referirse sencillamente a "la
impureza". Este es el sentido de indignidad que sobrecoge al
pecador cuando fracasa en no estar digno para la adoración. No se
basaba necesariamente en la rebeldía abierta, porque bien podía
hacerse de modo accidental o sin querer. Tampoco parece haber
implicado jamás la premeditación, y a menudo se daba bien por la
ignorancia o la negligencia. La culpa, no obstante seguía siendo
real. Además, en cuanto a ofensas rituales, puede que el pecador no
fuera consciente de su culpa, pero aún permanecía "impuro".

Respecto al desarrollo neotestamentario, el énfasis recaía sobre
la culpa ante un juez y no sobre la impureza ritual. El argumento
principal en Romanos 1:18-23 buscaba establecer la culpa de todos
los hombres ante Dios. Es más, ¡parece que su asombro ante la
muerte en sacrificio de Jesús estribaba en la maravilla del hecho de
que muriera por los culpables!

"Porque Cristo, cuando aún éramos débiles, a su tiempo
murió por los impíos. Ciertamente, apenas morirá alguno
por un justo; con todo, pudiera ser que alguno osara morir
por el bueno. Mas Dios muestra su amor para con nosotros,
en que siendo aún pecadores, Cristo murió por nosotros"
(Ro. 5:6-8).

Parece haber un sentido de interrelación entre todos los términos
que se traducen como "pecado" y ésta se observa en el rito para el
día del perdón.

"Y Aarón pondrá las dos manos sobre la cabeza el chivo vivo,
y confesará sobre él todas las culpas del pueblo de Israel, con
todas sus rebeldías, todos sus pecados; y él los colocará sobre
la cabeza del chivo y lo despachará al desierto" (Lv. 16:21,
traducción del autor).

Además, hemos visto como cada uno de estos términos básicos
indica un aspecto de pecado que los demás ignoran. Todos estos
términos fundamentalmente señalaban el hecho de que el hombre
había fallado a su hacedor. Al mismo tiempo, al progresar desde el
mero errar al blanco por el extravío hasta una apostasía y rebeldía,
percibimos un énfasis cada vez mayor sobre el aspecto personal del
pecado. En esto, el hombre busca desplazar a su hacedor. Como
consecuencia de todos estos actos, le viene una culpa al pecador.
Sólo cuando le hacemos frente a este sentido de culpa es que
comprendemos nuestro fracaso. ¿En dónde se halla el remedio para
esta culpa? ¿Cómo puede ser quitada? Antes de poder fijar nuestra
atención en la respuesta dada por el Antiguo Testamento, hay dos
preguntas adicionales que se han hecho en torno al pecado que
piden una consideración. La primera de éstas es: ¿de dónde vino el
pecado? La segunda contempla el otro extremo del proceso: ¿cuáles
son las consecuencias del pecado? ¿Adónde nos lleva?

Los orígenes del pecado

El ataque de los profetas sobre los pecados de Israel y los de sus
vecinos obligaba a que el pueblo de Israel llegase a dos conclusiones. Primera: Dios se interesaba más en la justicia que en el mismo
Israel. Segunda: el pecado era un problema universal para todos los
hombres de todas las naciones en todos los tiempos. Por el momento
pasaremos por alto la primera conclusión. Pero la segunda debe
considerarse ahora, porque ella aparentemente ocasionó que los
antiguos preguntasen respecto al origen del pecado: ¿de dónde
vino? ¿Por qué era una experiencia universal?

La respuesta veterotestamentaria a esta pregunta se dio en tres etapas. La respuesta más primitiva se presentó en la llamada "narración de la caída" en Génesis 3. La historia es demasiado familiar, y no hace falta repetirla. Además, su análisis literario puede encontrarse en cualquier buen comentario crítico. El punto que nos urge establecer es que hay algunas verdades teológicas muy profundas detalladas en una narración altamente sencilla y no teológica en torno a los eventos en el huerto. En base a una interacción de estas figuras encontramos nuestros discernimientos respecto al pecado y su origen.

Al primer pecado se le pinta claramente como una revuelta de la criatura en contra de su creador. De parte de Eva tanto como de Adán, había un deseo por ser igual a Dios. Esto surgió del orgullo humano, la arrogancia y la autoexaltación. Resultó en la desobediencia intencional al mandato divino. La raíz del pecado se dibuja con claridad como la soberbia humana que se expresa en una declaración de independencia de su Dios. Fue el susurro insidioso de la serpiente, "seréis como Dios", el que puso en movimiento todo el asunto (Gn. 3:5).

La narración también indica claramente que todo el asunto hubiera sido imposible si Adán no hubiese sido creado para ejercer dominio sobre su mundo. (La palabra hebrea que se traduce como "hombre" es 'Adam.) A él se le había dado la libertad para escoger tanto como una autoridad y una responsabilidad. Pero, se le dieron también ciertas restricciones y limitaciones. Adán y sus descendientes habían de regir sobre este mundo, pero no eran las figuras principales en él. Dios era central y si el hombre insistía en usurpar su lugar, ciertamente moriría. Pero, eso sí, tenía la libertad de decidir.

La única cosa que se le había negado a Adán en el huerto era "el árbol de la ciencia del bien y del mal" (Gn. 2:17). Esto se traduciría mejor como "el árbol de la ciencia del bien tanto como del mal". No era que al hombre sencillamente se le negaba el conocimiento de la diferencia entre el bien y el mal, sino una clase especial de conocimiento que incluía las dos cosas: el bien y el mal. Pareciera que este conocimiento era específicamente de Dios, porque tenerlo sería volverse como Dios. Además, al Dios de la Biblia nunca se le caracteriza como tentando al hombre simplemente por tentarlo. Por lo tanto, es muy probable que puesto que el árbol había sido colocado en el huerto, fuese el propósito de Dios que el hombre en alguna ocasión lo tuviera. Es muy posible que la narración bíblica refleje el hecho de que Dios quería que el hombre tuviera la vida antes de tener este conocimiento. Por lo menos, es muy seguro que la humanidad siempre ha tenido un problema en adquirir el conocimiento antes de adquirir el carácter para poderlo usar correctamente.

Por ejemplo, aprendemos a desintegrar el átomo, y lo primero que hacemos con este conocimiento es hacer una bomba. Sólo después empezamos a desarrollar usos no bélicos para la energía atómica. Vez tras vez nuestra historia revela que prostituímos nuestro conocimiento, porque no poseemos el carácter para usarlo correctamente. Ese carácter sólo se da dentro de la vida con Dios y en él.

Sea eso como fuere, la historia de la caída nos revela claramente que en el huerto, Adán y Eva buscaron lograr un conocimiento perteneciente a Dios. Este lo podía dar a su antojo, pero no le atañía al hombre arrebatárselo.

El siguiente rasgo principal de la historia es la serpiente. Satanás disputaba el mandato de Dios y le achacaba a Dios un móvil indigno al darlo. Esto, también, aún es un pensamiento común en nuestro mundo. Los mandatos de Dios siempre se ven como prohibitivos en vez de protectores; se contemplan como una invasión de la libertad de los hombres en vez de protegerlo contra su propia insensatez. El pecado del hombre comenzó con una ansiedad respecto a sí mismo. El pecado de la serpiente empezó con una rebelión declarada contra Dios.

El pecado de Adán y Eva revelaba un elemento de debilidad. El hombre era demasiado débil para resistir, demasiado insensato para darse cuenta de lo que ocurría. En un sentido, el escritor de Génesis estaba burlándose de Adán y Eva. Estos estaban tan urgidos por el orgullo de ser como Dios que no podían idear cómo hacerlo hasta que les llegó un susurro de afuera. El hombre sencillamente no era suficiente como para descubrir el pecado por sí mismo. El hombre arrogante se creía más capaz de cuidarse que Dios, pero no era capaz de hallar otra cosa diferente sin la sugestión sutil proveniente de afuera. ¡Qué gracioso! ¡Qué trágico!

Además, la figura de la serpiente introdujo el elemento demoníaco. Hay otros poderes trabajando en nuestro mundo que nosotros no ocasionamos. El escritor de Génesis no intentó sugerir la procedencia de esta fuerza maligna. Para él, simplemente esta fuerza estaba ahí. En la rebelión de la serpiente contra Dios, él buscaba desviar a la creación suprema de Dios, En esto logró su propósito, pero no sin un precio elevado.

La primera consecuencia del pecado de Adán era que de repente se hallaba desprovisto de toda ilusión. Era consciente de que estaba al desnudo ante Dios. Inmediatamente quiso esconderse de Dios. Mucho antes de que Dios expulsara al hombre del huerto, el hombre se escondió de la presencia de Dios. El pecador no puede encarar a Dios. Así era de sencillo.

Cuando ya no pudo esconderse de Dios, Adán buscó su salida con ciertos razonamientos. Echó la culpa a su esposa. También echó la culpa a Dios, porque éste se la había dado. Su esposa, Eva, echó la culpa a la serpiente. Una de las consecuencias del pecado es el intento por encubrirlo, echando así la culpa a otro. Esto aún está con nosotros. Adán se había adelantado con denuedo en su intento de ser como Dios. Al final, el que había sido hecho a la imagen de Dios se hallaba escondiéndose de Dios y echando la culpa a Dios por su problema.

El fin último desemboca en el castigo y la separación. Pero, también había esperanza. Adán, Eva y la serpiente todos tenían que encarar grados diferentes de castigo. Pero al hombre se le presentaba la promesa de una victoria final cuando Dios dijo:

"Pondré enemistad entre tú y la mujer, y entre tu simiente y su simiente; éste aplastará tu cabeza, y tú aplastarás su calcañar" (Gn. 3:15, traducción de autor).

Un calcañar aplastado resulta en la cojera. Una cabeza aplastada es fatal. El aplastamiento final de Satanás por la simiente de la mujer tuvo lugar cuando ocurrió la encarnación del Hijo de Dios en carne humana.

Debemos notar también que aun cuando al hombre se le expulsó del huerto, era un acto de misericordia de Dios. Al hombre se le expulsó con el fin de que "no alargue su mano, y tome también del árbol de la vida, y coma, y viva para siempre" (Gn 3:22). No era el propósito de Dios que su criatura viviera para siempre en un enajenado estado de rebelión. Algo tenía que hacerse para corregir la condición del hombre antes de que Dios le diera la oportunidad de seguir viviendo.

Una segunda respuesta a la cuestión del origen del pecado se da en Génesis 6:1-8. Los "hijos de Dios" en esta historia no deben interpretarse como hombres piadosos sino como alguna especie de seres angelicales. Esta historia tenía más importancia para los libros no canónicos y posteriores al Antiguo Testamento que para el mismo Antiguo Testamento.

Tal y como se lee la historia, nos habla de algunos seres espirituales que sentían lujuria por las mujeres de la tierra; éstos asumieron forma humana, y pecaron al casarse con ellas. El resultado fue una raza de gigantes llamados *Nefilim*. También introdujo en la humanidad una imaginación maligna. Para limpiar esto, Dios envió el diluvio. Los detalles de esta historia pueden analizarse con la ayuda de cualquier buen comentario analítico.

Puede apreciarse que se refiere a ángeles caídos en la primera epístola de Pedro, la cual alude a los espíritus que habían sido desobedientes durante los días de Noé (1 P. 3:19, 20). Además, el mismo vocablo, *Nefilim*, quiere decir "los caídos".

El resultado final de este casamiento desigual se declara muy sencillamente:

> "Y vio Jehová que la maldad de los hombres era mucha en la tierra, y que todo designio de los pensamientos del corazón de ellos era de continuo solamente el mal" (Gn. 6:5).

Esta narración explica la razón de la tendencia del hombre al mal. Aun el diluvio no lo destruyó, porque tan pronto como bajaron las aguas, Dios dijo: ". . . porque el intento del corazón del hombre es malo desde su juventud. . ." (Gn. 8:21).

La predicación de los profetas indica con claridad los muchos resultados de esta imaginación maligna. Isaías denunciaba a su pueblo, al decir:

> "¡Ay de los que a lo malo dicen bueno, y a lo bueno malo; que hacen de la luz tinieblas, y de las tinieblas luz; que ponen lo amargo por dulce, y lo dulce por amargo!" (Is. 5:20)

Aunque no aludió específicamente a la "imaginación maligna", obviamente estaba en el trasfondo de su pensamiento. Lo mismo puede decirse respecto a la advertencia del salmista:

> "La iniquidad del impío me dice al corazón: No hay temor de Dios delante de sus ojos. Se lisonjea, por tanto, en sus propios ojos, De que su iniquidad no será hallada y aborrecida. Las palabras de su boca son iniquidad y fraude; Ha dejado de ser cuerdo y de hacer el bien. Medita maldad sobre su cama; Está en camino no bueno; El mal no aborrece" (Sal. 36:1-4).

Esta idea estaba claramente en el trasfondo de los Proverbios, cuando decían:

> "El hombre malo, el hombre depravado, Es el que anda en perversidad de boca. . . Perversidades hay en su corazón; anda pensando el mal en todo tiempo; Siembra discordias" (Pr. 6:12-14).

De modo que una parte básica de la pecaminosidad del hombre es su imaginación maligna. Su corazón está pervertido, su vida torcida y todos sus actos están inclinados hacia el mal. Esto, pues, pone como la base del pecado humano la intervención de ángeles rebeldes que engendraron en el hombre un sentido de maldad.

Aunque esta idea del origen del pecado no jugó un papel significativo en el Antiguo Testamento y menos en el Nuevo Testamento, sí tuvo un lugar prominente en el pensamiento posterior al Antiguo Testamento respecto al mismo.

El impacto de esta historia sobre el Nuevo Testamento fue de mayores proporciones respecto a otro asunto. Por el casamiento entre los ángeles y las hijas de los hombres, se puso el fundamento para la creencia en la posibilidad de la morada del espíritu en la carne. Para el Antiguo Testamento, esto era una cuestión provisoria. En cambio, ciertamente preparó el camino para el pensamiento neotestamentario respecto a la encarnación del divino Hijo de Dios en carne humana. Si bien uno de los orígenes del pecado humano se halla en la historia de ángeles lujuriosos o seres espirituales rebeldes, ciertamente la solución final de este problema se hallaría únicamente en la encarnación pura del Espíritu con la carne en Jesús de Nazaret.

Una tercera etapa en la comprensión veterotestamentaria del origen del pecado en la raza humana se encuentra en la historia de la torre de Babel (Gn. 11:1-9). En realidad, esta no es una historia de orígenes sino una narración que nos dice que el pecado aún estaba en el mundo después del diluvio. Como tal, nos fija el escenario final para la historia de la redención que comienza en Génesis 12.

Acá la historia se fija más en el orgullo maligno y arrogante de la raza humana. Desobedeciendo llanamente el mandato de Dios para llenar la tierra, la humanidad optó por permanecer en un solo lugar. Además, sin otro motivo que hacerse "un nombre", ellos se propusieron construir "una torre, cuya cúspide llegue al cielo" (Gn. 11:4). A esta altura, el escritor de Génesis otra vez se burla de lo mejor que el hombre arrogante podía hacer. Después de construir el rascacielos mas alto posible, Dios *"descendió. . . para ver la ciudad y la torre"* (Gn. 11:5, *cursivas* del autor). Al mismo tiempo, Dios alabó las habilidades del hombre al decir: ". . . han comenzado la obra, y nada les hará desistir ahora de lo que han pensado hacer" (Gn. 11:6).

El mensaje de Génesis aquí es que el problema del hombre es el del orgullo arrogante y desobediente. Este busca ocupar el trono de su vida en vez de someterse a Dios. En este relato no hay ningún elemento que venga de afuera. El hombre ahora se había hecho tan demoníaco que era capaz de idear su propia desobediencia.

Desde los primeros capítulos de Génesis, pues, nos llega un mensaje sencillo pero a la vez profundo mediante estas tres narraciones. Primero, el hombre es pecador de principio a fin. Segundo, su pecado se enraizaba y se fundaba en su propio orgullo. Tercero, había un poder y una presencia exteriores que se metían dentro de la relación entre el hombre y Dios con el fin de destruirla. Cuarto, aunque el pecado entró al mundo por la rebelión del hombre, Dios aún era soberano; no había sido derrocado por su criatura. Quinto, aun mientras pecaba en su rebeldía, el soberano Creador le ofrecia al hombre una esperanza para el futuro. Las historias más oscuras encierran este rayo de luz. El pecado había traído las tinieblas a la creación de Dios, pero en medio de la oscuridad del hombre, Dios reiteraba: "Sea la luz; y fue la luz" (Gn. 1:3). Fue contra el trasfondo de esta idea que el cuarto Evangelio podia decir: "La luz en las tinieblas resplandece, y las tinieblas no prevalecieron contra ella" (Jn. 1:5). Nunca lo hicieron y nunca lo harán.

Las consecuencias del pecado

Ya que existía el hecho del pecado, el Antiguo Testamento también se ocupó de una segunda cuestión: ¿cuáles son los resultados del pecado? ¿Hacia dónde lleva el pecado? Las mismas narraciones que abordan la cuestión del origen del pecado nos ayudan a ver sus consecuencias.

Antes que nada, el pecado se veía como destructor de las relaciones. Adán y Eva se escondieron de Dios en el huerto (Gn. 3:8). Adán echó la culpa a Eva y a Dios por su condición; era un ataque muy obvio hacia las relaciones (Gn. 3:12). Por último, Dios tuvo que expulsar a la pareja del huerto (Gn. 3:24). En la narración de la torre de Babel el resultado final fue el de romper las relaciones humanas mediante la confusión de lenguaje (Gn. 11:7-9).

Los profetas recalcaron aún más este resultado del pecado. Oseas describió la relación rota en términos de un divorcio entre Dios e Israel (Os. 2:2-13). Isaías, en cambio, describió la apostasía de Judá en términos de hijos rebeldes, al decir:

". . . Crie hijos, y los engrandecí, y ellos se rebelaron contra mí. El buey conoce a su dueño, y el asno el pesebre de su señor; Israel no entiende, mi pueblo no tiene conocimiento" (Is. 1:2, 3).

Jeremías fue más directo, describiendo así el abandono del pueblo de Dios como un rechazo insensato.

"Porque dos males ha hecho mi pueblo: me dejaron a mí, fuente de agua viva, y cavaron para sí cisternas, cisternas rotas que no retienen agua" (Jer. 2:13).

La segunda consecuencia del pecado se contemplaba claramente como el castigo. El pecado era desobediencia y tenía que ser castigado. A Adán y Eva se les castigó de inmediato y también a largo plazo (Gn. 3:14-19; 22-24). El diluvio resultó del pecado de los hijos de Dios y las hijas de los hombres (Gn. 6:11-13). Los mensajes fulminantes de los profetas tenían la mira de advertir a Israel respecto a este castigo. Se pueden encontrar ejemplos de esto en casi cada página de estos libros.

"Por tanto, a causa de vosotros Sión será arada como campo, y Jerusalén vendrá a ser montones de ruinas, y el monte de la casa como cumbres de bosque" (Mi. 3:12).
"Pero, los rebeldes y pecadores a una serán quebrantados, y los que dejan a Jehová serán consumidos" (Is. 1:28).

También, los libros que registran la historia de Israel o la de individuos dentro de Israel ilustran ampliamente el castigo que siempre seguía como consecuencia del pecado. Puesto que el pecado tenía que ser castigado, la idea de que todo sufrimiento era consecuencia del pecado se desarrolló primitivamente. El libro de Job abordó muy completamente este tema, llegando así a la conclusión de que el sufrimiento podía ser resultado del pecado pero no de modo absoluto. La muerte también se veía como consecuencia del pecado. Podía ser que la muerte viniera de modo repentino o que fuera retrasada, pero el pecado siempre iniciaba el proceso de la muerte.

El pecado también conllevaba consecuencias para aquellos en derredor del pecador. El pecado de Acán costó a Israel la victoria en Hai y también la vida de su familia y sus siervos (Jos. 7:1-12; 24, 25). El pecado de Jonás costó todos los bienes de los pasajeros, porque ". . . echaron al mar los enseres que había en la nave, para descargarla de ellos" (Jon. 1:5). El costo último del pecado para otros se declara en el poema del Siervo Sufriente:

"Mas él herido fue por nuestras rebeliones, molido por nuestros pecados; el castigo de nuestra paz fue sobre él, y por su llaga fuimos nosotros curados. Todos nosotros nos descarriamos como ovejas, cada cual se apartó por su camino; mas Jehová cargó en él el pecado de todos nosotros" (Is. 53:5, 6).

El pecado también tenía la consecuencia inmediata del dolor de la culpa. El pecador conoce su pecado, lleva su culpa, y no puede eludir esta carga. Escuchemos el llanto de tal pecador.

"Ten piedad de mí, oh Dios, conforme a tu misericordia; Conforme a la multitud de tus piedades borra mis rebeliones. Lávame más y más de mi maldad, Y límpiame de mi pecado. Porque yo reconozco mis rebeliones, Y mi pecado está siempre delante de mí" (Sal. 51:1-3).

El pecador no puede escaparse del conocimiento de su pecado. Es esta carga la que quebranta su corazón.

La última consecuencia del pecado queda más allá de esta vida. Le tocaba al Nuevo Testamento desarrollar plenamente este concepto. Para el pueblo del Antiguo Testamento, su preocupación primordial eran las consecuencias inmediatas. Estas se hacían tan grandes que raramente se miraba más allá de ellas.

Para el Nuevo Testamento, las últimas consecuencias del pecado brotan de estas mismas raíces. El pecado se ve claramente como destructor de las relaciones. Pablo indicaba "la pared intermedia de separación" que había distanciado al judío del cristiano y afirmaba que ésta había sido derribada por Cristo (Ef. 2:14). También señalaba las divisiones de la iglesia en Corinto que provocaban disensión y desacuerdo (1 Co. 1:10-13).

El castigo del pecado también se enseña claramente en el Nuevo Testamento. Ahí se enseña más como el último castigo en el infierno, pero también hay un sentido muy real de sufrimiento actual. Jesús, no obstante, rechazaba la idea de que todo sufrimiento tuviera que ser consecuencia de pecado. Cuando sus discípulos vieron a un hombre que había sido ciego desde su nacimiento, ellos preguntaron: "Rabí, quien pecó, éste o sus padres, para que haya nacido ciego?" (Jn. 9:2). Jesús respondió que ninguno de los dos había pecado. No todo el sufrimiento resulta como consecuencia del pecado.

El pecado en el Nuevo Testamento también se contempla como el portador de la muerte, pero aquí el énfasis está en la muerte eterna, la separación final entre el hombre y Dios. De modo que Pablo amonestaba: "La paga del pecado es muerte" (Ro. 6:23). El tomaba el pensamiento del Antiguo Testamento como base para predicar el evangelio.

Finalmente, el énfasis principal del Nuevo Testamento sobre las consecuencias del pecado parece ser que el pecador no puede escaparse de su pecado por sí mismo. De modo que Pablo, al describir su naturaleza pecaminosa, exclamaba con dolor: "¡Miserable de mí! ¿quién me librará de este cuerpo de muerte?" (Ro. 7:24). Pero, a diferencia de los santos del Antiguo Testamento, Pablo también podía gritar en éxtasis: "Gracias doy a Dios, por Jesucristo Señor nuestro" (Ro. 7:25).

Si la historia veterotestamentaria del pecado fuese todo, sería muy trágico. En cambio, sabemos bien que el Antiguo Testamento no tenía la cruz de Cristo para contemplar. ¿Estuvieron, pues, sin esperanzas? El procurar contestar esta pregunta nos lleva al próximo paso en nuestro estudio. ¿Qué esperanza ofrecía el Antiguo Testamento al pecador? A esto debemos volver ahora nuestra atención.

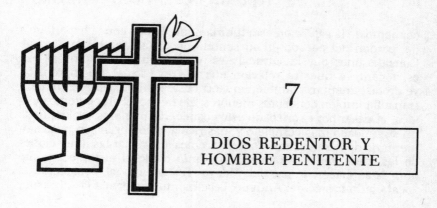

7

DIOS REDENTOR Y HOMBRE PENITENTE

La hermosura de la creación de Dios había sido manchada por la tragedia del pecado humano. La justicia de Dios demandaba que el pecado se castigase. Pero este amor firme y leal (*hesed*) no abandonaría a sus criaturas rebeldes. Tenía que haber un modo de salvar a la humanidad; de manera que la sabiduría divina encontró ese modo. Esto nos pone cara a cara con el verdadero corazón del mensaje del Antiguo Testamento: la redención.

La salvación del hombre es, de hecho, el corazón del mensaje bíblico total. Génesis 1-11 establece el escenario. Ahí se nos introdujo a Dios, al hombre y a la rebeldía pecaminosa del hombre. Todo el resto de la Biblia constituye la historia de cómo Dios logró la redención del hombre. En el Antiguo Testamento percibimos los dos rasgos principales de este relato. Primero, la historia es el registro del pecado del hombre. Segundo, los actos de Dios en la historia se centran en la salvación y la redención.

Dios se reveló en sus actos como justo y amante. El es claramente el juez soberano. Pero también es el Salvador soberano. Israel se rebeló y violó el pacto, pero el amor leal de Dios encontró un modo de redimir y salvar. A través del Antiguo Testamento, pues, encontramos un mensaje de esperanza de salvación. Era a esta esperanza que Israel se aferraba durante los días más negros de su historia. Era esa esperanza la que permitía que la luz del amor de Dios resplandeciese en las tinieblas de su pecado. Es a esa esperanza que volveremos ahora nuestra atención.

La naturaleza de la salvación

Desde nuestro punto de vista de este lado de la cruz, nuestro

concepto de la salvación está íntimamente ligado con la experiencia
del perdón del pecado en su sentido neotestamentario más cabal.
Consideramos que la salvación es primordialmente espiritual, eso
es, tocante a nuestra relación eterna con Dios. La comprensión
veterotestamentaria también encierra este sentido, pero se encuentran allí también conceptos menores. De hecho, el crecimiento de la
idea, al pasar por el crisol de estos conceptos menores, es lo que da
un significado más completo y más rico a la comprensión neotestamentaria de la salvación. Comenzaremos a apreciar las limitaciones
de las ideas veterotestamentarias tanto como el enriquecimiento
que éstas hacen a las del Nuevo Testamento al considerar el
vocabulario básico del Antiguo Testamento respecto a la salvación.

La salvación como liberación

El verbo básico tiene la raíz de su significado en la idea de "ser
ancho", "ser espacioso", o "tener lugar". La idea parece haberse
originado del concepto de que a quien se le diera espacio, se le daba
la victoria. Fuera cual fuese la cosa que apretara a uno, la salvación
la quitaba, dándole así la libertad. También es muy fascinante el que
este verbo tenga sólo dos temas (de siete posibles) en el Antiguo
Testamento. Uno de estos es el pasivo simple que se traduce en:
"Me han dado espacio" o "te han dado espacio". El otro tema es
causativo, encerrando así la fuerza de: "El ha hecho que tengas
espacio" o sencillamente "haciendo que tenga espacio". En general,
el término normalmente aludía a la idea de la victoria que se había
ganado o, en su defecto, el que había ocasionado la victoria. Cuando
se ganaba tal victoria, el que se liberaba, se salvaba. Era en base a
este desarrollo que la forma sustantiva llegó a significar "salvación".
Además, al que ocasionaba la liberación se le llamaba "salvador".

En evidencia de este desarrollo, fijémonos en la declaración de
Jonatán a su paje:

> "Ven, pasemos a la guarnición de estos incircuncisos; quizá
> haga algo Jehová por nosotros, pues no es difícil para Jehová
> salvar con muchos o con pocos" (1 S. 14-6).

En esta ocasión, Jonatán obviamente aludía a una victoria militar
como la "salvación" de Israel por Dios. Esto se ilustra aún más en el
libro de los Jueces, en donde se nos dice:

> "Y cuando Jehová les levantaba jueces, Jehová estaba con el
> juez, y los libraba de la mano de los enemigos todo el tiempo
> de aquel juez . . ." (Jue. 2:18).

Tal persona tenía los dones y la fuerza como para efectuar una liberación militar a favor de Israel.

Pero, ya que tales dones eran de Dios y puesto que él había levantado un salvador humano, era sólo un paso para que los hebreos se dieran cuenta de que Dios era fundamentalmente el salvador. Además, para Israel, la liberación más grande a Israel por Dios tuvo lugar en la experiencia del éxodo. De modo que los profetas empezaron a describir a Dios como Salvador, señalando así a la liberación de Egipto como prueba de esto. Mediante Oseas, Dios dijo:

> "Mas yo soy Jehová tu Dios desde la tierra de Egipto; no conocerás, pues otro dios fuera de mí, ni otro salvador sino a mí" (Os. 13:4).

Es más, ya que Israel colocaba tanta confianza en sus libertadores humanos, era preciso recordarle que tales personas podían salvar sólo porque Dios les había dado el poder. Israel había confiado en sus caudillos humanos y se había olvidado de Dios. De nuevo, Dios habló por Oseas, al decir:

> "¿Dónde está tu rey, para que te guarde con todas tus ciudades; y tus jueces, de los cuales dijiste: Dame rey y príncipes?" (Os. 13:10).

Para los profetas, era muy claro que si Israel realmente pensaba en Dios como su salvador en la experiencia del éxodo, entonces en todas las victorias subsecuentes verían a Dios como el realizador de ellas. Después de todo, fue Moisés el que mandó a los sacerdotes que alentasen a Israel para cuando estuviera en víspera de una batalla futura, al decir:

> "Oye, oh Israel, te acercas hoy a librar batalla contra tus enemigos; no desfallezca tu corazón, ni temas, ni tiembles, ni tengas miedo de ellos; porque el Señor tu Dios es el que te acompaña para pelear por ti contra tus enemigos y así salvarte" (Dt. 20:3, 4, traducción del autor).

Era Dios el salvador supremo aun cuando se trataba de una victoria militar.

Este pensamiento de salvación en términos de una victoria militar o de una liberación nacional parece haber persistido durante todo el período de los reinos hebreos. Los libros históricos del Antiguo Testamento hablan de la salvación de este modo consecuente.

En cambio, el concepto de la salvación como liberación de los enemigos se prestaba muy bien para describir la liberación del enemigo supremo: el pecado. Así, el libro de Isaías describe una salvación que es claramente más que una victoria militar y un salvador quien es más que un mero conquistador de enemigos nacionales.

> "... Y no hay más Dios que yo; Dios justo y Salvador; ningún otro fuera de mí. Mirad a mí, y sed salvos, todos los términos de la tierra, porque yo soy Dios, y no hay más. Por mí mismo hice juramento, de mi boca salió palabra en justicia, y no será revocada: que a mí se doblará toda rodilla, y jurará toda lengua" (Is. 45:21b-23).

Los salmistas también cantaban de una salvación obviamente mucho más que una liberación militar:

> "Vuélvete, oh Jehová, libra mi alma; Sálvame por tu misericordia" (Sal. 6:4).
> "Inclina, oh Jehová, tu oído, y escúchame, Porque estoy afligido y menesteroso. Guarda mi alma, porque soy piadoso; Salva tú, oh Dios mío, a tu siervo que en ti confía. Ten misericordia de mí, oh Jehová; Porque a ti clamo todo el día. Alegra el alma de tu siervo, Porque a ti, oh Señor, levanto mi alma. Porque tú, Señor, eres bueno y perdonador, Y grande en misericordia para con todos los que te invocan ... Mírame y ten misericordia de mí; Da tu poder a tu siervo, Y guarda al hijo de tu sierva" (Sal. 86:1-5, 16).

En este último salmo, la súplica para la salvación se asocia claramente con la seguridad de que Dios les está perdonando y que abunda en amor tenaz.

Sin embargo, la espiritualización de la salvación a partir de este vocablo en particular no acontece plenamente en el Antiguo Testamento. Su énfasis principal recaía generalmente sobre la liberación física de un enemigo. Un escrutinio cuidadoso del empleo veterotestamentario de este término revela varios hechos significativos respecto a su uso y su significado.

Primero, quien necesitara la salvación, fuese individuo o la nación, era el que había sido amenazado u oprimido por un enemigo. En tales casos su salvación era liberación del peligro, opresión o catástrofe inminente. Fuera cual fuese la naturaleza de la crisis, la salvación era la liberación de ella.

Segundo, el salvador, fuese rey, juez o Dios mismo, era el que tenía el poder, y era capaz de usarlo a favor del amenazado o dárselo a éste. De modo que el salvador, o bien actuaba a favor de que se salvaba o proveía los recursos para que el que se salvaba pudiera actuar por sí mismo.

Tercero, en última instancia sólo Dios mismo era capaz de salvar de este modo. Sólo él es siempre lo suficientemente fuerte como para efectuar la salvación. Recordemos de nuevo la declaración magnífica: "No hay más salvador que yo" (Os. 13:4, *Biblia de Jerusalén*). Cuando Israel acudía a otros salvadores, el salmista decía de ellos:

> "Olvidaron al Dios de su salvación, Que había hecho grandezas en Egipto" (Sal. 106:21).

En cambio, cuando venía la victoria, ellos cantaban:

> "¡Oh cantad al Señor una nueva canción, porque él ha hecho cosas maravillosas! Su diestra y su santo brazo han traído la salvación para él" (Sal. 98:1, traducción del autor).

Cuarto, cuando cualquier otro asumía el papel del salvador, éste dependía completamente de Dios. Sólo de Dios podía venir la fuerza y el poder para salvar a otros. ¡Es más, sólo Dios podía salvar al salvador!

Quinto, parece que hay un sentido en el cual la salvación en el Antiguo Testamento se ligaba con la relación del pacto. Esto se hace más claro en aquellos pasajes en donde el énfasis no recaía tanto sobre la victoria como sobre el propósito detrás de ésta y los resultados finales más allá de la victoria. En este sentido, la paz a menudo se ligaba con la salvación. Esta es la misma paz que también frecuentemente se asociaba con el pacto (véase el capítulo 4). La paz, al usarse en relación bien con la salvación o con el pacto, parece incluir siempre la idea de plenitud o totalidad. También parece haber incluido las ideas de salud, prosperidad y el bienestar general del que se salvaba.

Además, cuando los profetas empezaban a centrarse en una liberación espiritual con consecuencias espirituales, ellos también veían una comprensión cada vez más profunda de las dimensiones espirituales del pacto. Al proclamar el llamado divino al arrepentimiento y al presentar la oferta divina de perdón, ellos emitían una comprensión más amplia de la salvación. Para ellos, la salvación llegaba cada vez más a significar los actos portentosos de Dios en la restauración de la relación de pacto entre Israel y Dios. Esto se hacía al liberar a Israel de la degradación ocasionada por su rebeldía pecaminosa y su rechazo de la voluntad divina.

Al final, la salvación llegó a centrarse en la relación renovada de pacto o un nuevo pacto. De modo que, ser salvo significaba ser llevado a un nuevo compañerismo con Dios y el gozo de vivir dentro de su voluntad. (Consideraremos esto en más detalle en el capítulo 8, en donde hablaremos del nuevo pacto.)

Sexto, la salvación finalmente se aplicaba a la vida del individuo con toda la amplitud de significado que había tenido para la nación. De manera que cubría toda una gama de cosas que incluían la liberación física, la prosperidad material, el perdón de pecados y hasta el compañerismo espiritual con Dios. El cuadro final del Antiguo Testamento dibuja al individuo salvo como uno que conoce la plenitud del gozo de la presencia de Dios en su propia vida. Mientras no había una esperanza mayor de vida significativa más allá de la tumba, es fácil ver cómo las ideas de la salvación y la prosperidad material se ligaban. Fue sólo cuando Dios abrió el conocimiento de los hebreos a la idea de algo significativo más allá del sepulcro que ellos pudieron darse cuenta de que la prosperidad material en este mundo no necesariamente es un producto de la salvación. (También volveremos a esto en el capítulo 8, cuando abordemos la esperanza futura de Israel.)

Es muy fácil ver cómo el Nuevo Testamento recogió esto y amplió estas ideas al comprender la plenitud del título de "Salvador" tal y como se aplicó a Jesús. Los cristianos primitivos eran muy conscientes del hecho de que todos los hombres estaban bajo el dominio del pecado, y que sus almas estaban en peligro inminente. De manera que, cuando Jesús logró nuestra liberación del pecado y la muerte, claramente nos salvó en el sentido veterotestamentario del término.

Es más, Jesús era muy obviamente la persona con el poder para librarnos de tales enemigos y lo usaba para el beneficio de todos los hombres. No tan sólo era capaz de librarnos de este enemigo, sino que nos libertó, dándonos así el poder para derrotar al pecado (1 Jn. 3:4-10). Además, el que sólo Dios sea finalmente el salvador puede apreciarse en el hecho de que Jesús era el Hijo de Dios encarnado. Y sin embargo, al mismo tiempo, Jesús mostraba su completa dependencia de Dios el Padre por sus oraciones y sus enseñanzas.

También, era el hecho de la relación del pacto renovado que hizo que Jesús describiera su propia muerte y su misión en términos del nuevo pacto. Esta relación entre Dios y el hombre fue realizada por el perdón de pecados efectuado por Jesús al salvarnos. En el último análisis, todo esto se encerraba en su nombre. El nombre Jesús es la forma griega del verbo veterotestamenrario "él salvará". Por esto declaró el ángel:

> ". . . José, hijo de David, no temas recibir a María tu mujer, porque lo que en ella es engendrado, del Espíritu Santo es. Y dará a luz un hijo, y llamarás su nombre JESUS, porque él salvará a su pueblo de sus pecados" (Mt. 1:20, 21).

Al final, cuando Juan miraba hacia atrás el desarrollo completo del Antiguo Testamento y lo comparaba con su experiencia personal, podía declarar con convicción inspirada: "Y nosotros hemos visto y testificamos que el Padre ha enviado al Hijo, el Salvador del mundo" (1 Jn. 4:14). ¡Qué flor más hermosa brotada de esa raíz del Antiguo Testamento!

La salvación como rescate.

La segunda palabra principal en el vocabulario veterotestamentario de la salvación generalmente se traduce como "rescatar", con menos frecuencia como "redimir" y ocasionalmente como "liberar". Como veremos, es este último sentido el que más se aproxima al significado antiguo cuando se aplicaba a los actos de Dios. Se aprecia un contenido espiritual mucho mayor en este término que en el anterior.

Esta palabra se usaba a menudo en contextos forenses, lo cual nos ayuda a comprender su potencia básica. Por ejemplo, si un hombre tenía un buey peligroso al cual se le permitía ambular libremente y éste acorneaba a alguien, entonces se aplicaba la siguiente ley: "Si se le pone un precio sobre su vida, entonces dará por la redención de su vida el precio que fuera" (Ex. 21:30, traducción del autor). En este caso, el dueño podía escoger entre ser apedreado o pagar el precio de su "redención". Esencialmente, este era el valor de su vida que había establecido la corte.

Todavía en un contexto legal, pero ubicado dentro del campo del rito religioso, el primogénito humano, tanto como animal, pertenecía a Dios. Esto se justificaba por la experiencia en el éxodo y por la religión antigua. Pero en Israel se les decía: ". . . También redimirás al primogénito de tus hijos" (Ex. 13:13). En las religiones antiguas el primogénito se sacrificaba a menudo al dios principal. Esto se había cambiado en Israel, ya que el sacrificio de los hijos estaba prohibido. A Abraham se le dijo que sustituyera la vida de Isaac por la de un carnero (Gn. 22:13). Esta costumbre de redimir la vida de un hijo por ofrecer un sacrificio redentor aún se practicaba en el tiempo del nacimiento de Jesús. María y José observaron este rito a favor de Jesús.

> "Y cuando se cumplieron los días de la purificación de ellos, conforme a la ley de Moisés, le trajeron a Jerusalén para presentarle al Señor (como está escrito en la ley del Señor: Todo varón que abriere la matriz será llamado santo al Señor), y para ofrecer conforme a lo que se dice en la ley del Señor: Un par de tórtolas, o dos palominos" (Lc. 2:22-24).

En estos contextos legales, la idea del precio redentor que se pagaba formaba parte integral del concepto. Sin embargo, llegó a subrayarse más el resultado logrado que el precio pagado.

Esto se hace mucho más obvio en todos aquellos pasajes en donde el Antiguo Testamento habla de Dios redimiendo a Israel. En estos lugares se fija la atención en el resultado obtenido sin que se haga mención de un rescate o que se pague un precio redentor.

En lugar de mencionar un precio, en estas ocasiones se hacía hincapié en el amor del pacto, su *hesed*. Aquí, el énfasis del Antiguo Testamento recaía sobre el móvil de Dios en la redención. Dios redimía no por lo que pagaba sino por lo que era. De modo que a Israel se le decía:

> "... os ha sacado Jehová con mano poderosa, y os ha rescatado de servidumbre, de la mano de Faraón rey de Egipto. Conoce, pues, que Jehová tu Dios es Dios, Dios fiel, que guarda el pacto y la misericordia a los que le aman y guardan sus mandamientos, hasta mil generaciones" (Dt. 7:8, 9).

Es más, el libro de Isaías aclara muy bien que el acto de redención por Dios era un acto de liberación y no un acto de pagar a los opresores de Israel.

> "... ¿Acaso se ha acortado mi mano para no redimir? ¿No hay en mí poder para librar?" (Is. 50:2).

El resultado final de su acto de redención se describe en términos de un regreso gozoso de los redimidos.

> "Y los rescatados del Señor volverán y vendrán a Sion con canto; el gozo eterno estará sobre sus cabezas; ellos obtendrán el gozo y la alegría, y la tristeza y el lamento huirán" (Is. 51:11, traducción del autor).

El Antiguo Testamento también aclara bien que no sólo la nación de Israel era bendecida por los actos de redención de Dios. Había un énfasis creciente sobre sus actos de redención en pro de individuos. De modo que el salmista cantaba:

> "Pero Dios rescatará mi vida del poder del Seol, porque me recibirá" (Sal. 49:15, traducción del autor).

Elifaz le dijo a Job:

> "Durante el hambre, él te rescatará de la muerte; durante la guerra, del poder de la espada" (Job 5:20, traducción del autor).

Es más, cuando Jeremías estaba siendo aplastado por la oposición que él encaraba y por el peligro que su ministerio acarreaba, Dios le alentaba diciendo:

> "Y te pondré en este pueblo por muro fortificado de bronce, y pelearán contra ti, pero no te vencerán; porque yo estoy contigo para guardarte y para defenderte, dice Jehová. Y te libraré de la mano de los malos, y te redimiré de la mano de los fuertes" (Jer. 15:20, 21).

Aunque el término que se traduce como "rescate" brinda un concepto mucho más espiritual que el que se traduce como "salvación", es claro que su significado dista mucho de aquel que se halla en el Nuevo Testamento. En casi todos los casos, el acto de rescate de Dios era de liberación de una calamidad natural, el sufrimiento o la muerte. Sin embargo, había una conciencia de mayores calamidades que estas. En virtud de esto, el salmista amonestaba a su pueblo para que colocara su esperanza final en Dios.

> "¡Oh Israel, espera en el Señor! Porque en el Señor hay amor firme y con el rescate abundante. De modo que rescatará a Israel de todos sus actos culpables" (Sal. 130:7, 8, traducción del autor).

Dios podía ser la base de la esperanza última porque no tan sólo podía rescatar de las calamidades físicas sino también de las espirituales. Aún lo puede hacer.

El desarrollo neotestamentario de este concepto se asocia estrechamente con el que sigue. Por esto, lo estudiaremos antes de volver otra vez al Nuevo Testamento.

La salvación como redención

Con la palabra que se traduce "redención" llegamos al área más significativa del vocabulario veterotestamentario en torno a la salvación. Al igual que con la mayor parte de las palabras en el Antiguo Testamento, ésta tenía connotación secular tanto como espiritual. A partir de su uso secular logramos nuestros discernimientos más claros respecto a su significado espiritual.

La primera obligación del que redimía era volver a comprar a su hermano que estaba en esclavitud. Hacer tal acto era redimir al hermano. No importaba la razón por la que la persona se hiciera esclavo; el redentor tenía la obligación de pagar la deuda y así librar a su hermano (Lv. 25:47-49). Esta responsabilidad le tocaba al pariente más cercano que pudiera hacer la redención.

Aún más, el redentor tenía la obligación de guardar la propiedad del pariente difunto de la familia. La tierra originalmente había sido la dádiva de Dios a cada tribu, clan, y familia. Era preciosa y tenía que conservarse dentro de la familia. Por esta razón, Nabot se negaba a vender su viña al rey Acab de Israel.

> "Y Acab habló a Nabot, diciendo: Dame tu viña para un huerto de legumbres, porque está cercana a mi casa, y yo te daré por ella otra viña mejor que esta; o si mejor te pareciere, te pagaré su valor en dinero. Y Nabot respondió a Acab: Guárdeme Jehová de que yo te dé a ti la heredad de mis padres" (1 R. 21:2, 3).

Era también esta responsabilidad del redentor el punto central del libro de Rut. Allí Booz dijo:

> ". . . Noemí, que ha vuelto del campo de Moab, vende una parte de las tierras que tuvo nuestro hermano Elimelec. Y yo decidí hacértelo saber, y decirte que la compres en presencia de los que están aquí sentados, y de los ancianos de mi pueblo. Si tú quieres redimir, redime; y si no quieres redimir, decláramelo para que yo lo sepa; porque no hay otro que redima sino tú, y yo después de ti" (Rt. 4:3, 4).

También era muy importante en Israel que la familia de un hombre se salvara de la extinción. De modo que si un hombre se moría sin hijos, el pariente más cercano debía casarse con su viuda, "Y el primogénito que ella diere a luz sucederá en nombre de su hermano muerto, para que el nombre de éste no sea borrado de Israel" (Dt. 25:6). Esto, también, era el punto central en la historia de Rut.

> "Entonces replicó Booz: El mismo día que compres las tierras de mano de Noemí, debes tomar también a Rut la moabita, mujer del difunto, para que restaures el nombre del muerto sobre su posesión" (Rt. 4:5).

Cuando el pariente más cercano se negó a hacerlo, Booz entonces asumió la responsabilidad del redentor, comprando así la tierra y casándose con Rut.

Había también una cuarta responsabilidad del redentor en Israel. Si se asesinaba a una persona, era la responsabilidad del pariente más cercano buscar y matar al asesino. Esto se modificó cuando la provisión de ciudades de refugio a las que una persona acusada de asesinato podía huir hasta que se comprobara su culpabilidad o su inocencia (Dt. 19:6-10). Al pariente que le correspondía esta responsabilidad se le llamaba "el vengador de la sangre". El término hebreo literalmente se lee "el redentor de sangre". De modo que el redentor era responsable para que se hiciera justicia. En aquella sociedad primitiva, al criminal no había que dejarle sin castigo. En cambio, el redentor de sangre no podía desatar su furia en una demostración vengativa. El no podía exigir al culpable más de lo que la justicia permitía.

Abriendo un pequeño paréntesis, consideremos brevemente la famosa *lex taliones* (la ley de revancha) en el Antiguo Testamento. A Israel se le mandó:

> "Si algunos riñeren... Mas si hubiere muerte, entonces pagarás vida por vida ojo por ojo, diente por diente, mano por mano, pie por pie, quemadura por quemadura, herida por herida, golpe por golpe" (Ex. 21:11-25; compárese Lv. 24:19, 20).

No hay necesidad de indicar que esto es muy inferior a las enseñanzas de Jesús. Desde luego que sí. En el Sermón del monte Jesús dijo:

> "Oísteis que fue dicho: Ojo por ojo, y diente por diente. Pero yo os digo: No resistáis al que es malo; antes, a cualquiera que te hiera en la mejilla derecha, vuélvele también la otra; y al que quiera ponerte a pleito y quitarte la túnica, déjale también la capa, y a cualquiera que te obligue a llevar carga por una milla, vé con él dos" (Mt. 5:38-41).

El punto no es que el Antiguo Testamento demandaba menos que Jesús más tarde. El Nuevo Testamento claramente es un desarrollo mucho más allá del Antiguo Testamento. El punto aquí es que cuando se dio la *lex taliones,* la venganza imperaba. Lo que se les dijo a los hebreos antiguos era que no podían exigir más que la justicia. Esto representaba un gran adelanto en su ética. La gente primero tenía que aprender acerca de la justicia antes de aprender acerca de la misericordia. (Bien nos conviene preguntarnos si hemos aprendido de verdad la lección de la justicia para luego hablar siquiera de la misericordia.)

Al repasar las maneras en que el redentor funcionaba en la vida nacional de Israel, una cosa más se destaca. En cada caso, el redentor era un pariente. El era el más cercano en relación sanguínea con el necesitado. De modo que muchos intérpretes hablan de un "pariente-redentor". Aunque este término no es realmente necesario, debemos recordar que esta relación siempre atañía al redentor.

Si esta fuera la única forma en que el término redentor se usara en el Antiguo Testamento, sería de interés tanto como de importancia. Pero, el hecho de que este término después se aplique a Dios

hace que asuma gran importancia. El que el término se use en
relación a Dios hace que se digan varias cosas respecto a Dios y su
relación con Israel. Primero, Dios asumió el papel del pariente más
cercano de Israel. Nunca hubo la idea de que Dios tuviera relación
natural con Israel. Más bien, Dios había adquirido una relación
mediante el pacto. Israel había sido adoptado como el primogénito
de Dios (Ex. 4:22, 23; Ez. 16:1-14).

Segundo, Dios, como el redentor de Israel, había adquirido para
sí la responsabilidad de liberar a Israel de la esclavitud. Este acto
voluntario de gracia redentora se realizó sin que importara la clase
de esclavitud a la que Israel se había vendido. Dios liberó a Israel de
la esclavitud en Egipto y finalmente de su esclavitud al pecado.
Tercero, como el redentor de Israel, Dios había adquirido la
responsabilidad de convertir a Israel en fructífero, con la capacidad
de engendrar hijos. El buen fruto que Israel producía era resultado
de los actos redentores de Dios. Muy estrechamente relacionado con
esto estaba el concepto de que Dios, como el redentor de Israel,
preservaría su heredad en la tierra. La última responsabilidad que
Dios asumió voluntariamente como el redentor de Israel era
asegurar que la justicia se hiciera con aquellos que oprimían a
Israel. De manera que a Israel se le dijo:

> "Mía es la venganza y la retribución... Porque Jehová
> juzgará a su pueblo, y por amor de sus siervos, se arrepenti-
> rá..." (Dt. 32:35, 36).

Y basándose en esta idea, Pablo amonestaba:

> "No paguéis a nadie mal por mal; procurad lo bueno delante
> de todos los hombres... No os venguéis vosotros mismos,
> amados míos, sino dejad lugar a la ira de Dios, porque escrito
> está: Mía es la venganza, yo pagaré, dice el Señor" (Ro.
> 12:17-19).

Con este trasfondo secular y sus implicaciones para la relación
redentora de Dios con Israel, podemos comprender algo de la
profundidad de su significado. De manera que Dios prometió por
medio de Oseas: "Del poder del Seol, los rescataré, y de la muerte los
redimiré" (Os. 13:14, traducción del autor). Jeremías acentuó
bastante el significado espiritual del término, al proclamar:

> "Porque el Señor ha rescatado a Jacob, y le ha redimido de
> manos demasiado fuertes para él" (Jer. 31:11, traducción del
> autor).

El concepto realmente tomó la delantera en los pasajes del libro de Isaías conocidos como la gran redención (Is. 40-55). Para alentarlos, a la comunidad débil se le dijo:

> "Ahora, así dice Jehová, Creador tuyo, oh Jacob, y Formador tuyo, oh Israel: No temas, porque yo te redimí; te puse nombre, mío eres tú" (Is. 43:1).

No cabe el temor cuando Dios es redentor. Este pensamiento se repitió vez tras vez para ofrecerle esperanza al pueblo de Israel. ¡Su Dios, el santo de Israel, había llegado a ser su redentor! (Is. 43:14; 44:6, 24; 47:4; 48:17; 49:7, 26; 54:5, 8). Pero esta sección aclara muy bien que la redención de Dios no se limitaba a la liberación física. En una aseveración magnífica, se le dijo a Israel:

> "Yo deshice como una nube tus rebeliones, y como niebla tus pecados; vuélvete a mí, porque yo te redimí" (Is. 44:22).

Además, para que nadie pensara que Dios estaba pagando un rescate para redimir a Israel, él dijo muy directamente: ". . . De balde fuisteis vendidos; por tanto, sin dinero seréis rescatados" (Is. 52:3).

El salmista también cantaba de la dimensión espiritual de las actividades redentoras de Dios.

> "Bendice, alma mía, a Jehová, Y bendiga todo mi ser su santo nombre. Bendice, alma mía, a Jehová, Y no olvides ninguno de sus beneficios. El es quien perdona todas tus iniquidades, El que sana todas tus dolencias; El que rescata del hoyo tu vida, El que te corona de favores y misericordias; El que sacia de bien tu boca De modo que te rejuvenezcas como el águila" (Sal. 103:1-5).

Aquí la alusión obvia al perdón se liga a la idea de la salud física. Para el salmista estas dos cosas parecen asociarse de modo constante.

Es más, el concepto de Dios como redentor asumió una dimensión más personal en el libro de Proverbios. Allí se asevera que Dios se veía especialmente involucrado en la redención de los huérfanos, un ejemplo de aquellos que no tienen parientes.

> "No traspases el lindero antiguo, Ni entres en la heredad de los huérfanos; Porque el defensor de ellos es el Fuerte, El cual juzgará la causa de ellos contra ti" (Pr. 23:10, 11).

Dios cuida de aquellos en quienes nadie más se interesa. Es más, los protege y los redime.

Tal vez la visión veterotestamentaria más grande de Dios como redentor se halla en el libro de Job. Allí el agotado santo no había hallado consuelo en sus amigos y ninguna esperanza para esta vida. Fue entonces cuando tuvo la revelación magnífica de que Dios era su redentor. De modo que clamó

> "¡Quién diese ahora que mis palabras fuesen escritas! ¡Quién diese que se escribiesen en un libro; Que con cincel de hierro y con plomo Fuesen esculpidas de piedra para siempre! Yo sé que mi redentor vive, Y al fin se levantará sobre el polvo; Y despúes de deshecha esta mi piel, En mi carne he de ver a Dios; Al cual veré por mí mismo Y mis ojos lo verán, y no otro . . ." (Job 19:23-27).

Para Job, el concepto de Dios como su redentor le daba esperanza que se extendía más allá de su vida. Echaba mano de la esperanza para la inmortalidad individual, de vida más allá de la vida. Cuando nadie más podía vindicarlo o quisiera hacerlo siquiera, él podía descansar en la seguridad de que Dios lo haría.

Es muy fácil ver cómo los escritores del Nuevo Testamento recogieron esta figura de Dios como rescatando o redimiendo. La identificación de Cristo como el que nos ha redimido proclama una profundidad de significado que puede pasar desapercibida a no ser que se tome en cuenta la figura del Antiguo Testamento (Gá. 3:13; 4:5; Col. 1:14; Tit. 2:14; Ap. 5:9). Mediante este acto, Jesús se ha hecho nuestro pariente más cercano, nuestro hermano mayor (Ro. 8:29; He. 2:11). Al mismo tiempo, por haberse hecho nuestro pariente más cercano, él también posibilitó que nosotros fuésemos adoptados en la familia de Dios (Ro. 8:15; Ef. 1:5). Es más, para que no se dudara de que Pablo ligaba nuestra adopción con los actos redentores de Cristo, él específicamente los asoció. En una ocasión, él dijo: ". . . nosotros mismos . . . gemimos dentro de nosotros mismos, esperando la adopción, la redención de nuestro cuerpo" (Ro. 8:23). También escribió a los gálatas:

> "Pero cuando vino el cumplimiento del tiempo, Dios envió a su Hijo, nacido de mujer y nacido bajo la ley, para que redimiese a los que estaban bajo la ley, a fin de que recibiésemos la adopción de hijos" (Gá. 4:4, 5).

Además, al redimirnos, Jesús nos liberó de nuestra esclavitud al pecado y a Satanás. De modo que el autor de Hebreos escribió:

> "Así que, por cuanto los hijos participaron de carne y sangre, él también participó de lo mismo, para destruir por medio de la muerte al que tenía el imperio de la muerte, esto es al diablo, y librar a todos los que por el temor de la muerte estaban durante toda la vida sujetos a servidumbre" (He. 2:14, 15).

Y Pablo amonestó a los gálatas: "Estad, pues, firmes en la libertad con que Cristo nos hizo libres, y no estéis otra vez sujetos al yugo de esclavitud" (Gá. 5:1). De cualquier cosa que nos esclavice, Cristo nos ha librado.

El concepto de la redención también jugaba un papel en la insistencia neotestamentaria sobre el fruto que debe llevar el redimido por Cristo. Jesús mismo dijo: "En esto es glorificado mi Padre, en que llevéis mucho fruto, y seáis así mis discípulos" (Jn. 15:8). El también insistió en que él mismo produjo el fruto en sus redimidos (Jn. 15:16). El concepto neotestamentario completo de Jesús como nuestro redentor adquiere un significado mucho más profundo y rico cuando nos fijamos en las raíces veterotestamentarias de las que brotó.

Al recapitular cómo aborda el Antiguo Testamento la salvación, varias cosas se destacan. Está el hecho de que el Antiguo Testamento enseña que la salvación siempre estriba en la iniciativa de Dios. Además, el énfasis principal recae sobre la misma liberación lograda. La idea de un rescate pagado por Dios apenas figura, si es que está siquiera presente.

Más allá de esto, hay un creciente desarrollo de pensamiento que recalca cada vez más lo espiritual y menos lo físico. Sin embargo, en el Antiguo Testamento, predomina a todas luces el énfasis sobre los aspectos físicos de la salvación y la redención. Pero, antes de que recalquemos esto demasiado, recordemos que, para el hebreo, siempre había una relación estrecha entre la salvación espiritual y la prosperidad física.

Había también un gran énfasis sobre la salvación de la nación de Israel. No obstante esto, debemos reconocer que había un énfasis creciente sobre la salvación individual. Esto, sin embargo, no llegó a su completa realización hasta el Nuevo Testamento.

Finalmente, debemos reconocer que el propósito último de las actividades redentoras de Dios siempre era dual. Buscaba crear un pueblo justo y obediente. Pero el fin de esto era que ellos gozaran plenamente de compañerismo con él. La única vida plena se hallaba en la restauración de la relación de pacto. Los propósitos de Dios no han sufrido cambios. Aun busca traernos a una relación correcta con él para nuestro propio beneficio.

Dios perdona el pecado del hombre

Para poder comprender cabalmente el concepto veterotestamentario de la salvación, urge que entendamos el concepto del perdón divino. El perdón sin la salvación no tendría significado. De modo que consideramos primero la salvación. En cambio, la salvación sin el perdón es imposible. Por lo tanto, ahora pondremos nuestra atención en las enseñanzas veterotestamentarias tocantes al perdón de Dios de nuestros pecados.

El trasfondo del pacto

La relación de pacto entre Dios e Israel se ubica de modo absoluto al centro de todo el pensamiento veterotestamentario en torno al perdón divino. De hecho, tanto es así que parecería imposible entender el perdón fuera del contexto del pacto. Esto es cierto porque aunque a Dios se le conocía como juez, nunca se le veía como frío, brusco o sin compasión. Tampoco se le veía como apático o desinvolucrado. Al contrario, aun como el juez, se le describía en términos del pacto como esposo, padre, o rey.

De modo que Oseas, por medio del cual Dios se reveló como esposo y padre, citaba a Israel a un pleito de pacto ante Dios.

"Oíd palabra de Jehová, hijos de Israel, porque Jehová contiende con los moradores de la tierra; porque no hay verdad, ni misericordia, ni conocimiento de Dios en la tierra" (Os. 4:1).

Pero éste era el mismo Dios que también decía:

"¿Cómo podré abandonarte, oh Efraín? ¿Te entregaré yo, Israel? ¿Cómo podré yo hacerte como Adma, o ponerte como a Zeboim? Mi corazón se conmueve dentro de mí, se inflama toda mi compasión" (Os. 11:8).

El Dios que era Juez también estaba involucrado con el pueblo acusado de Israel mediante la relación del pacto. Por ende, debido a este involucramiento y en virtud del compromiso de Dios, su amor firme no abandonaría a Israel. El sería leal a su propia elección de Israel y al amor que lo escogió.

Era en base a esto que Dios buscaba una manera de restaurar el pacto. Como hemos visto, al mismo tiempo sus demandas justas tenían que acatarse. De manera que el trasfondo de pacto hacía que el arrepentimiento de parte de Israel fuese necesario antes de que pudiera darse el perdón de Dios.

A una y la misma vez, dos factores tenían que estar en vigor. Primero, la justicia de Dios hacía demandas morales muy rigurosas sobre el hombre en general y sobre su pueblo en particular. Pero, a la vez, su amor firme tenía que prevalecer. Era justo en este punto en donde surgía el conflicto. Es en este punto en donde hallamos el dilema de la fe. Por lo tanto, el amor firme de Dios, su amor de pacto, buscaba conducir a Israel al arrepentimiento.

Las demandas justas de Dios nunca se reducían. Nunca se han reducido. Nunca se reducirán. Pero él lo abandonaría a Israel. El forcejeaba con ellos, arrastrándoles al arrepentimiento por las cuerdas de su amor firme. Era la visión de este amor firme detrás de su juicio la que tenía la mira de mover a Israel hacia el arrepentimiento y la obediencia. De este modo, a Jeremías, se le dijo:

> ". . . Ponte en el atrio de la casa de Jehová, y habla a todas las ciudades de Judá, que vienen para adorar en la casa de Jehová, todas las palabras que yo te mandé hablarles; no retengas palabra. Quizá oigan, y se vuelvan cada uno de su mal camino . . ." (Jer. 26:2, 3).

Amós también de manera constante señalaba a los actos del juicio de Dios los cuales tenían el propósito de llevar a Israel al arrepentimiento (Am. 4:6-11). El arrepentimiento y la obediencia de parte de Israel eran los únicos requisitos necesarios para que el pacto divino se restaurara (Is. 1:16-20). Pero, eso sí, tenían que realizarse. A no ser que hubiera arrepentimiento y obediencia, el perdón de Dios no se activaría y el pacto no se restauraría. De manera que Dios rogaba a Israel que se arrepintiese. También, guiaba a Israel al arrepentimiento.

La iniciativa siempre era de Dios. El estaba determinado a salvar a su pueblo. De modo que el tema principal de los profetas fue un llamado al arrepentimiento. Esta era la exigencia de Dios. Era también su expectación. El estribillo constante de los profetas era que Israel viese con los ojos, escuchase con los oídos, comprendiese con la mente, y que se convirtiera y "haya para él sanidad" (Is. 6:10). La sanidad significaba la restauración de la relación de pacto entre Israel y Dios.

El arrepentimiento como un acto del hombre

Tal vez la cosa más importante que notar respecto al concepto veterotestamentario del arrepentimiento es que siempre se habla de él con un verbo y nunca con un sustantivo. Cada vez que se trata el tema, es una acción que se demanda y se espera. Los profetas nunca pedían que Israel existiera en una condición de arrepentimiento, sino que exigían que Israel se arrepintiera.

El verbo que se usa para describir el arrepentimiento del hombre es el verbo que también significa "volver", *shubh*. De manera que, cada vez que encontramos la palabra *volver,* puede significar también "arrepentirse" y de hecho es así muy a menudo. La súplica de Oseas es un ejemplo.

> "Vuelve, oh Israel, a Jehová tu Dios; porque por tu pecado
> has caído. Llevad con vosotros palabras de súplica, y volved a
> Jehová, y decidle: Quita toda iniquidad, y acepta el bien, y te
> ofreceremos la ofrenda de nuestros labios" (Os. 14:1, 2).

El profeta claramente llamaba a su pueblo a que se arrepintiera. Es
más, su llamado exigía una acción espiritual tanto como física de
parte de ellos.

La oferta de Dios por medio de Jeremías también ilustra este
uso. Ahí dice:

> "Convertíos, hijos rebeldes, y sanaré vuestras rebeliones. He
> aquí nosotros venimos a ti, porque tú eres Jehová nuestro
> Dios. Ciertamente vanidad son los collados, y el bullicio
> sobre los montes; ciertamente en Jehová nuestro Dios está la
> salvación de Israel" (Jer. 3:22, 23).

Se hace muy obvio que para el Antiguo Testamento el
arrepentimiento nunca era simplemente un estado pasivo de
lamentar el pecado. Tampoco era meramente el lamentar las
consecuencias del pecado que le acaecían al pecador. Es posible que
se diera el lamentar cualquiera de estas dos cosas, pero esto nunca
se confundía con el arrepentimiento ni tampoco era su sustituto
para el mismo en la mente de los profetas. Una cosa era clara para
éstos: el arrepentimiento describía un acto positivo específico de
abandonar el pecado y volver a Dios; al hacerlo, se aceptaba su
voluntad como el nuevo propósito y el nuevo rumbo para la vida.

Se hace muy claro al examinar este ininterrumpido llamado
profético al arrepentimiento que los profetas nunca consideraban el
arrepentimiento como un acto sencillo. Al contrario, era un acto
bien complejo que exigía numerosas respuestas específicas de parte
del pecador arrepentido. Consideremos lo que Oseas especificaba
como el requisito de Dios en el arrepentimiento de su pueblo.

> "Andaré y volveré a mi lugar, hasta que reconozcan su
> pecado y busquen mi rostro. En su angustia me buscarán.
> Venid y volvamos a Jehová; porque él arrebató, y nos curará;
> hirió, y nos vendará. Nos dará vida después de dos días; en el
> tercer día nos resucitará, y viviremos delante de él. Y
> conoceremos, y proseguiremos en conocer a Jehová; como el
> alba está dispuesta su salida, y vendrá a nosotros como la
> lluvia, como la lluvia tardía y temprana a la tierra" (Os.
> 5:15—6:3).

En su descripción el arrepentimiento de Israel involucraba el volver
a Dios, el reconocimiento de su condición actual, una expectación
de sanidad por Dios, una esperanza para una nueva vida y un nuevo

compañerismo, un deseo de conocer a Dios mediante la experiencia personal, y una dependencia de su lealtad firme.

Jeremías describió esta experiencia en términos un poco diferentes:

> "Si te volvieres, oh Israel, dice Jehová, vuélvete a mí. Y si quitares de delante de mí tus abominaciones, y no anduvieres de acá para allá, y jurares: Vive Jehová, en verdad, en juicio y en justicia, entonces las naciones serán benditas en él, y en él se gloriarán" (Jer. 4:1, 2).

Aquí el arrepentimiento claramente incluía no tan solo una confesión de pecado sino un abandono de prácticas pecaminosas. También incluía un continuo seguir a Dios y una dependencia genuina en él. Es más, el resultado final del arrepentimiento de Israel sería que otras naciones recibirían la bendición del Dios de Israel. Su arrepentimiento serviría como un testimonio positivo para ganar a otros. Además, Dios amonestaba aún más a su pueblo a que volviera y encontrara el perdón por abandonar sus actos y pensamientos pecaminosos.

> "Buscad a Jehová mientras puede ser hallado, llamadle en tanto que está cercano. Deje el impío su camino, y el hombre inicuo sus pensamientos, y vuélvase a Jehová, el cual tendrá de él misericordia, y al Dios nuestro, el cual será amplio en perdonar" (Is. 55:6, 7).

Al investigar las múltiples alusiones a este acto complejo, se hace muy aparente que el concepto del arrepentimiento en el Antiguo Testamento involucraba varias acciones interrelacionadas de parte del pecador. Este tenía que reconocer y aceptar las demandas justas de Dios. Tenía que reconocer su propia condición pecadora, abandonándola y volviendo a Dios con lealtad obediente. Era preciso que buscara la voluntad de Dios no tan sólo para conocerla sino para hacerla. Por último, era menester que aceptase lo que Dios le diera como respuesta.

Digresión: El arrepentimiento de Dios

Antes de seguir, fijémonos brevemente en lo que ha sido un problema para muchos estudiantes del Antiguo Testamento: el arrepentimiento de Dios. Hay muchos textos veterotestamentarios que describen a Dios como arrepintiéndose. Esto es muy difícil de entender si creemos que la Biblia enseña que Dios es justo. Si es así, ¿por qué tendría necesidad de arrepentirse?

Dos cosas tienen que entenderse desde el comienzo. Primera, hemos de recordar que Dios es diferente al hombre.

"Dios no es hombre, para que mienta, Ni hijo de hombre
para que se arrepienta. El dijo, ¿y no hará? Habló, ¿y no lo
ejecutará?" (Nm. 23:19).

La segunda cosa que necesitamos captar es que la palabra que
describe el arrepentimiento del hombre, *shubh,* nunca se usa para
hablar del arrepentimiento de Dios. Más bien, se usa un vocablo
muy diferente para describir lo que Dios hace. Esta palabra es
nacham; textualmente quiere decir "gemir", "sentir profundamente", o "conmoverse profundamente". De modo que sea lo que Dios
hiciere, es diferente de lo que el hombre hace cuando se arrepiente.
El hombre hace un viraje moral. Dios, en cambio, mantiene sus
mismos propósitos. Su voluntad no sufre cambio.

Cuando el Antiguo Testamento describe a Dios como "arrepen-
tiéndose", nos dice que él se conmueve por lo que uno o más de sus
hijos han hecho. Ellos han rechazado su perfecta voluntad, y por
ende experimentarán una cosa diferente de lo que Dios quería
originalmente. Pero el propósito divino permanece sin cambio. La
acción divina para con su pueblo cambia, porque ellos no han
respondido de la manera deseada por él. Un ejemplo de esto puede
verse en Génesis 6:6. Dios estaba profundamente angustiado por la
imaginación impía de su pueblo sobre la tierra. La versión *Reina-
Valera,* de 1909, tradujo este versículo así:

"Y arrepintióse Jehová de haber hecho hombre en la tierra, y
pesóle en su corazón."

En cambio, *La Biblia de las Américas* traduce este versículo de la
siguiente manera:

"Y le pesó al Señor haber hecho al hombre en la tierra, y
sintió tristeza en su corazón."

Ambas traducciones son correctas, pero es obvio que Dios no
cambiaba su propósito. Más bien, cambiaba su acción en respuesta
a lo que el hombre había hecho con el fin de poder llevar a cabo su
propósito inmutable. De modo que Dios siente profundamente;
gime dentro de sí mismo, y se conmueve profundamente sobre el
hecho de que sus criaturas han fallado. Pero, eso sí, no cambia su
propósito último.

El perdón como dádiva de Dios

Volviendo nuestra atención al arrepentimiento humano, nos
hace falta tomar nota de la otra cara de la moneda. El arrepentimiento del hombre era exigido por Dios, porque quería hacer algo
para remediar el problema del pecado del hombre. Arrepentirse es el

acto humano. Perdonar es la respuesta divina. Dios deseaba perdonar el pecado del hombre, pero ¿qué es lo que el Antiguo Testamento entendía por el perdón de Dios? Es esto lo que nos interesa ahora.

Hay tres palabras básicas usadas en el vocabulario del Antiguo Testamento referentes al perdón divino. La primera quiere decir "disculpar" o "perdonar". Se usa sólo cuando se trata de la gracia de Dios. No obstante, no siempre es incondicional o ilimitada. De modo que cuando los hebreos fueron desobedientes en el desierto donde Cades y Moisés rogó a Dios que les perdonase los pecados, éste respondió:

> "... Yo lo he perdonado conforme a tu dicho. Mas tan ciertamente como vivo yo, y mi gloria llena toda la tierra, todos los que vieron mi gloria y mis señales que he hecho en Egipto y en el desierto, y me han tentado ya diez veces, y no han oído mi voz, no verán la tierra de la cual juré a sus padres; no, ninguno de los que me han irritado la verá" (Nm. 14:20-23).

La deslealtad fue perdonada, pero al mismo tiempo, a ninguno de la generación anterior se le permitió entrar a la tierra de Canaán. Y, sin embargo, el salmista podía cantar del perdón de Dios que permitió que la nación continuara existiendo.

> "Pero él, misericordioso, perdonaba la maldad, y no los destruía; Y apartó muchas veces su ira, Y no despertó todo su enojo" (Sal. 78:38).

El libro de Isaías de manera clara ligaba el perdón de Dios con el arrepentimiento humano.

> "Deje el impío su camino, y el hombre inicuo sus pensamientos, y vuélvase a Jehová, el cual tendrá de él misericordia, y al Dios nuestro, el cual será amplio en perdonar" (Is. 55:7).

Jeremías señalaba a la dádiva divina del nuevo pacto como el medio por el cual el perdón de Dios sería efectuado finalmente.

> "He aquí vienen días, dice Jehová, en los cuales haré nuevo pacto con la casa de Israel y con la casa de Judá ... porque perdonaré la maldad de ellos, y no me acordaré más de su pecado" (Jer. 31:31-34).

En cada caso el perdón de Dios era una dádiva. Nunca se veía como algo automático que resultara de la realización humana de ciertos actos o pasos rituales. Tampoco se veía como algo que el hombre pudiera ganar. Era dádiva de Dios basada en su amor firme y surgía de su propia naturaleza.

La segunda palabra en el vocabulario veterotestamentario del perdón también tiene una variedad de traducciones. Se traduce como "cubrir", "perdonar" o "expiar". También se usaba exclusivamente para referirse al acto de Dios, nunca el del hombre. Aludía a Dios como cubriendo el pecado del hombre. El hombre mismo nunca podría cubrir su pecado, pero Dios lo podía hacer, y lo hizo.

Esta palabra se usaba en la liturgia del gran Día del Perdón (Lv. 16). Fue de allí, desde luego, que el Nuevo Testamento recogió muchas de las figuras respecto a la expiación de Cristo.

La tercera palabra en el vocabulario del perdón significa "soportar", "levantar", "quitar", y en este contexto se refería a la culpa. Es una palabra muy común, y se usa en el Antiguo Testamento en cuanto a Dios y al hombre. Puede describir el levantar y el quitar de una carga. Por eso es especialmente adecuada para describir el perdón de Dios. En su perdón, lo que él hace es levantar y quitar la culpa humana. El profeta Miqueas alababa a Dios por esto, al decir:

> "¿Quién es un Dios como tú que quita la culpa y que hace caso omiso de la transgresión a favor del remanente de su herencia?" (Mi. 7:18, traducción del autor).

Y el salmista, habiendo experimentado el perdón de Dios, cantaba de él en su adoración:

> "Yo te confesé mi pecado a ti, y no te oculté mi iniquidad; yo dije: 'Confesaré mis rebeliones al Señor'; y tú quitaste la culpa de mi pecado" (Sal. 32:5, traducción del autor).

El concepto veterotestamentario del perdón es claramente profundo. En el uso de todos estos tres términos, el perdón de Dios siempre se basaba en su misericordia abundante y su amor firme. Es más, cuando Dios perdonaba, él quitaba la culpa del pecador. De modo que el pecador perdonado podía cantar realmente, "Todos mis pecados se quitaron". Además, cuando Dios perdonaba, algunas de las consecuencias del pecado se quitaban, aunque no necesariamente todas. Aun cuando Dios perdonaba, él no escribía la historia de nuevo. Aún no lo hace. El pasado permanece allí. El mal ejemplo se había dado, y su influencia seguía obrando. Aún es así.

El perdón de Dios también siempre parece haber dado por sentado un genuino y sincero arrepentimiento de parte del pecador. Se requería que desease verdaderamente ser restaurado al favor divino, que abandonase su pecado y que buscase obedecer y servir a Dios.

Por último, el perdón de Dios restauraba al pecador a la relación de pacto o le daba un nuevo pacto. Cuando esto ocurría, al pecador perdonado se le daba una nueva visión de Dios. El pecador perdonado veía una dimensión más grande, reconociendo así que Dios perdonaba porque amaba. Este perdón motivaba al pecador perdonado a servir al Dios que había perdonado. De modo que hasta no tener su pecado cubierto por Dios, Isaías no podía ser consciente del deseo de Dios de que hubiera un mensajero que lo representara ante su pueblo. Por esto, el profeta se presentó como voluntario (Is. 6:7, 8).

Salvador y redentor

Era la comprensión veterotestamentaria de la salvación y el perdón la que capacitó a Israel para que captara la revelación de Dios como Salvador y Redentor. Ellos miraban retrospectivamente a la gran experiencia del éxodo para su ejemplo supremo de Dios como redentor. Con el contexto del arrepentimiento humano y el perdón divino, el salmista cantaba:

"Y se acordaban de que Dios era su refugio, Y el Dios Altísimo su redentor" (Sal. 78:35).

Pero, al pensar en la apostasía de Israel, ellos podían describirla en su canto diciendo: "Olvidaron al Dios de su salvación" (Sal. 106:21). Al volver a mirar lo que Dios había hecho por sus padres, ellos estaban seguros de que Dios era salvador tanto como redentor. También era esta memoria del pasado la que daba esperanza a Israel respecto al presente y el futuro.

A veces Israel se olvidaba de que su salvación en el Antiguo Testamento estaba condicionada por su respuesta. El pueblo parece haber creído que simplemente por ser descendientes de Abraham y formar parte de la comunidad del pacto, la salvación vendría automáticamente. De modo que su llanto rayaba en la desesperación cuando esto no ocurría.

"Pasó la siega, terminó el verano, y nosotros no hemos sido salvos" (Jer. 8:20).

Restaba para los profetas el asegurar a Israel que Dios era salvador tanto como redentor. En esa seguridad, no obstante, los profetas también aclaraban que sus actos de salvar y perdonar no eran automáticos. Eran ofertas de gracia que brotaban de su naturaleza. Tenían la mira de dar esperanza a Israel. Pero nunca tenían el propósito de asegurar a Israel de una bendición automática.

Dios era salvador. Aparte de él no había esperanza. De manera que a Israel se le dijo:

"Yo, yo Jehová, y fuera de mí no hay quien salve" (Is. 43:11).

Pero al actuar con gracia para con Israel, su propósito último era ofrecer la gracia a todos los hombres.

". . . y conocerá todo hombre que yo Jehová soy Salvador tuyo y Redentor tuyo, el Fuerte de Jacob" (Is. 49:26).

De modo que Israel veía a Dios como salvador y redentor, sin importar donde mirasen en la historia. Era este discernimiento, dado por la autorrevelación de Dios, el que les daba una verdadera esperanza para el futuro. Había algo mejor más allá de su presente.

8

LAS PROMESAS DE DIOS Y LA ESPERANZA DEL HOMBRE

Israel no tenía un pasado glorioso que su pueblo pudiera contemplar retrospectivamente. Su pasado los pintaba como esclavos en Egipto, habiendo sido liberados y esto no por una virtud o fuerza propia que ellos tuvieran. Tampoco el pueblo tenía un presente que pudiera alabarse. Con contadas excepciones, la mayor parte de su historia se vivía o bajo amenaza o dominio extranjeros. En general, no tenía un futuro halagador que anticipar. A ambos reinos los profetas les decían que su futuro sería de derrota, cautiverio y exilio.

No obstante esto, Israel desarrolló una esperanza bien definida respecto al futuro. Su esperanza se fincaba no en sus propios logros sino en las dádivas de Dios. Esto no se desprendió de sus propios discernimientos en relación al futuro, sino que provenía de la revelación de Dios. Su esperanza no era un optimismo ilusorio sino un realismo robusto, porque se basaba en el carácter y los propósitos de Dios tal y como se habían revelado. En suma, su esperanza se basaba en las promesas de Dios. Su futuro tenía que ser bueno, porque se contaba con Dios en el. Y el futuro vendría, porque Dios lo había prometido. Es a esa esperanza y su desarrollo que miraremos ahora.

La soberanía de Dios

De vez en cuando hemos indicado la firme convicción del Antiguo Testamento en torno a la soberanía absoluta de Dios. Para poder comprender cabalmente la esperanza israelita en cuanto al futuro, hemos de comprender primero su creencia en la soberanía de Dios, porque era sobre el fundamento de su creencia en la misma que el pueblo edificó una esperanza para su futuro.

Soberanía sobre la naturaleza

Como hemos visto, el Antiguo Testamento señala al Dios de Israel como el creador divino de todo el universo. Era él y solo él que había hecho que todo existiera. Lo hizo por el poder de su palabra hablada. El estaba en control absoluto de todas las fuerzas creadoras del universo. Los libros de Génesis, Salmos, Job e Isaías abordan plenamente este pensamiento.

Pero no tan solo se veía a Dios como soberano en virtud de su poder creador sino que también se le veía como soberano por su sostenimiento del universo. Dios prometió a Noe que:

> "Mientras la tierra permanezca, no cesarán la sementera y la siega, el frío y el calor, el verano y el invierno, y el día y la noche" (Gn. 8:22).

Todas las fuerzas que se movían en el mundo de la naturaleza se veían como bajo su control. El ocasionaba que la tierra temblara, que el viento soplara, que las langostas vinieran, que el maná cayera, que la lluvia cesara y cualquier otra cosa que le agradara y que cumpliera sus propósitos. Israel nunca vió a Dios como el movedor inmovible, tal y como algunos griegos lo describirían. Estos creían que Dios había echado a andar al mundo y luego lo había abandonado para que anduviera solo. Tampoco se vio a Dios como el que permite que las fuerzas de la naturaleza evadan su control tal y como los babilonios describían a sus dioses. El Antiguo Testamento es bien claro respecto a la soberanía de Dios sobre la naturaleza.

Una evidencia adicional de la comprensión veterotestamentaria de la soberanía de Dios sobre la naturaleza se ve en su concepto del milagro. Como hemos visto, no todos los milagros del Antiguo Testamento se veían como sobrenaturales pero, eso sí, todos se veían como bajo el control de Dios, fuesen sobrenaturales o solo anormales. Es más, todos los milagros del Antiguo Testamento se veían como indicadores de su poder y como consecuencias de su poder. De modo que todo milagro indicaba la absoluta soberanía de Dios. La naturaleza estaba bajo su control.

Soberanía sobre la historia

También hemos visto como el Antiguo Testamento enseña la soberanía de Dios sobre la historia. No tan solo controlaba los rasgos naturales del mundo, sino también controlaba los hombres y las naciones. Todas las naciones de la tierra se veían como bajo su soberana voluntad. En particular, el Antiguo Testamento enseña que Dios podía usar, y de hecho usaba, a las otras naciones en el mundo en que estaba Israel. Es más, las podía usar sin el conocimiento ni el consentimiento de ellas con el fin de realizar sus propósitos soberanos. Llamaba a cuentas a esas naciones por sus acciones y llamaba a profetas para ministerios específicos dentro de ellas. Pero todo esto era un aspecto relativamente menor de la soberanía de Dios sobre la historia.

El énfasis principal en el concepto veterotestamentario de la soberanía de Dios sobre la historia tenía que ver con su soberanía sobre Israel. Era muy común en el antiguo Cercano Oriente que la gente creyera que su dios era rey o "señor", o que su dios principal jugaba este papel si es que adoraban a más de uno. No hay quien dude que Israel tenía este concepto en común con sus vecinos. La idea de que Dios era rey entró en su historia nacional muy temprano. No hay manera de saber con precisión en dónde apareció primero. Cuando el pueblo pedía un rey a Samuel, se consideraba como un rechazo de Dios como rey (1 S. 8:4-9). Es más, como hemos visto, la misma clase del pacto de Dios con Israel era una declaración de su majestad sobre ellos.

Aun más, cuando a Israel se le dio un rey humano, su autoridad se consideraba como derivada de la autoridad soberana de Dios. Idealmente el rey sería un instrumento en las manos de Dios para establecer sus propósitos, para cumplir sus promesas, y para hacer de Israel la clase de gente que Dios deseaba. Al hacerse cada vez más obvio que los reyes fallaban, los profetas del siglo octavo a. de J.C. empezaron a recalcar al Rey divino. Aunque Israel y Judá tenían reyes humanos, sólo Dios era el Rey último.

Durante el periodo postexílico cuando ya no había ningún rey humano en Israel, se hacía un énfasis aún más marcado sobre la majestad y la soberanía divinas. En ese período podemos observar un énfasis creciente sobre el hecho de que Dios estaba a cargo de la historia mundial, no tanto por medio de Israel sino más bien a pesar de él. Sin duda alguna, nunca hubo ningún período sin que a Israel se le enseñara claramente que Dios era soberano sobre la historia.

Soberanía sobre el futuro.

En virtud de las enseñanzas veterotestamentarias respecto a la soberanía de Dios sobre la naturaleza y la historia, Dios empezó a revelar a Israel que él era también soberano sobre el futuro. Al llegar a ser cada vez más consciente el pueblo de las debilidades y los fracasos de la majestad humana, Dios empezó a mostrarle que iba a haber un gobernante ideal del linaje de David. Es a esto que llamamos su esperanza mesiánica. El rey futuro era el Mesías. Volveremos a esto más tarde con más detalles, pero los profetas y los salmistas de Israel daban una expresión magnífica a este desenvolvimiento.

A manera de un desarrollo paralelo, podemos ver también las enseñanzas del Antiguo Testamento acerca de un futuro reino sobrenatural de Dios. Estas enseñanzas eran a la vez paralelas con la idea de un Mesías y también se entremezclaban con ella. La visión de un reino futuro era a veces temporal y otras veces escatológica, ya que tenía que ver con el fin de la era. Esta visión del reino futuro tenía sus raíces en el concepto de la soberanía de Dios y en la idea de que sólo él conocía el futuro. El aceptar las dos cosas como veraces, era sólo un paso para que Dios enseñase a Israel que él solo estaba en control del futuro. Una parte de este control se veía como realizándose mediante la nación de Israel. Pero no era la historia completa, porque Dios también controlaba el futuro pese a Israel. Ellos no podían frustrar su control ni por la desobediencia ni por la rebelión.

En la mayoría de las visiones veterotestamentarias de este reino futuro, el día del Señor se consideraba como el tiempo de la inauguración del reino. Volveremos posteriormente a una consideración detallada de "ese día". Ya que afecta nuestro estudio del reino futuro, hay varios rasgos significativos sobre los cuales hemos de estar pendientes. Cuando viniera el día del Señor, los propósitos divinos serían vindicados sobre el escenario de la historia humana. Además, una nueva era se inauguraría sobre la tierra. Aun los animales compartirían la gloria de este reino venidero.

En ese reino futuro de Dios abundarían la justicia y la paz, porque Dios reinaría supremamente. Los hombres redimidos compartirían ese reino futuro. Estos hombres redimidos serían un remanente salvo. A esto también volveremos después.

En último análisis, toda la esperanza de Israel respecto al futuro estribaba en la soberanía absoluta de Dios. El había sido soberano en el pasado, era soberano en el presente y sería soberano en el futuro. No había ningún desafío que pudiera quedar en pie ante su soberanía. En base a la seguridad de esa soberanía, a Israel se le daba una esperanza para el futuro.

El juicio y la ira de Dios

Ya hemos puesto alguna atención al juicio y la ira de Dios en el capítulo 3, en donde consideramos los actos de Dios. Debemos regresar ahora a estos conceptos, porque jugaban un papel muy vital en la esperanza de Israel para el futuro. Los actos de salvación y gracia de Dios se han desplegado dentro de la historia contra el trasfondo del juicio y la ira. La salvación de Israel dependía de su reconocimiento de que la ira de Dios se manifestaba contra el pecado y la impiedad. De modo que cuando los pensamientos de Israel empezaban a centrarse más en su salvación futura que en su salvación presente, aquel se fundaba firmemente sobre las enseñanzas veterotestamentarias en torno al juicio e ira actuales tanto como futuros.

La naturaleza y el propósito del juicio de Dios.

El juicio y la ira de Dios se enseñan claramente como realidades dentro del Antiguo Testamento. Estas ideas han sido descartadas por algunos intérpretes como antropomorfismos desgastados. Puede que sean antropomórficos, pero no están desgastados. Es un énfasis principal que haría que el Antiguo Testamento no tuviera sentido si se quitara.

La ira de Dios claramente tenía un énfasis moral, porque los profetas anunciaban que ésta se dirigía contra el pecado moral. Es más, los profetas eran igualmente claros respecto al hecho de que la ira de Dios se dirigía primordialmente a Israel debido a su traición de la relación de pacto. Pero, aún más, los profetas también veían que la ira de Dios se dirigía a todo el orgullo humano, fuese el de Israel o el de otra nación. El trato inhumano de un pueblo para con otro caía también de manera segura bajo la ira de Dios.

De modo que cuando el Espíritu de Dios es entristecido por el pecado del hombre, aquel llega a ser enemigo del pecador, quienquiera que sea. Por esto se nos dice:

> "Mas ellos fueron rebeldes, e hicieron enojar su santo espíritu; por lo cual se les volvió enemigo, y él mismo peleó contra ellos" (Is. 63:10).

También nos hemos fijado en que la ira de Dios tenía una mira evangelizadora. Los profetas estaban bien convencidos de que la ira de Dios estaba templada por la misericordia y que su amor firme era su característica prevaleciente. De modo que el juicio y la ira siempre eran productos de su amor. Amós declaró que el propósito de Dios en el juicio era llevar a Israel al arrepentimiento y así hacer que volviesen a Dios (Am. 4:6-11).

Los profetas también estaban seguros de que el juicio de Dios era ineludible. Nadie podía desafiar las demandas justas de Dios. Tales actos encendían su ira y hacían que su juicio fuese seguro.

Es más, el juicio se veía como cayendo sobre naciones, grupos dentro de naciones, familias e individuos. Había un sentido muy real de responsabilidad colectiva por el pecado. Es igualmente verdad que había un sentido de responsabilidad personal. Aun Deuteronomio dice:

> "Los padres no morirán por los hijos, ni los hijos por los padres; cada uno morirá por su pecado" (Dt. 24:16).

Sin embargo, esto no quería decir que los hijos podían eludir las consecuencias históricas de los pecados paternales. Eso, no obstante, no es ni la ira ni el juicio.

En cambio, fueron la naturaleza ineludible del juicio temporal de Dios y su propósito evangelizador los que hicieron que Israel tuviera esperanza. Dios no solo castigaba, sino que buscaba redimir. No solo castigaba el pecado, sino que se proponía liberar al pecador. Esto nos trae a una consideración del día del Señor y el juicio y la ira de Dios.

El día del Señor y el juicio de Dios

Uno de los rasgos de la comprensión veterotestamentaria en torno a la ira y el juicio de Dios era que estaban claramente vinculados al día del Señor. Amós fue el primer profeta en aludir a este evento.

> "¡Ay de los que desean el día de Jehová! ¿Para que queréis este día de Jehová? Será de tinieblas, y no de luz; como el que huye de delante del león, y se encuentra con el oso; o como si entrare en casa y apoyare su mano en la pared, y le muerde una culebra. ¿No será el día de Jehová tinieblas y no luz; oscuridad, que no tiene resplandor?" (Am. 5:18-20).

Aunque no hay referencias bíblicas al día del Señor antes de Amós, el mismo modo en que lo abordaba hacía muy claro el que ya formara parte de la teología popular. No presentaba una nueva idea, sino que corregía una idea antigua. El pueblo esperaba que el día fuese un tiempo de juicio sobre los enemigos de Dios. Amós dijo que esto era cierto, pero que ¡Israel era uno de sus enemigos! El juicio ya formaba parte esencial del concepto del día. Lo que Amós agregó fue que el juicio sería un juicio moral sobre el pueblo del pacto.

La pregunta obvia que debemos hacernos ahora es: ¿Cómo surgió el concepto del día del Señor? ¿En dónde entró este concepto en la fe de Israel? Por este medio, puede que descubramos lo que el día quería decir en realidad. Antes de seguir con esa pregunta, debemos notar que el día del Señor se identificaba de manera constante como "aquel día", "el tiempo de su venida", "el día del castigo" u otras expresiones semejantes (Is. 12:1; Mal. 3:2; Is. 10:3).

Parece que hay dos raíces esenciales detrás del concepto del día del Señor. La primera y más básica surgió de la conciencia que Israel tenía del tiempo. Ellos consideraban que el tiempo era importante en virtud de lo que había ocurrido en él y no únicamente por su transcurso. De modo que los meses eran nombrados por lo que tenía lugar, tal como "la cosecha de la cebada", "la siembra temprana", "la cosecha del lino" y asi sucesivamente. Por lo tanto, cualquier día especialmente lleno de las actividades del Señor pudiera haberse llamado el día del Señor. Muy naturalmente, pudiera haber surgido el concepto de que cualquier día de jucio o liberación era el día del Señor. Habría sido muy fácil que este concepto se trasladara al tiempo último de juicio. Tal cosa hubiera sido el día del Señor de modo muy especial.

La segunda idea básica detrás de este concepto probablemente surgió de la creencia de que Dios era un guerrero y peleaba a favor de Israel. Se le describe así en muchos de los libros más antiguos del Antiguo Testamento. El peleó por ellos en Egipto y en Canaán. Desde este punto de vista, el día del Señor habría sido el día de su victoria particular sobre los enemigos de Israel y sobre los suyos también. Entonces Amós habría estado señalando que aunque esto era cierto, Israel se hallaba entre los enemigos. De nuevo, es muy fácil ver como esto podría haberse transferido a la idea de la victoria final de Dios sobre todos aquellos que eran sus enemigos.

Aunque se han hecho otras sugerencias, no hay ninguna que parezca cuadrar realmente con las descripciones del día del Señor tal y como se presentan en el Antiguo Testamento. Se veía como el día de la actividad de Dios en el juicio. También se veía como el día de la victoria última de Dios sobre sus enemigos.

Al considerar el significado del día del Señor para la esperanza futura de Israel, nos hace falta fijarnos en varias cosas. Primera, constituía una parte principal de la esperanza futura de Israel. Casi todos los profetas tenían algo que decir al respecto. También hay alusiones frecuentes en los salmos.

Segunda, durante el período preexílico, el concepto principal dentro de la expresión "aquel día" era el de juicio. Este juicio caería sobre Israel, porque su privilegio dentro del pacto conllevaba una responsabilidad. Sin embargo, el juicio también se veía como cayendo sobre las naciones circunvecinas. A ellas también se les tenía como responsables por sus acciones (Am. 1:3—2:3). Pero, aunque se recalcaba el juicio, había también una conciencia de que Dios libraría a un remanente de su pueblo. De modo que Isaías proclamó:

"Acontecerá en aquel tiempo, que los que hayan quedado de
Israel y los que hayan quedado de la casa de Jacob, nunca
más se apoyarán en el que los hirió, sino que se apoyarán
con verdad en Jehová, el Santo de Israel. El remanente
volverá, el remanente de Jacob volverá al Dios fuerte. Porque
si tu pueblo, oh Israel, fuere como las arenas del mar, el
remanente de él volverá. . ." (Is. 10:20-22).

Tercera, durante el período postexílico parece que hubo un
cambio leve de énfasis. Se daba un nuevo enfoque sobre el hecho de
que el día sería un tiempo de liberación de los enemigos de Israel.
Es casi como si en cierto grado el mismo exilio se viera como
dirigido principalmente contra Israel como el día del Señor. Después, habría un día del Señor futuro dirigido contra sus opresores.
Pero esto no constituye la historia completa, porque durante este
período, el día también se veía como uno de salvación para Israel
tanto como para sus enemigos. El gran día del Señor sería de
redención tanto como de juicio.

Se debe notar que Israel nunca se contempló a si mismo como
trayendo el día. Siempre se veía como producto de Dios mismo.
Israel siempre se consideró como bastante pasivo.

Tenemos una tendencia a querer un horario para todos los
eventos de Dios. Parece que esto no era cierto respecto a los profetas
hebreos. Al día del Señor normalmente se le describía en el Antiguo
Testamento con una forma verbal que se conoce como el perfecto
profético. Esto hace que luzca como si ya hubiera sucedido. Pero lo
que estos voceros antiguos de Dios describían era el hecho de que el
día ya está fijo y seguro en la mente de Dios. El lo había trazado y
podía describirlo como si ya lo hubiera visto. De modo que los
profetas sabían que el día venía. Ellos sabían que era seguro. No
malgastaban el tiempo preguntando "¿Cuándo?" Más bien, les
tocaba usar la certeza de su venida como un medio para llamar al
pueblo al arrepentimiento.

El remanente y el juicio de Dios.

El concepto del remanente también figuraba como una parte
principal en la esperanza futura de Israel, cuya esperanza se
relacionaba estrechamente con la idea del juicio. Hay cinco palabras
básicas usadas por el Antiguo Testamento para describir a este
grupo. Cada una de estas se traduce "remanente", pero cada una
tiene un trasfondo levemente diferente. Primera, el remanente sería
el restante, aquellos que permanecerían despues del juicio. El
segundo término se centraba en el hecho de que este grupo había
escapado del juicio. El tercero describía el residuo que quedaba en

el fondo de una taza o fuente. El cuarto término recalcaba el hecho de la supervivencia. El último llamaba la atención a los retazos que quedaban después de confeccionarse algo. Todos estos términos señalaban el hecho de que solo una parte de Israel quedaría después que la ira de Dios hubiese producido el juicio. Así, Isaías ofrecía esperanza al decir:

> "Y lo que hubiere quedado de la casa de Judá y lo que hubiere escapado, volverá a echar raíz abajo, y dará fruto arriba. Porque de Jerusalén saldrá un remanente, y del monte de Sion los que se salven" (Is. 37:31, 32; 2 R. 19:30, 31).

El concepto de un remanente sobreviviente se halla a través de todo el Antiguo Testamento. Noé y su familia eran el remanente después del diluvio (Gn. 7:21-23). Lot y sus hijas eran el remanente que sobrevivió la destrucción de Sodoma (Gn. 19:29). Dios le dijo a Elías que había un remanente fiel en Israel aun durante su vida (1 R. 19:18).

Pero restaba que los profetas agudizaran y desarrollaran el concepto en cuanto a la esperanza futura de Israel. Su desarrollo tenía varios énfasis. En algunos casos el remanente parece ser únicamente aquellos que sobreviven el juicio. No se pensaba que este fuera un remanente justo, sino que su supervivencia era por pura gracia. Los profetas parecían esperar que el remanente volvería a Dios buscando el perdón y la misericordia como acto de agradecimiento por su supervivencia. De estos hablaba Isaías:

> "Si Jehová de los ejércitos no nos hubiese dejado un resto pequeño, como Sodoma fuéramos y semejantes a Gomorra" (Is. 1:9).

Empero, parece haber algunas ocasiones cuando los profetas describían el remanente como sobreviviente porque era justo y tenía una relación correcta con Dios. En este caso, los que formaban parte del remanente estaban ahí por una elección deliberada. A estos Dios llamaba con cariño:

> "De cierto te juntaré todo, oh Jacob; recogeré ciertamente el resto de Israel; lo reuniré como ovejas de Bosra, como rebaño en medio de su aprisco; harán estruendo por la multitud de hombres" (Mi. 2:12).

Jeremías agregaba una nueva dimensión con su visión del nuevo pacto (Jer. 31:31-34). Para él, el remanente se compondría de aquellos individuos que entraban en esa nueva relación con Dios. Su esperanza respecto al remanente se basaba en los actos de la gracia de Dios y en la libre respuesta del hombre, hecha ésta posible por el acto de la gracia de Dios. (Abordaremos el nuevo pacto con más detalle posteriormente en este capítulo.)

De modo que la esperanza profética ofrecía una visión de un remanente que se salvaba a través del juicio y por medio del mismo. Desgraciadamente, cuando Israel volvió del exilio, esta esperanza por poco se destruyó. Aquellos que regresaban parecían considerarse como el remanente, pero las cosas no habían mejorado. De modo que a Nehemías se le decía:

> ". . . El remanente, los que quedaron de la cautividad, allí en la provincia, están en gran mal y afrenta, y el muro de Jerusalén derribado, y sus puertas quemadas a fuego" (Neh. 1:3).

El pueblo que había quedado tenía los mismos problemas de antaño de pecado y desobediencia. De manera que los profetas veían que su esperanza para un remanente quedaba postergada, pero no abandonada. A esta altura Dios hacía que mirasen por los corredores del tiempo para ver al remanente futuro de Dios, para quien todas las promesas de Dios serían cumplidas.

Era sobre esta esperanza postergada que Pablo elaboró en su carta a los Romanos. A ellos escribía:

> "Digo, pues: ¿Ha desechado Dios a su pueblo? En ninguna manera. Porque también yo soy israelita, de la descendencia de Abraham, de la tribu de Benjamín. . . Así también aun en este tiempo ha quedado un remanente escogido por gracia" (Ro. 11:1, 5).

Al repasar el concepto que Israel tenía del juicio de Dios, nos fijamos en que el concepto en sí era base para la esperanza. El mismo juicio ofrecía esperanza, porque aseguraba que Dios se preocupaba por las cosas. A él le interesaba lo que ellos hacían. Aun más, ofrecía esperanza, porque su juicio encerraba una dimensión redentora. Con el correr del tiempo, buscaba traer a Israel de nuevo a Dios. En el día del Señor último, su juicio crearía un remanente redimido y purificado. Los integrantes de ese remanente serían participantes en el nuevo pacto. Como tales, serían el nuevo pueblo de Dios. Es este nuevo pueblo de Dios que Jesús ha salvado y ha llamado para sí. He aquí otra gloriosa flor neotestamentaria brotada de las raices del Antiguo Testamento.

El Mesías

Para el cristiano, tal vez el aspecto más significativo de la esperanza futura de Israel estriba en su expectación del Mesías. Al mismo tiempo, a menudo es uno de los aspectos más difíciles y que producen confusión. La mayor parte de la confusión estriba en una concepción nebulosa del significado de los varios términos empleados por los intérpretes. Sin embargo, algo de la confusión también estriba en el hecho de que los intérpretes usen estos términos de varias maneras. Por lo tanto, carecen de consecuencia. Estemos bien conscientes de que una falta de claridad tocante a las palabras claves puede acarrear una confusión total al intentarse ordenar estos conceptos.

Es preciso, por lo tanto, que se comprendan estas palabras clave mientras las estoy usando. Las siguientes definiciones deben ayudar a esclarecer esto.

La primera palabra que se usa tan a menudo en este contexto es *escatología*. Este vocablo también aparece consecuentemente como un adjetivo o sea escatológico. La palabra deriva de un vocablo griego que quiere decir último o fin. La escatología veterotestamentaria, por lo tanto, alude al concepto del Antiguo Testamento en torno a las últimas cosas. Llama la atención a las cosas que acompañarán el fin de la era, tal y como los escritores veterotestamentarios las concebían.

El segundo término que necesita definirse con más atino es *esperanza futura*. Yo lo uso para referirme a aquellos eventos que los escritores del Antiguo Testamento veían como realizándose en su futuro y por lo tanto eran base para su esperanza. Desde nuestra posición de ventaja histórica, mucha de su esperanza futura ya es pasado. Por ejemplo, algo de la esperanza futura de los profetas de los reinos hebreos sucedió cuando el retorno del exilio. Otras cosas dentro de ella se realizaron en el ministerio de Jesucristo. La esperanza futura de Israel podía involucrar, y de hecho involucraba, cosas buenas tanto como malas siempre y cuando ofrecieran una especie de esperanza. De modo que la escatología de Israel claramente formaba parte de su esperanza futura. Pero su esperanza futura involucraba mucho más que su escatología.

La tercera idea que debemos entender con más precisión de hecho se da en dos formas, *mesías* y *profecía mesiánica*. Estos términos son un poco más difíciles de entender con claridad. Por definición, estoy limitando la profecía mesiánica a aquellas partes de la esperanza futura de Israel que hablan específicamente del mesías. Por ende, cualquier concepto del futuro que no aborde la obra del mesías no debe llamarse profecía mesiánica, y de hecho no se hará.

Antes de poder definir la palabra *mesías*, debemos considerar algunos otros factores. La palabra *mesías* es en realidad una transliteración de una palabra hebrea. Específicamente quiere decir "cosa ungida" o "el ungido". Se usaba en el Antiguo Testamento para referirse a varios objetos y personas.

De vez en cuando el término se aplicaba específicamente a objetos inánimes tales como el altar o el escudo (Nm. 7:10; Is. 21:5). Estos eran objetos ungidos o apartados para el uso de Dios. Eran específicamente designados para lograr sus propósitos.

El término también se usa a menudo respecto a personas nombradas para cargos históricos. En estos cargos habrían de servir a Dios y ministrar a su pueblo. De modo que se nos dice acerca de Saúl:

> "Tomando entonces Samuel una redoma de aceite, la derramó sobre su cabeza, y lo besó, y le dijo: ¿No te ha ungido Jehová por príncipe sobre su pueblo Israel?" (1 S. 10:1.)

Esto también podría traducirse: "¿No te ha hecho mesías el Señor, para ser príncipe?" Se aplicó a David (1 S. 16:13), y generalmente a los reyes que gobernaban o en Israel o en Judá.

Es más, a los sacerdotes y a los profetas se les describían como ungidos (Lv. 4:5; 6:22; Is. 61:1). O se les nombraba para servir al altar o para proclamar la palabra de Dios. Además, aun a un rey pagano, Ciro, el conquistador persa, se le dio este título:

> "Asi dice Jehová a su ungido, a Ciro, al cual tomé yo por su mano derecha, para sujetar naciones delante de él, y desatar lomos de reyes; para abrir delante de él puertas, y las puertas no se cerrarán" (Is. 45:1).

En una ocasión, el término se aplicó aun a la nación completa de Israel.

> "Saliste para socorrer a tu pueblo, Para socorrer a tu ungido"
> (Hab. 3:13).

En estas ocasiones el término a menudo se refería a la unción con aceite antes de que alguien o algo pudiera ser usado en el servicio de Dios. Pero en cada caso la cosa o la persona ungida estaba dedicada específicamente al servicio de Dios.

Empero, el termino *mesías,* se aplicaba especialmente al gobernante davidico ideal del futuro. Al llegar a este uso, vemos lo que generalmente queremos decir por *mesías.* Es con este uso que nos acercamos a la verdadera profecía mesiánica.

El término *mesías* nunca se usa en el Antiguo Testamento con el artículo definido. No hay ni un solo texto que lea "el mesías". Tampoco parece usarse jamás como un nombre propio. Más bien, el término parece centrarse siempre en una función, el deber o el servicio que el mesías rinda a Dios. De modo que definiremos al mesías como aquel que ha sido apartado para un servicio específico a Dios. Se centrará en señalar a un descendiente de David. Hemos de mantener esta definición delante de nosotros al volver nuestra atención al desarrollo veterotestamentario de una esperanza mesiánica.

El trasfondo del concepto mesiánico.

Como hemos notado, no había ningún pasado glorioso en la historia de Israel. Los pueblos en su derredor siempre miraban retrospectivamente a un pasado bien real o imaginario, el cual representaba un siglo de oro para ellos. Israel sólo podía mirar atrás a un pasado que incluía la esclavitud en Egipto, el vagar en el desierto y las rebeliones y opresiones del período de los jueces. Ya que no había ningún siglo de oro que les atrajera hacia atrás, estaban más abiertos respecto a las posibilidades del futuro. Dentro de esta apertura hacia el futuro, Dios derramó su revelación.

En el pasado de Israel, la obra de Moisés se veía como la más luminosa y de hecho no era tan atractiva. El reino de David llegó a ser el siguiente punto de atracción, pero éste también tenía los pies de barro. Aparte de sus fracasos humanos personales, no obstante, había la seguridad de que Dios lo había escogido para un servicio especial. Es mas, Dios había usado a David para realizar los únicos logros verdaderamente grandes en la historia nacional de Israel. Además, a David se le prometieron bendiciones futuras para su familia y por ella, bendiciones para el pueblo.

Esto ocasionó un dilema para el pueblo de Israel. Al contrastar esas promesas de bendiciones futuras con las realidades presentes de la mayoría de sus monarcas reinantes, los sucesores davídicos, notaban una discrepancia obvia. Lo que esperaban y lo que en realidad había era muy diferente. De modo que se les guiaba a que levantaran los ojos y que mirasen hacia el futuro cuando un hijo de David reinaría sobre ellos tal y como ellos esperaban y deseaban. Era esta diferencia entre su esperanza y su experiencia la que puso la primera parte del trasfondo contra el cual se edificó su esperanza mesiánica.

El concepto veterotestamentario de majestad se relacionaba con esto, pero también agregaba otra dimensión. La ideología real del antiguo Cercano Oriente puede haber contribuido en algo a esto. En las naciones vecinas de Israel al rey se le veía como el representante del dios, el hijo del dios y a veces hasta se le identificaba con el dios. Se realizaban grandes fiestas cuando la ceremonia anual de entronización en la que el rey hacía el papel de dios en ritos elaborados que celebraban la creación, la renovación anual de la naturaleza y a veces el establecimiento de su propia nación. Ahora bien, es muy obvio que en Israel nunca se le daba tanto énfasis al rey ni a su relación específica con Dios. Sin embargo, Israel seguramente estaría consciente de estos ritos y su significado.

Es muy posible que el énfasis de Israel sobre la humanidad de su rey se diera en reacción a esta clase de rito pagano. También es muy posible que algo de su énfasis sobre la majestad última de Dios fuese una reacción semejante. A la vez, es muy probable que Israel usara algunas partes de esos ritos antiguos de un modo muy distinto al de sus vecinos. Seguramente Israel anticipaba algunas de las mismas cosas respecto al mesías futuro de Dios que las naciones circunvecinas reclamaban para su reyes reinantes. De modo que Israel decía a sus vecinos: "Vosotros pensáis que vuestro rey es un gobernante ideal con una relación ideal a vuestro dios. Estáis equivocados, pero a nosotros se nos dará un gobernante ideal futuro que tendrá una relación ideal con nuestro Dios." En un sentido, puede que Israel hubiera estado usando los ritos y las creencias de sus vecinos como medio de predicar su fe. Esta es precisamente la clase de cosa que Pablo hizo en Atenas (Hch. 17:16-31).

Más al grano, el ideal propio de Israel respecto a la majestad claramente jugaba un papel en el desarrollo de su esperanza mesiánica. El ideal israelita de la majestad empezaba con el concepto del rey como el ungido de Dios. Como tal, estaba apartado para un servicio especial a Dios (Dt. 17:14-20; 1 S. 8:4-22; 12:13-25). Al mismo tiempo, el rey nunca estaba por encima de la ley. Siempre había de ser obediente a la ley y a Dios. Había de guiar a su pueblo a la batalla, defenderlo, gobernarlo y así asegurar la paz. También se le consideraba como recipiente de talentos especiales o dones dados por Dios para capacitarlo con el fin de que cumpliera su responsabilidad. Además, se le veía como teniendo una relación especial con Dios en calidad de representante del pueblo. Es muy claro que esto también estaba en el trasfondo de la esperanza mesiánica israelita que estaba en vía de desarrollo. Ellos anticipaban un rey futuro que sería lo que cada rey histórico debiera haber sido pero no era.

Fue en la predicación profética que estos hilos se combinaban. Pese al predominio abrumador del juicio en su predicación, ellos tenían grandes visiones de un futuro para la nación. El juicio de Dios era a la vez redentor y purificador. Además, habría un remanente que sobreviviría. Al mirar hacia este futuro, ellos preveían un rey ideal que sería un descendiente de David. Es esta visión que debemos considerar ahora.

El ministerio futuro del Mesías

En las descripciones veterotestamentarias del libertador venidero, el futuro rey ideal, hay varios títulos y nombres que se le atribuyen. Estos nos ayudan a captar el cuadro de su función tal y como el Antiguo Testamento nos lo pinta. Es digno de notarse que el mismo término, *mesías*, raras veces se usa en el Antiguo Testamento para referirse a este gobernante ideal, si es que se usa siquiera. Fue el Nuevo Testamento que hizo esto al llamar a Jesús el "Cristo". (Esta es una transliteración de la palabra griega para *mesías*.) Sin embargo, la esperanza veterotestamentaria claramente señala a un gobernante ideal que sería descendiente de David.

Entre los términos que se usaban para referirse a este gobernante ideal futuro estaban aquellos que claramente lo identificaban como el hijo más grande del gran David. Entre estos estaban "vara", "vástago" y otros. De este modo Isaías prometió:

> "Saldrá una vara del tronco de Isaí, y un vástago retoñará de sus raíces" (Is. 11:1).

Jeremías agregaba al cuadro, al decir:

> "He aquí que vienen días, dice Jehová, en que levantaré a David renuevo justo, y reinará como Rey, el cual será dichoso, y hará juicio y justicia en la tierra" (Jer. 23:5).

Además, después del exilio, Zacarías ofrecía esperanza a su pueblo con la promesa divina: ". . . He aquí, yo traigo a mi siervo el Renuevo" (Zac. 3:8). Pareciera que Isaías solo describía la relación existente entre el mesías y David. Sería un retoño, un descendiente. Pero probablemente, para el tiempo de Zacarías, el término ya había llegado a ser un título del libertador esperado. Claramente era en base a esto que se anunciaba en el Nuevo Testamento respecto al nacimiento de Jesús:

> "Este será grande, y será llamado Hijo del Altísimo; y el Señor Dios le dará el trono de David su padre" (Lc. 1:32).

Sin embargo, otros títulos y nombres para el libertador mesiánico en el Antiguo Testamento son mucho más descriptivos. En Isaías 7:14 se le dio el nombre Emanuel. Este nombre sencillamente quiere decir "Dios con nosotros". ¡Qué promesa más grande contenía ese nombre! Sin embargo, la lista más conocida de nombres mesiánicos se halla en esta aseveración:

> ". . . y se llamará su nombre Admirable, Consejero, Dios fuerte, Padre eterno, Príncipe de paz" (Is. 9:6).

Mientras los reyes terrenales fallaban en cuanto a sabiduría, el rey
ideal poseería una sabiduría milagrosa. (La palabra *admirable* se
refiere a una maravilla, y es la misma palabra hebrea usada en el
vocabulario veterotestamentario para milagros.) Mientras los reyes
terrenales israelitas se veían vez tras vez como débiles y humanos,
el venidero tendría el poder de Dios. (Inclusive, puede que esto haya
sugerido más a Isaías que lo que nosotros nos atrevemos a
considerar. La palabra traducida *fuerte* se refiere a un hombre
fuerte en todos los demás casos en el Antiguo Testamento, salvo
éste. ¿Sería que Dios estaba dándole a Isaías un vislumbre de la
encarnación? Yo no puedo comprobar esto, pero en base a sus otros
usos en el Antiguo Testamento, parecería muy legítimo traducirlo
como "el poderoso hombre-Dios". Obviamente, si esto tuviera el
propósito de ser una predicción de la encarnación, el pueblo del
Antiguo Testamento lo dejó pasar desapercibido. Esta idea no llegó
a ser una parte de su esperanza mesiánica. Eso sí, tenemos
evidencia abundante de que ellos no vieron muchas cosas hasta que
Jesús se las hizo claras.)

Los otros dos títulos también indicaban la substancia de la
esperanza mesiánica de Israel en contraste con su realidad presente. Se esperaba que el rey fuera un padre para con su pueblo, pero a
menudo les oprimía. Cuando alguno cumplió este ideal, pronto
murió. El mesías sería un Padre eterno. Además, hubo pocas
oportunidades en las cuales los reinos hebreos no estuvieron en
guerra o amenazados por la guerra. El mesías sería verdaderamente
un Príncipe de paz.

Además de las amplias sugerencias dadas por sus títulos
respecto al ministerio del mesías, hay declaraciones más específicas. De modo que a Israel se le prometía:

> "Y él estará, y apacentará con poder de Jehová, con grandeza
> del nombre de Jehová su Dios; y morarán seguros, porque
> ahora será engrandecido hasta los fines de la tierra" (Mi.
> 5:4).

El mesías guiaría a su pueblo como un pastor, nutriéndolo y
protegiéndolo. Además, su grandeza y autoridad se extenderían
sobre toda la tierra. Isaías engrandecía esta visión al decir:

> "Porque un niño nos es nacido, hijo nos es dado, y el
> principado sobre su hombro. . . Lo dilatado de su imperio y
> la paz no tendrán límite, sobre el trono de David y sobre su
> reino, disponiéndolo y confirmándolo en juicio y en justicia
> desde ahora y para siempre. . . " (Is. 9:6, 7).

El mesías vendría al mundo por un proceso natural, el nacimiento.

El asumiría la autoridad de gobierno sobre su pueblo, pero esta autoridad se aumentaría hasta el fin del tiempo. Traería paz, y sería un reino de justicia y juicio. Hasta este punto, pudiera parecer que el énfasis principal sobre el ministerio mesiánico era político, pero no permaneció así:

> "Y reposará sobre él el Espíritu de Jehová; espíritu de sabiduría y de inteligencia, espíritu de consejo y de poder, espíritu de conocimiento y de temor de Jehová. Y le hará entender diligente en el temor de Jehová. No juzgará según la vista de sus ojos, ni argüirá por lo que oigan sus oídos; sino que juzgará con justicia a los pobres, y argüirá con equidad por los mansos de la tierra; y herirá la tierra con la vara de su boca, y con el espíritu de sus labios matará al impío. Y será la justicia cinto de sus lomos, y la fidelidad ceñidor de su cintura. Morará el lobo con el cordero, y el leopardo con el cabrito se acostará; el becerro y el león y la bestia doméstica andarán juntos, y un niño los pastoreará" (Is. 11:2-6).

> "No harán mal ni dañarán en todo mi santo monte; porque la tierra será llena del conocimiento de Jehová, como las aguas cubren el mar. Acontecerá en aquel tiempo que la raíz de Isaí, la cual estará puesta por perdón a los pueblos, será buscada por las gentes; y su habitación será gloriosa" (Is. 11:9, 10).

Aquí se describe claramente un ministerio espiritual y finalmente escatológico. El mesías hallaría recursos espirituales en Dios mismo. Es más, su placer se encontraría en una experiencia personal con Dios tanto como en la revelación autoritativa de Dios. (Véase el capítulo 1 para encontrar el significado de "el temor del Señor".) Además, ejercería su autoridad en base a justicia y equidad, pero también aseguraría que los pobres recibiesen un buen trato. Por último, resultaría un mundo transformado en donde todas las criaturas estarían en paz las unas con las otras, un tiempo cuando habría una carencia total del temor. Al final, ocasionaría una experiencia personal con Dios para toda la tierra, atrayendo de ese modo hacia sí a gente de todas las naciones.

Una descripción final nos completará el cuadro. Aquí se agregaba otra dimensión a la descripción del mesías que no hemos visto antes:

> "Alégrate mucho, hija de Sion; da voces de júbilo, hija de Jerusalén; he aquí tu rey vendrá a ti, justo y salvador, humilde, y cabalgando sobre un asno, sobre un pollino hijo de asna" (Zac. 9:9).

Vemos aquí al mesías aún representado como un rey, pero es una clase diferente de rey. Aunque viene con victoria absoluta, lo hace con una humildad genuina. No se le representa como montado sobre el tradicional caballo blanco semental del héroe conquistador. Más bien, cabalgando un burro, sin pretensiones y con humildad genuina.

Es muy fácil ver como cada uno de estos hilos del tapiz veterotestamentario jugaba su papel en el ministerio de Jesús. Muchos de los rasgos él los cumplió en su ministerio terrenal. Algunos tendrán que cumplirse aún en su regreso final y su victoria última al asumir la autoridad sobre su reino. Empero, era el cuadro del rey sobre un burro el que daba mas problema a sus contemporáneos. Cuando Jesús entró en Jerusalén justo de esta manera, lo hizo adrede para cumplir esta profecía (Mt. 21:1-10; Mc. 11:1-10; Lc. 19:29-38; Jn. 12:13-15). Era justamente la clase de acto específico que los sacerdotes y los líderes religiosos no podían sino entender. Era su reclamo deliberado de ser el rey venidero. Al mismo tiempo, sin embargo, era un acto que Pilato y el gobierno romano no podían tomar en serio. Si Jesús hubiese cabalgado un caballo semental, habría actuado como un rey terrenal y Pilato hubiera reaccionado de inmediato. Pero, tal y como Jesús lo hizo, hacía un reclamo ante Israel que no amenazaba el poder secular de Roma. Tal era la sabiduría de Dios. Jesús reclama para si la lealtad de los corazones y las mentes de los hombres sin derrocar sus gobiernos. Cuando el pueblo empiece a llegar a Jesús, sus gobiernos también se arrodillarán delante de él.

El Mesías y el Hijo del Hombre.

Hay todavía otro aspecto de la esperanza mesiánica israelita que reclama nuestra atención, el enigmatico Hijo del Hombre. Este no es realmente un aspecto principal de la esperanza mesiánica, pero sí tuvo un impacto grande sobre el Nuevo Testamento.

Entre las visiones de Daniel, el Hijo del Hombre aparece en la tradición mesiánica.

> "Miraba yo en la visión de la noche, y he aquí con las nubes del cielo venía uno como un hijo de hombre, que vino hasta el Anciano de días, y le hicieron acercarse delante de él. Y le fue dado dominio, gloria y reino, para que todos los pueblos, naciones y lenguas le sirvieran; su dominio es dominio eterno, que nunca pasará, y su reino uno que no será destruido" (Dn. 7:13, 14).

El Hijo del Hombre en este pasaje obviamente parece asociarse con el Mesías, porque el concepto de un rey con dominio y autoridad es mesiánico. Eso es lo que hace un rey: gobierna.

Al mismo tiempo, esta es la única referencia en el Antiguo Testamento al Hijo del Hombre en este sentido. Empero, debemos estar enterados de que en otra literatura, la extrabíblica, del período tardío del Antiguo Testamento, esta idea se recogió y se desarrolló muy ampliamente. (Esto se hizo en el Libro Etiópico de Enoc 37-71, en el Apocalipsis de Esdras, y en el Apocalipsis Siríaco de Baruc, tanto como en los Targumenes y en otros lugares de menos importancia.) Este desarrollo no habría sido significativo si Jesús no hubiera recogido y usado tanto el concepto. En una ocasión advirtió a sus discípulos, al decir:

> "Porque el Hijo del Hombre vendrá en la gloria de su Padre con sus ángeles, y entonces pagará a cada uno conforme a sus obras. De cierto, os digo que hay algunos de los que están aquí, que no gustarán la muerte hasta que hayan visto al Hijo del Hombre viniendo en su reino" (Mt. 16:27, 28).

Es más, cuando estaba siendo enjuiciado ante el sumo sacerdote, hubo una confrontación sobre esta misma frase. El sumo sacerdote le dijo:

> ". . . Te conjuro por el Dios viviente, que nos digas si eres tú el Cristo, el Hijo de Dios. Jesús le dijo: Tú lo has dicho; y además, os digo, que desde ahora veréis al Hijo del hombre sentado a la diestra del poder de Dios, y viniendo en las nubes del cielo. Entonces el sumo sacerdote rasgó sus vestiduras, diciendo: ¡Ha blasfemado! ¿Qué más necesidad tenemos de testigos?. . ." (Mt. 26:63-65).

El pretender ser el Hijo del Hombre se consideraba un reclamo al mesiazgo tanto como uno a la divinidad. El sumo sacerdote así lo entendió, e hizo que el Sanedrín condenase a Jesús en ese momento.

Volviendo al pasaje en Daniel, allí claramente se veía al Hijo del Hombre dentro de un contexto escatológico. Le fue dado por Dios un reino sobre todos los pueblos. Aquel reino era sin fin, fuese en el sentido geográfico o en el cronológico. En Daniel, al Hijo del Hombre no se le identificaba como divino. Tampoco puede afirmarse que se le caracterizase sólo como humano, porque claramente había una dimensión sobrehumana en él. En el material extrabíblico, no obstante, se le identificaba claramente como divino. De modo que cuando Jesús se llamaba a sí mismo "El Hijo del Hombre", no era para que se pensase en él como humano. Su humanidad era obvia. Para Caifás y el Sanedrín, su reclamo de ser el Hijo del

Hombre claramente era afirmar ser divino. Eso era lo que hacía que fuese blasfemia para sus oídos.

Aparentemente, pues, el concepto del Hijo del Hombre en Daniel era la última dimensión de la esperanza mesiánica del Antiguo Testamento. Se había comenzado como un concepto puramente físico y político, y terminó en un ministerio espiritual. A esto se agregó la idea de que él sería el rey sobrenatural y conquistador de los siglos. Era precisamente esto lo que Jesús llegó a ser.

Los hombres esperaban que fuese un rey político que restaurara el reino a Israel. Su reino resultó ser uno sobre los corazones de los hombres, sin límites territoriales ni temporales. Al final, será el rey todo conquistador, que vendrá en las nubes de gloria.

El Siervo sufriente

La esperanza futura de Israel abarcaba mucho más que el Mesías y el reino mesiánico. Otra dimensión principal se halla en su cuadro del Siervo sufriente. Desde hace mucho se reconoce que hay cuatro pasajes en el libro de Isaías que se distinguen marcadamente en su contenido del resto del libro. A éstos se les ha llamado "los poemas del Siervo", o "los poemas del Siervo sufriente". Tomos enteros se han escrito en torno a ellos, y un análisis detallado puede encontrarse en cualquier buen comentario crítico.

La naturaleza y el ministerio del Siervo

En el primero de estos poemas Dios describe a su siervo.

> "He aquí mi siervo, yo le sostendré; mi escogido, en quien mi alma tiene contentamiento; he puesto sobre él mi Espíritu; él traerá justicia a las naciones. No gritará, ni alzará su voz, ni la hará oir en las calles. No quebrará la caña cascada, ni apagará el pábilo que humeare; por medio de la verdad traerá justicia. No se cansará ni desmayará, hasta que establezca en la tierra justicia; y las costas esperarán su ley" (Is. 42:1-4).

El Siervo había sido llamado por Dios, llenado por su Espíritu, y se le dio un ministerio mundial. El era amable y sin desánimo. Tendría éxito en su ministerio.

En el segundo poema, habló el siervo mismo (Is. 49:1-6). Allí él describió su llamamiento por Dios. También indicó que según toda apariencia exterior, su ministerio no había sido exitoso. El era consciente del honor que Dios le había dado y de la fuerza por la cual era sostenido. Dios le respondió que el siervo habría de ser la dádiva de Dios a todos los hombres, llevándoles la salvación.

> ". . . también, te di por luz de las naciones, para que seas mi salvación hasta lo postrero de la tierra" (Is. 49:6).

En el tercer poema al Siervo se le describió por vez primera como sufriente (Is. 50:4-9). El Siervo había sido enseñado por Dios y había sido obediente a esas enseñanzas. Por lo tanto, sobrellevaba sus sufrimientos.

> "Di mi cuerpo a los heridores, y mis mejillas a los que me mesaban la barba; no escondí mi rostro de injurias y de esputos" (Is. 50:6).

Pese a este maltrato y oposición, el Siervo seguía confiando en Dios. El sabía que Dios no permitiría que sufriera una derrota final.

Bien se ha dicho que el cuarto poema es la culminación de la revelación divina en el Antiguo Testamento (Is. 52:12—53:12). Dios había prometido que su Siervo tendría éxito al final. Y sin embargo, todo parecía indicar lo contrario. A la gente de la nación se la describe como hablando en torno al Siervo:

> "¿Quién ha creído a nuestro anuncio? ¿y sobre quién se ha manifestado el brazo de Jehová? Subirá cual renuevo delante de él, y como raíz de tierra seca; no hay parecer en él, ni hermosura; le veremos, mas sin atractivo para que le deseemos. Despreciado y desechado entre los hombres, varón de dolores, experimentado en quebranto; y como que escondimos de él el rostro, fue menospreciado, y no lo estimamos. Ciertamente llevó él nuestras enfermedades, y sufrió nuestros dolores; y nosotros le tuvimos por azotado, por herido de Dios y abatido. Mas él herido fue por nuestras rebeliones, molido por nuestros pecados; el castigo de nuestra paz fue sobre él, y por su llaga fuimos nosotros curados. Todos nosotros nos descarriamos como ovejas, cada cual se apartó por su camino; mas Jehová cargó en él el pecado de todos nosotros. Angustiado él, y afligido, no abrió su boca; como cordero fue llevado al matadero; y como oveja delante de sus trasquiladores, enmudeció, y no abrió su boca. Por carcel y por juicio fue quitado; y su generación, ¿quién la contará? Porque fue cortado de la tierra de los vivientes, y por la rebelión de mi pueblo fue herido. Y se dispuso con los impíos su sepultura, mas con los ricos fue en su muerte; aunque nunca hizo maldad, ni hubo engaño en su boca" (Is. 53:1-9).

La nación estaba aturdida por el sufrimiento del Siervo. El hecho de la naturaleza vicaria del sufrimiento estaba más allá de comprensión. El había sufrido por los pecados de otros. Esta era una dimensión nueva, la revelación más grande jamás dada.

El ministerio del Siervo parecía terminar en derrota, ya que finalizaba en la muerte. Y sin embargo, este no es el fin de la historia. El cuarto poema sigue:

> "Con todo eso, Jehová quiso quebrantarlo, sujetándole a padecimiento. Cuando haya puesto su vida en expiación por el pecado, verá linaje, vivirá por largos días, y la voluntad de Jehová será en su mano prosperada. Verá el fruto de la aflicción de su alma, y quedará satisfecho; por su conocimiento justificará mi siervo justo a muchos, y llevará las iniquidades de ellos" (Is. 53:10, 11).

El Siervo murió en obediencia a Dios. Pero la muerte no era derrota sino victoria. El Siervo mismo, aunque muerto, aún vivirá para apreciar que lo que logró trajo liberación del pecado a su pueblo. El Siervo finalmente estará satisfecho por su ministerio.

El cuadro global del Siervo sufriente de Dios es de uno que era de espíritu paciente y amable, consciente de ser un vaso escogido en las manos de Dios y sostenido por el compañerismo de Dios mismo. Su tarea era la de llevar a todos los hombres a Dios. Lo logró mediante el sufrimiento inmerecido y vicario. Se hizo sacerdote tanto como sacrificio, ofreciéndose a sí mismo como la ofrenda por el pecado de su pueblo. El resultado final fue una victoria de la cual el Siervo estaba consciente y satisfecho.

Hay, también, algunos salmos que señalan a este cuadro del Siervo sufriente. Sin embargo, no son ni tan exaltados ni tan bellos. Tampoco agregan algo en realidad al cuadro ya pintado.

Las enseñanzas de los poemas del Siervo.

Hay tres enseñanzas primordiales en los poemas del Siervo sufriente que van más allá de la pura descripción del mismo Siervo. Nos conviene poner atención a ellas, aunque brevemente.

La primera de estas enseñanzas es el concepto del sufrimiento representativo. Por primera vez en el Antiguo Testamento aparece la revelación profunda de que un sacrificio digno puede llevar los pecados morales de otros. Aunque lo veremos con más detalle en el capítulo 9, en donde consideraremos el sistema de sacrificios, había poca o ninguna provisión en el rito de Israel para expiar los pecados morales. Más bien, el énfasis primordial recaía sobre los pecados rituales: Cuando el salmista confesó sus grandes pecados, agregó también:

> "Porque no quieres sacrificio, que yo lo daría; No quieres holocausto" (Sal. 51:16).

Y en el mismo centro de las reglas de los sacrificios, a los hebreos se les había dicho que no había ninguna ofrenda que expiara un pecado hecho "con soberbia" (Nm. 15:29-31).

Empero, en los poemas del Siervo, había un sacrificio sustitutivo que podía quitar o llevar los pecados del pueblo. El sacrificio no era un animal sino el mismo Siervo de Dios.

La segunda enseñanza prncipal de estos poemas se relaciona estrechamente con la primera. Aunque todo pecado ahora podía ser quitado por el representante sufriente, esto solo podía lograrse si los pecadores culpables entraban en una relación personal con el Siervo.

> ". . . por su conocimiento justificará mi siervo justo a muchos, y llevará las iniquidades de ellos" (Is. 53:11).

Hemos de recordar que conocimiento en el Antiguo Testamento involucraba una relación personal íntima. Sólo cuando el culpable entra en esta relación con el Siervo es que sus pecados se quitan.

La tercera enseñanza principal de estos pasajes es más una implicación que una enseñanza. Mucha de la esperanza futura de Israel, como hemos visto, estaba ligada a la nación. Aquí, esto no se ve. De ningún modo pueden estas palabras limitarse sólo a Israel. Era una esperanza que claramente se ofrecía a todo pueblo y toda nación. Ciertamente se incluía a Israel en esto (Is. 49:5), pero también se incluía a todos los demás pueblos (Is. 42:1, 4; 49:6). El Siervo sufriente hacía que la salvación de Dios fuese extensiva a todos los fines de la tierra.

El Siervo sufriente y el Mesías

La última pregunta que debe hacerse respecto a las enseñanzas acerca del Siervo sufriente tiene que ver con su relación al Mesías. La pregunta sencillamente es esta: ¿se debe identificar al Siervo sufriente con el Mesias?

Desde nuestro punto de vista, de este lado de la cruz, la respuesta parecería ser tan sencilla como para hacernos cuestionar la validez de la pregunta. Para cualquier persona conocedora de la vida y ministerio de Jesús, ¡la respuesta sería un fuerte sí! Jesús claramente era el Mesías de Israel. Era también igualmente el Siervo sufriente de Dios. Pero debemos considerar esta pregunta desde la perspectiva del Antiguo Testamento y no desde la de su cumplimiento neotestamentario.

Tal vez el primer indicio de la dificultad de responder a esta pregunta procede del Nuevo Testamento mismo. Aun los más allegados a Jesús tenían problemas para entender la clase de Mesías que iba a ser. Este era un problema de tal dimensión que Juan el Bautista, desde la cárcel, mandó sus emisarios:

". . . Y llamó Juan a dos de sus discípulos, y los envió a Jesús, para preguntarle: ¿Eres tú el que había de venir, o esperaremos a otro?" (Lc. 7:18, 19.)

Jesús también reconoció el problema. De modo que no regañó a los que hacían la pregunta ni tampoco desdeñó la misma. Más bien, le dio una respuesta seria, el decir:

". . . Id, haced sabed a Juan lo que habéis visto y oído: los ciegos ven, los cojos andan, los leprosos son limpiados, los sordos oyen, los muertos son resucitados, y a los pobres es anunciado el evangelio, y bienaventurado es aquel que no halle tropiezo en mí" (Lc. 7:22, 23).

Así que, parece muy obvio que durante la vida de Jesús el pueblo de Israel no había asociado de ningún modo al Mesías con el Siervo sufriente en su propia mente. Es más, a Jesús no le sorprendía el que esto viniera de uno con tanto discernimiento como Juan. (En el capítulo 11 se dará consideración a una posible interpretación diferente.)

Al mismo tiempo, necesitamos obrar honestamente con la evidencia y notar que poco después del último poema del Siervo, el libro de Isaías hace una conexión tentativa con la esperanza davídica.

"A todos los sedientos: Venid a las aguas; y los que no tienen dinero, venid, comprad y comed. Venid, comprad sin dinero y sin precio, vino y leche" (Is. 55:1).
"Inclinad vuestro oído, y venid a mí, oíd, y vivirá vuestra alma; y haré con vosotros pacto eterno, las misericordias firmes a David" (Is. 55:3).

Debemos recordar que la esperanza mesiánica claramente anticipaba a un descendiente de David. De modo que una esperanza fincada en el pacto davídico sería mesiánica. Sin embargo, es muy cuestionable que este pasaje tuviera la mira de asociarse con el concepto del Siervo sufriente que lo precedió. Aunque tuviera tal mira, aparentemente nadie jamás hizo tal conexión en el Antiguo Testamento mismo.

Le tocó a Jesús mismo, durante su propia vida y ministerio, identificar al Mesías como el Siervo sufriente. La revelación final del

Siervo sufriente de Dios y de su Mesías se ve de manera singular en Jesús mismo. El dio significado pleno a ambas ideas. El claramente las combinó y, al hacerlo, también agregó el cuadro del Hijo del Hombre. Solo en él vemos que todos los hilos de la esperanza de Israel, el Mesías, el Hijo del Hombre y el Siervo sufriente, se unifican.

El nuevo pacto

Otro aspecto principal de la esperanza futura de Israel resultaba de su relación de pacto con Dios. Dios, de modo claro, había prometido que él sería firmemente leal al pacto. Empero, al mismo tiempo, Israel había violado de manera traicionera el pacto, había traicionado sus compromisos y se había rebelado contra Dios. ¿Qué se podría hacer para remediar esto?

Parece que Oseas fue el primero a quien se le dio discernimiento respecto al modo en que Dios iba a resolver este dilema de amor. Al mirar más allá del juicio que Dios iba a traer sobre Israel, Oseas oyó a Dios afirmar su lealtad prometida en términos de un pacto diferente o uno renovado (Os. 2:18-20).

Este concepto después fue recogido y ampliado por Jeremías. Este específicamente lo denominaba un "nuevo pacto" (Jer. 31:31). El nuevo pacto sería distinto al antiguo. Primero, sería un pacto interior, hecho desde adentro del hombre en vez de ser establecido exteriormente por leyes. Dios prometió: "Daré mi ley en su mente, y la escribiré en su corazón" (Jer. 31:33). El carácter interior del pacto obviamente quería decir que sería individual en lugar de nacional. Cada persona participaría en él por sí misma.

El segundo rasgo del nuevo pacto era que este establecería una nueva relación entre Dios y su pueblo: ". . . yo seré a ellos por Dios, y ellos me serán por pueblo" (Jer. 31:33). Otra vez, parecería que el énfasis a esta altura estaba sobre la naturaleza personal de esta relación. El propósito de esta nueva relación que Dios creaba era "para que anden en mis ordenanzas, y guarden mis decretos y los cumplan. . ." (Ez. 11:20). El pacto antiguo había fracasado, porque Israel había encontrado imposible el ser leal. En virtud de esta nueva relación, Dios haría que fuesen capaces de ser obedientes.

Además, el nuevo pacto guiaría a todos los pueblos a una relación experimental con Dios: ". . . porque todos me conocerán, desde el más pequeño hasta el más grande. . ." (Jer. 31:34). El nuevo pacto no sería dado a otros mediante una enseñanza acerca de Dios. Resultaría de un encuentro directo entre cada individuo y Dios.

El cuarto énfasis del nuevo pacto tenía que ver con sus

cimientos. El pacto antiguo se había establecido después de la liberación de Dios a Israel de Egipto. El nuevo pacto sería establecido por medio de la liberación de pecado por Dios. Se basaría sobre el perdón divino: ". . . porque perdonaré la maldad de ellos, y no me acordaré más de su pecado" (Jer. 31:34). Jeremías no señalaba cómo se lograría este perdón. Ya hemos visto que sería logrado por el ministerio del Siervo sufriente.

Este concepto del nuevo pacto llegó a ser una parte importante de la esperanza futura de Israel. Sin embargo, aquí, como en otras partes, le tocó a Jesús darle su significado último. En la última noche de Jesús sobre la tierra, al intentar describir el significado verdadero de su misión, este era el término que el escogió para describirlo.

> "Tomó una copa, y cuando hubo dado gracias, se la dio a ellos, diciendo: 'Tomad de ella, todos vosotros, porque esta es mi sangre del nuevo pacto que se derrama para el perdón de los pecados de los muchos' " (Mt. 26:27, 28, traducción del autor).

Este nombre que el escogió para describir su ministerio llegó a ser tan importante para las iglesias primitivas que lo usaron para nombrar la colección de libros que describía ese ministerio. De modo que llegamos a tener el Nuevo Pacto, o como solemos llamarlo más comúnmente, el Nuevo Testamento. Los dos términos son idénticos; solo son traducciones diferentes de la misma expresión.

El destino individual

El último aspecto de la esperanza futura del Antiguo Testamento tiene que ver con el destino final del individuo. Hemos observado que mucho de la esperanza futura de Israel tenía que ver con una nación restaurada. Mientras esta idea de la personalidad colectiva prevalecía en su pensamiento, esto no presentaba ningún problema, porque el individuo podría compartir ese reino venidero por ser parte de la nación. Esto era cierto aunque no sobreviviera para verlo personalmente.

Pero llegó a haber cada vez más un viraje hacia el individualismo y el concepto de la solidaridad colectiva ya no representaba la totalidad del cuadro. Era esto lo que hizo que la salvación fuese más y más una cuestión individual. Es más, mientras la vida se veía limitada al espacio entre el nacimiento y la muerte, había un problema creciente para el individuo para poder entender la justicia y el amor de Dios. Cuando los hebreos empezaron a luchar con este problema, Dios estaba listo para dar una nueva revelación.

La muerte y el futuro

Ya hemos visto que desde el principio, el Antiguo Testamento tenía poca concepción de alguna clase de existencia después de la vida. Lo único que quedaba del hombre era una sombra. Es más, al morirse los muertos bajaban al Seol, la morada de los muertos.

El Seol era descrito como un lugar de oscuridad y descomposición sin ninguna esperanza para aquellos que estuvieran allí. A veces se lo describía como un monstruo insaciable, siempre presto a tragar a la humanidad. De este modo, Habacuc describió a un hombre avaro al decir:

> ". . .ensanchó como el Seol su alma, y es como la muerte, que no se saciará" (Hab. 2:5).

Y el autor de Proverbios amonestaba:

> ". . . Tres cosas hay que nunca se sacian; Aun la cuarta nunca dice: ¡Basta! El Seol, la matriz estéril, La tierra que no se sacia de aguas, Y el fuego que jamás dice: ¡Basta!" (Pr. 30:15, 16.)

Además, en el Seol ya no había distinciones sociales o morales. Job lo ansiaba, al clamar:

> "Allí los impíos dejan de perturbar, allí descansan los de agotadas fuerzas. Allí también reposan los cautivos; No oyen la voz del capataz. Allí están el chico y el grande, Y el siervo libre de su señor" (Job 3:17-19).

En el Seol desaparecía toda esperanza. Mientras había vida, había oportunidades. Después de la muerte, no había nada.

> "Aún hay esperanza para todo aquel que está entre los vivos; porque mejor es perro vivo que león muerto. Porque los que viven saben que han de morir; pero los muertos nada saben, ni tienen más paga; porque su memoria es puesta en olvido. También su amor y su odio y su envidia fenecieron ya; y nunca más tendrán parte en todo lo que se hace debajo del sol" (Ec. 9:4-6).

La mayor tragedia de todas es que en el Seol no pudiera haber ni compañerismo con Dios ni adoración a él.

> "Porque en la muerte no hay memoria de ti; En el Seol, ¿quién te alabará?" (Sal. 6:5).

Aquellos que estaban en el Seol se describían como no conociendo nada de la bondad ni la grandeza de Dios.

"¿Manifestarás tus maravillas a los muertos? ¿Se levantarán los muertos para alabarte? ¿Será contada en el sepulcro tu misericordia, O tu verdad en el Abadón? ¿Serán reconocidas en las tinieblas tus maravillas, Y tu justicia en la tierra del olvido?" (Sal. 88:10-12.)

Al mismo tiempo, las sombras en el Seol se asemejan en algo a sus cuerpos vivientes. De este modo, Exequiel podía describir guerreros muertos siendo reconocidos debido a sus instrumentos de guerra (Ez. 32:27). Es más, la adivina de Endor vio un hombre anciano y su manto, y Saul le reconoció como Samuel (1 S. 28:14).

Empero, el Seol no se hallaba fuera del control de Dios. De modo que cuando Amós anunció la destrucción que Dios traería a Judá, él les advertió que no habría escape, ni siquiera en el Seol.

"Aunque cavasen hasta el Seol, de allá los tomará mi mano; y aunque subieren hasta el cielo, de allá los haré descender" (Am. 9:2).

Y el salmista sabía que ni en el Seol podía eludir la persecución de Dios.

"¿A dónde me iré de tu Espíritu? ¿Y a dónde huiré de tu presencia? Si subiere a los cielos, allí estas tu; Y si en el Seol hiciere mi estrado, he aquí, allí tú estas" (Sal. 139:7, 8).

Al principio, no se veía al Seol como un lugar de castigo, aunque todos los hombres iban allí. Este concepto surgió por la idea de que Dios enviaba los hombres allí antes de su tiempo. Así es que el salmista rogaba a Dios respecto a sus enemigos:

"Que la muerte les sorprenda; Desciendan vivos al Seol, Porque hay maldades en sus moradas, en medio de ellos" (Sal. 55:15).

Pero todavía el Seol no era sino la morada de los muertos. Lo que constituia el castigo era haber sido enviado allí antes del tiempo.

De modo que para la mayor parte del Antiguo Testamento, la muerte acababa con todo. Aún durante el tiempo de Jesús, los saduceos aun creían que no había vida después de la muerte. Pero esta no es la totalidad de la historia. En este cuadro de tinieblas, la luz de Dios empezó a resplandecer con una esperanza que prometía más que la extinción después de la muerte.

La resurrección y la vida en el más allá

Para completar la historia, debemos considerar los primeros vislumbres de esperanza que se le daban a Israel. Algunos de estos son poco más que insinuaciones. Otros son más directos, pero aún limitados.

Debemos tomar nota de que hay varios pasajes que equivocadamente se usan para evidenciar la enseñanza de vida después de la muerte. Un perfecto ejemplo es el salmo 23. Ahí el salmista dijo:

> "Ciertamente el bien y la misericordia me seguirán todos los días de mi vida, Y en la casa de Jehová moraré por largos días" (Sal. 23:6).

Desgraciadamente, esta es una traducción equivocada. El hebreo dice literalmente: "Yo moraré en la casa del Señor por largura de días". Lo único que el salmista expresaba era una confianza en que él estaría con Dios mientras viviera. (Nótese que el mensaje neotestamentario claramente nos ha dado un cuadro completo de la vida después de la muerte. Está bien que el cristiano use este texto para expresar su confianza en que Dios no lo abandonará ni en esta vida ni en la venidera, pero necesitamos reconocer que no llevaba este significado en el Antiguo Testamento.)

Sin embargo, hay declaraciones positivas en el Antiguo Testamento que debemos considerar. El primer pasaje que posiblemente nos de cierta insinuación registra las palabras de Ana. Ella llevaba a su hijo, Samuel, para que sirviera en Silo. Allí ella le dijo a Elí:

> "Por este niño oraba, y Jehová me dio lo que le pedí. Yo, pues, lo dedico también a Jehová; todos los días que viva, será de Jehová. . . " (1 S. 1:27, 28).

La palabra clave aqui es "dedico".[1] Prestar algo es esperar que sea devuelto. Empero a Samuel lo prestaban "todos los días que viva". Según el orden normal de las cosas, la madre moriría antes que su hijo. Y sin embargo, ella parece albergar alguna esperanza de una especie de reunión después de la muerte. Fuera lo que fuese su esperanza, nadie recogió la idea por algún tiempo.

Job ofreció dos vislumbres de esperanza. El echaba mano a esta esperanza cuando decía:

> "Porque si el árbol fuere cortado, aún queda de él esperanza;
> Retoñará aún, y sus renuevos no faltarán" (Job 14:7).
> "Mas el hombre morirá, y será cortado; Perecerá el hombre,
> ¿y dónde estará él?" (Job 14:10.)

Al ponderar el hecho de que el árbol tenía más esperanza de vida que el hombre, Job se vió obligado a hacer la pregunta de los siglos:

---

[1] *Nota del traductor:* La versión en inglés tiene "presto".

"Si el hombre muriere, volverá a vivir? Todos los días de mi
edad esperaré, Hasta que venga mi liberación" (Job 14:14).

Job tenía un vislumbre de la verdad al responder a la pregunta,
porque él dijo: "Entonces llamarás, y yo te responderé. . ." (Job
14:15). Pero, lo único que tenía era un vislumbre. No aguantaba y
aparentemente desistió de la idea al decir:

"Ciertamente el monte que cae se deshace. . . De igual
manera haces tú perecer la esperanza del hombre" (Job
14:18, 19).

Buscando alcanzar las estrellas, al final Job se precipitó de nuevo a
la tierra.

Pero, tenía otro discernimiento divino. Otra vez se le inducía a
que alcanzase las estrellas. Esta vez, se asía de ellas. Desde las
profundidades de la desesperación, al fin prorrumpió:

"Yo sé que mi Redentor vive, Y al fin se levantará sobre el
polvo; Y después de deshecha esta mi piel, En mi carne he
de ver a Dios; Al cual veré por mí mismo, Y mis ojos lo verán,
y no otro. . . " (Job. 19:25-27).

En este caso, Job estaba bien seguro que no tan sólo estaría
consciente después de la muerte, sino que él personalmente vería al
Dios que tomaba su parte y lo vindicaba. ¡Qué visión más maravillosa para el pobre sufriente! Pero aún aquí hay cierta duda si Job solo
veía la vida después de la muerte o en realidad veía una
resurrección.

El libro de Isaías nos ofrece aún otro discernimiento. Allí se nos
da un concepto claro de una resurrección limitada, solo para los
justos, De modo que, al hablar de los impíos, se nos dice:

"Muertos son, no vivirán; han fallecido, no resucitarán;
porque los castigaste, y destruiste y deshiciste todo su
recuerdo" (Is. 26:14).

Empero, había un futuro distinto para los justos.

"Tus muertos vivirán; sus cadáveres resucitarán. ¡Despertad
y cantad, moradores del polvo! porque tu rocío es cual rocío
de hortalizas, y la tierra dará sus muertos" (Is. 26:19).

Hemos de recordar que la concepción hebrea de la personalidad
necesitaba una resurrección corporal para ser plenamente significativa. Esta es absolutamente la primera aseveración de que habría un
avivamiento de cuerpos. Pero aun aquí, era bastante limitada; sólo
los que pertenecían a Dios gozarían de esta resurrección. Probable-

mente, este texto se proponía hablar únicamente de los justos.

Daniel vió una resurrección más grande. Pero, esta también era limitada. Allí se nos dice: "Y muchos de los que duermen en el polvo de la tierra serán despertados, unos para vida eterna, y otros para vergüenza y confusión perpetua" (Dn. 12:2). Aquí la resurrección se limitaba a los muy buenos y a los muy malos. Algunos eran resucitados a la vida, y otros a la confusión (fuera lo que fuese que se incluía en eso).

Basta decir que el Antiguo Testamento empezaba a moverse de un modo muy definido hacia el concepto que florecería en el Nuevo Testamento. Finalmente, fue la resurrección de Jesús la que dio pleno significado a la resurrección y a la vida después de la muerte. Fue él quien dio la respuesta de los siglos a la pregunta de Job, al decir: ". . . porque yo vivo, vosotros también viviréis" (Jn. 14:19). Dentro de esa promesa estriba la victoria última. "Mas gracias sean dadas a Dios, que nos da la victoria por medio de nuestro Señor Jesucristo" (1 Co. 15:57).

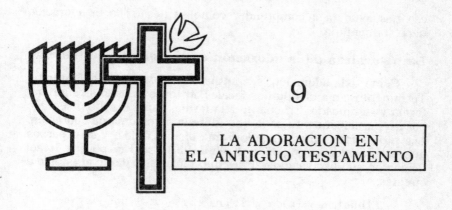

9

LA ADORACION EN EL ANTIGUO TESTAMENTO

Es difícil que un extraño entienda plenamente las expresiones de la adoración, sean antiguas o modernas. Las razones para esto no son difíciles de entender. La adoración es un acercamiento a Dios hecho por un individuo o un grupo. Como tal, es profundamente personal y siempre tiene una dimensión emocional que se hace difícil si no imposible de describir, aun en una conversación directa. Es aún más difícil escribir acerca de ella.

Aunque adoran al mismo Dios y sirven al mismo Salvador, es sumamente difícil para un católico y un evangélico comprender sus respectivas formas de adoración. Puesto que esto es cierto, aunque compartan la misma cultura nacional y sean de la misma tradición religiosa, se haría mucho más difícil si las barreras se multiplicasen. Entre el cristiano moderno y el hebreo antiguo hay barreras de tiempo, cultura, geografía y lenguaje, sólo para mencionar algunas. No es de sorprenderse, pues, que no encontremos significado en la adoración del Antiguo Testamento. Al intentar descubrir algún significado, a veces imponemos a esa adoración antigua nuestros significados contemporáneos. Pero esto nos deja tan ignorantes como antes en cuanto a su significado original para los hebreos.

Empero, la gente del Antiguo Testamento era el pueblo de Dios. Ellos recibieron una revelación significativa de él. Su acercamiento a Dios mediante la adoración debe merecer nuestra comprensión si es que hacemos el esfuerzo para ello. Seamos conscientes de ello o no, pese a las barreras que nos separan de aquellos santos, nuestra adoración es un legado directo de la de ellos. De modo que si podemos captar algo de las formas y significados de su adoración, eso nos ayudará a comprender cómo se desarrolló la adoración neotestamentaria.

La naturaleza de la adoración en el Antiguo Testamento

Como toda adoración, sea antigua o moderna, la del Antiguo Testamento tenía dos puntos focales en torno a los cuales giraba: forma y significado. En cuanto a la forma, había un ritual seguido por los participantes fuera la que fuese la ceremonia de adoración. Los ritos estaban prescritos de forma bien definida, y se esperaba que el adorador los siguiera al pie de la letra. Era porque Israel fallaba en su observación del rito que Malaquías llamó al pueblo a cuentas:

> "El hijo honra al padre, y el siervo a su señor. Si, pues, soy yo padre, ¿dónde está mi honra? y si soy señor, ¿dónde está mi temor? dice Jehová de los ejércitos a vosotros, oh sacerdotes, que menospreciáis mi nombre. Y decís: ¿En qué hemos menospreciado tu nombre? En que ofrecéis sobre mi altar pan inmundo. Y dijisteis: ¿En qué te hemos deshonrado? En que pensáis que la mesa de Jehová es despreciable. Y cuando ofrecéis el animal ciego para el sacrificio, ¿no es malo? Asimismo cuando ofrecéis el cojo o el enfermo, ¿no es malo? Preséntalo, pues, a tu príncipe; ¿acaso se agradará de ti, o le serás acepto? . . ." (Mal. 1:6-8).

Al mismo tiempo, había un significado para el rito y para todo el culto que iba mucho más allá del mismo rito. En virtud de que mucha de la adoración popular había llegado a ser un rito sin sentido, realizado sin pensar, los demás profetas también tronaban con sus mensajes a Israel. El pueblo había estado cumpliendo huecamente la forma de adoración sin que ésta fuese acompañada por la justicia o el arrepentimiento. De modo que Amós se lamentaba con gran consternación:

> "Aborrecí, abominé vuestras solemnidades, y no me complaceré en vuestras asambleas. Y si me ofreciereis vuestros holocaustos y vuestras ofrendas, no los recibiré, ni miraré a las ofrendas de paz de vuestros animales engordados. Quita de mí la multitud de tus cantares, pues no escucharé las salmodias de tus instrumentos. Pero corra el juicio como las aguas, y la justicia como impetuoso arroyo" (Am. 5:21-24).

Con la misma corriente de pensamiento, Miqueas preguntaba:

> "¿Con qué me presentaré ante Jehová, y adoraré al Dios Altísimo? ¿Me presentaré ante él con holocaustos, con becerros de un año? ¿Se agradará Jehová de millares de

carneros, o de diez mil arroyos de aceite? ¿Daré mi primogénito por mi rebelión, el fruto de mis entrañas por el pecado de mi alma? Oh hombre, el te ha declarado lo que es bueno, y qué pide Jehová de ti: solamente hacer justicia, y amar misericordia, y humillarte ante tu Dios" (Mi. 6:6-8).

De modo que la forma tanto como el significado eran importantes. Nunca era o una o la otra, sino las dos. Esto aún es cierto respecto a toda adoración.

Nuestro fracaso en entender la adoración del Antiguo Testamento generalmente se debe al hecho de que no nos fijamos en ambas dimensiones. Si de verdad vamos a tratar de resolver este problema, hemos de enfocarlo desde ambas perspectivas. Debemos luchar con el rito tanto como con el significado.

El significado de la adoración en el Antiguo Testamento

El ritual del Antiguo Testamento era el sistema de sacrificios. Nuestras fuentes principales para entender este sistema son Levítico más las secciones rituales de Exodo, Números y Deuteronomio. Varios pasajes en otras partes del Antiguo Testamento también arrojan luz sobre el problema.

Empero el procurar entender la adoración exclusivamente desde el punto de vista del sistema de sacrificios es como tratar de entender la adoración de una iglesia moderna por la lectura de una colección de boletines dominicales. Esto nos da únicamente la forma, sólo el esqueleto de lo que proponía ser una celebración significativa. Para poder agregar el significado a esta forma, hemos de acudir al libro de Salmos. Este era el himnario y la liturgia de la adoración israelita. Los profetas también arrojan alguna luz sobre el significado de la adoración. El juntar este material con el del sistema de sacrificios nos proporciona un cuadro plenamente rico de la adoración, tal y como el Antiguo Testamento quería que fuera.

La adoración en el Antiguo Testamento era primordialmente una expresión del amor de Israel para con Dios. Era una expresión externa de todas las emociones y compromisos internos que Israel sentía para con el Dios que le había redimido. La mayor parte del contenido de la adoración israelita se arreglaba musicalmente. Los salmos tenían todos el propósito de ser cantados. Que estos salmos fuesen cantados por los sacerdotes, los coros levíticos, o el pueblo no viene al caso para nuestros propósitos. No obstante, es de gran significado el que fuesen arreglados para la música.

Es un hecho muy obvio en la vida contemporánea que la música de una congregación que adora nos dice mucho más de su fe que cualquier otra cosa. También propaga la fe mejor que la mayoría de las demás formas de adoración. Pocas personas recuerdan los sermones por mucho tiempo, pero los cantos que les tocan el corazón permanecen con ellas. El adorador típico podría citar más estrofas de himnos que textos de la Biblia. Para poder saber lo que realmente un pueblo cree, sólo tenemos que escuchar sus himnos favoritos. (Es por esto que tenemos que cuidarnos de que nuestros himnos sean bíblica y teológicamente sanos.) Parecería que la música era tan importante en Israel para expresar su fe mediante la adoración como lo es hoy.

Tal vez nos convenga notar que la danza era una parte significativa en la adoración de Israel. Esto se descubre en numerosas ocasiones en la historia de Israel.

> ". . . Entonces David fue, y llevó con alegría el arca de Dios de casa de Obed-edom a la ciudad de David. Y cuando los que llevaban el arca de Dios habían andado seis pasos, él sacrificó un buey y un carnero engordado. Y David danzaba con toda su fuerza delante de Jehová; y estaba David vestido con un efod de lino. Así David y toda la casa de Israel conducían el arca de Jehová con júbilo y sonido de trompeta" (2 S. 6:12-15).

Los mismos salmos incitaban a que Israel danzara ante Dios como un medio de alabarlo.

> "Alaben su nombre con danza; Con pandero y arpa a él canten" (Sal. 149:3).
> Alabadle con pandero y danza; Alabadle con cuerdas y flautas" (Sal. 150:4).

Además, cuando Jeremías anunciaba con gozo la redención gloriosa con la que Dios iba a bendecir a su pueblo, él describió lo que sería su reacción.

> "Entonces la virgen se alegrará en la danza, los jóvenes y los viejos juntamente; y cambiaré su lloro en gozo, y los consolaré, y los alegraré de su dolor" (Jer. 31:13).

Empero, la expresión principal de la adoración israelita a Dios era por el canto. He aquí la mejor expresión de su acercamiento a Dios. En los salmos notamos que las características básicas de la adoración de Israel pueden coleccionarse bajo varias categorías diferentes. He escogido seis. Obviamente, podría hacerse de otro modo.

No importa cuántas características diferentes puedan identificarse en la adoración israelita, sin duda la característica básica de su adoración era el gozo exuberante. Israel se gozaba en Dios, en su compañerismo con él, en las bendiciones recibidas de él y aun en los reproches que Dios le hacía. Ellos se regocijaban en lo que él había hecho por ellos

> "Bendice, alma mía a Jehová, Y bendiga todo mi ser su santo nombre. Bendice, alma mía, a Jehová, Y no olvides ninguno de sus beneficios. El es quien perdona todas tus iniquidades, El que sana todas tus dolencias; El que rescata del hoyo tu vida, El que te corona de favores y misericordias; El que sacia de bien tu boca De modo que te rejuvenezcas como el águila" (Sal. 103:1-5).

También se regocijaban sencillamente en lo que Dios era, en su misma naturaleza.

> "Bendice, alma mía, a Jehová. Jehová Dios mío, mucho te has engrandecido; Te has vestido de gloria y de magnificencia" (Sal. 104:1).

Sin considerar todo lo demás que pudiera haber habido en su adoración, la nota del gozo siempre estaba allí. Aun desde las honduras de la tristeza más profunda, había esta nota del gozo. No era un gozo falso, ni siquiera un gozo superficial; era un gozo verdadero. Sabían regocijarse con Dios aun a través de sus lágrimas. De este modo y desde las honduras del pecado, los hebreos clamaban:

> "Por amor de tu nombre, oh Jehová, Perdonarás también mi pecado, que es grande" (Sal. 25:11).
> "La comunión íntima de Jehová, es con los que le temen,y a ellos hará conocer su pacto" (Sal. 25:14).

Ciertamente esta nota de gozo en la adoración se extendió al Nuevo Testamento con una profundidad de significado aún mayor. No tan solo expresaba el gozo de los cristianos, sino que servía como testimonio a los no cristianos. De manera que cuando Pablo y Silas fueron arrestados, azotados y les encarcelaron en Filipos, se nos dice: "Pero a medianoche, orando Pablo y Silas, cantaban himnos a Dios; y los presos los oían" (Hch. 16:25). Es más, cuando Pablo estaba en prisión al final de su ministerio y esperaba la ejecución, él escribió a la iglesia en Filipos:

> "Regocijaos en el Señor siempre. Otra vez digo: ¡Regocijaos! vuestra gentileza sea conocida de todos los hombres. El Señor está cerca. Por nada estéis afanosos, sino sean conocidas vuestras peticiones delante de Dios en toda oración y ruego, con acción de gracias. Y la paz de Dios, que sobrepasa todo entendimiento, guardará vuestros corazones y vuestros pensamientos en Cristo Jesús" (Fil. 4:4-7).

La nota profunda de gozo perpetuo debe estar presente en toda adoración verdadera. Dios es bueno. Estar con él es bueno, cualesquiera sean los eventos de la vida.

Estrechamente relacionada al concepto de gozarse en Dios es la segunda característica de la adoración israelita. La constituía la alabanza. Su alabanza estaba constantemente en sus labios. Es más, ellos esperaban que toda la creación lo alabase.

> "Alabad a Jehová desde los cielos; Alabadle en las alturas. Alabadle, vosotros todos sus ángeles; Alabadle, vosotros todos sus ejércitos . . . Alabad a Jehová desde la tierra . . . Los reyes de la tierra y todos los pueblos, Los príncipes y todos los jueces de la tierra; Los jóvenes y también las doncellas, Los ancianos y los niños. Alaben el nombre de Jehová, porque sólo su nombre es enaltecido. Su gloria es sobre tierra y cielos. El ha exaltado el poderío de su pueblo; Alábenle todos sus santos, los hijos de Israel, El pueblo a él cercano. Aleluya" (Sal. 148:1-14).

Lo alababan por su lealtad a su pacto, aun cuando Israel era rebelde.

> "Aleluya. Alabad a Jehová, porque él es bueno; Porque para siempre es su misericordia" (Sal. 106:1).
> "Pecamos nosotros, como nuestros padres; Hicimos iniquidad, hicimos impiedad" (Sal. 106:6).
> "Y se acordaba de su pacto con ellos, Y se arrepentía conforme a la muchedumbre de sus misericordias" (Sal. 106:45).
> "Bendito Jehová Dios de Israel, Desde la eternidad y hasta la eternidad; Y diga todo el pueblo, Amén. Aleluya" (Sal. 106:48).

Esta nota profunda de alabanza y adoración también se encuentra con toda su plenitud de riqueza entre los cristianos primitivos. Después de la ascensión de Jesús, los discípulos ". . . volvieron a Jerusalén con gran gozo; y estaban siempre en el templo, alabando y bendiciendo a Dios . . ." (Lc. 24:52, 53). La profunda de gozo resuena una y otra vez a Dios por su dádiva maravillosa en Cristo. Nosotros también debemos unirnos al himno de alabanza juntamente con todos los santos de todos los siglos.

> ". . . Digno eres de tomar el libro y de abrir sus sellos; porque tú fuiste inmolado, y con tu sangre nos has redimido para Dios, de todo linaje y lengua y pueblo y nación; y nos has hecho para nuestro Dios reyes y sacerdotes, y reinaremos sobre la tierra" (Ap. 5:9, 10).

Este es el canto nuevo para los santos, pero es la antigua nota de alabanza a Dios por su grandeza.

La tercer característica principal de la adoración en el Antiguo Testamento fue la acción de gracias. Los santos del Antiguo Testamento constantemente expresaban su gratitud a Dios. De igual modo necesitamos notar también que ellos sabían pedir. Ellos exponían sus peticiones ante Dios. Cuando llegaban sus respuestas, expresaban su agradecimiento. La acción de gracias y la petición eran dos aspectos de la misma clase de adoración en Israel.

> "Alabad a Jehová, porque él es bueno; Porque para siempre es su misericordia. Díganlo los redimidos de Jehová, Los que ha redimido del poder del enemigo" (Sal. 107:1, 2).
> "Entonces clamaron a Jehová en su angustia, Y los libró de sus aflicciones" (Sal. 107:6).
> "Alaben la misericordia de Jehová, Y sus maravillas para con los hijos de los hombres" (Sal. 107:8).

Estas dos ideas de manera consecuente se ligan dentro de la adoración de Israel. De modo que un salmo permitía al adorador clamar en agonía, exponiendo así su necesidad ante Dios.

> "Sálvame, oh Dios, Porque las aguas han entrado hasta el alma. Estoy hundido en cieno profundo, Donde no puedo hacer pie; He venido a abismos de aguas, y la corriente me ha anegado. Cansado estoy de llamar; mi garganta se ha enronquecido; Han desfallecido mis ojos esperando a mi Dios" (Sal. 69:1-3).

Empero el adorador descansaba en la seguridad de la respuesta de Dios. Por esto también expresaba su agradecimiento aun antes de que se diera la respuesta de Dios.

> "Alabaré yo el nombre de Dios con cántico; Lo exaltaré con alabanza" (Sal. 69:30).
> "Porque Jehová oye a los menesterosos, Y no menosprecia a sus prisioneros" (Sal. 69:33).

Esta nota profunda de gratitud también se llevó a la adoración en el Nuevo Testamento. De nuevo, debemos fijarnos que aún se hacía la conexión entre la petición y el agradecimiento. De manera que Pablo aconsejaba a los filipenses: "Por nada estéis afanosos, sino sean conocidas vuestras peticiones delante de Dios en toda oración y ruego, con acción de gracias" (Fil. 4:6). Sin embargo, para el cristiano, hay más razones por las que se debe dar gracias. Hay el agradecimiento por la victoria sobre la muerte.

> "Mas gracias sean dadas a Dios, que nos da la victoria por
> medio de nuestro Señor Jesucristo. Así que, hermanos míos
> amados, estad firmes y constantes, creciendo en la obra del
> Señor siempre, sabiendo que vuestro trabajo en el Señor no
> es en vano" (1 Co. 15:57, 58).

Hay también una nota de agradecimiento por la victoria sobre el
pecado.

> "Pero gracias a Dios, que aunque erais esclavos del pecado,
> habéis obedecido de corazón a aquella forma de doctrina a la
> cual fuisteis entregados; y libertados del pecado, vinisteis a
> ser siervos de la justicia" (Ro. 6:17, 18).

Pero la última nota de agradecimiento siempre se reservaba para
Jesús mismo. El es la dádiva más grande de Dios. De manera que
Pablo exclamó: "¡Gracias a Dios por su don inefable!" (2 Co. 9:15).
     Había una dimensión grande en la adoración israelita que se
encuentra raramente, si se halla siquiera, en la adoración contemporánea. Comúnmente se la clasifica como lamento. El Antiguo
Testamento reconocía que había muchas experiencias en la vida
que acarreaban congoja. Estas habían de llevarse a Dios y ser
puestas ante él. Había la agonía profunda del pecador culpable que
ponía su culpa ante el único que podía ayudar, eso es, ante Dios.

> "Ten piedad de mí, oh Dios, conforme a tu misericordia;
> Conforme a la multitud de tus piedades borra mis rebelio-
> nes. Lávame más y más de mi maldad, y límpiame de mi
> pecado. Porque yo reconozco mis rebeliones, Y mi pecado
> está siempre delante de mí. Contra ti, contra ti sólo he
> pecado, Y he hecho lo malo delante de tus ojos; Para que
> seas reconocido justo en tu palabra Y tenido por puro en tu
> juicio" (Sal. 51:1-4).

El salmista, sin embargo, sabía que había otras experiencias que
también encerraban la aflicción y la desesperación. Había el enojo
del hombre cuyos enemigos lo difamaban.

> "Hijos de los hombres, ¿hasta cuándo volveréis mi honra en
> infamia, Amaréis la vanidad, y buscaréis la mentira?" (Sal.
> 4:2.)

Aun más, el dolor de la enfermedad y la perspectiva de la muerte
también podían evocar una endecha.

> "Sé misericordioso conmigo, oh Señor, porque estoy langui-
> deciendo; Oh Señor, sáname, porque mis huesos están
> turbados. Mi vida también está gravemente atribulada. Pero

tú, oh Señor, ¿Por cuánto tiempo? Vuélvete, oh Señor, y
salva mi vida; libérame por causa de tu amor firme" (Sal.
6:2, 3, traducción del autor).

Es más, había la congoja por el ataque físico de los enemigos. Esto
dio pie a una súplica por ayuda.

"Jehová Dios mío, en ti he confiado; Sálvame de todos los
que me persiguen, y líbrame, No sea que desgarren mi alma
cual león, Y me destrocen sin que haya quien me libre" (Sal.
7:1, 2).

Empero la congoja última brotaba de la sensación de abandono de
parte de Dios al adorador.

"¿Hasta cuándo, Jehová? ¿Me olvidarás para siempre?
¿Hasta cuándo esconderás tu rostro de mí? ¿Hasta cuándo
pondré consejos en mi alma, Con tristezas en mi corazón
cada día? ¿Hasta cuándo será enaltecido mi enemigo sobre
mí?" (Sal. 13:1, 2.)

Jesús no tenía palabras de condenación para aquellos que
venían a Dios en sufrimiento. Más bien, ofrecía un mensaje de
consolación. El prometió: "Bienaventurados los que lloran, porque
ellos recibirán consolación" (Mt. 5:4). Además, Jesús mismo expresaba esta clase de tristeza y la llevaba directamente al Padre. En las
tinieblas de su alma, fue a Getsemaní. Allí "comenzó a entristecerse
y a angustiarse en gran manera. Entonces Jesús les dijo: Mi alma
está muy triste, hasta la muerte" (Mt. 26:37, 38).

Es una relación con Dios muy pobre la que no da la oportunidad
de que se expresen los dolores más profundos del corazón humano.
Hemos privado a muchas personas de esta experiencia en nuestra
adoración contemporánea, al poner una máscara falsa de sonrisa
sobre el corazón que gime. Que Dios nos lo perdone.

La quinta categoría de adoración presente en el Antiguo
Testamento era la de la enseñanza o la recitación. Los hebreos
usaban sus cantos para enseñar acerca de los actos portentosos que
Dios había hecho en su pasado. Ellos recitaban los eventos
principales de su historia sin ocultar ninguno de los detalles
sórdidos. Pero tampoco ocultaban las misericordias de Dios. Al
contrario, las proclamaban. Así que cantaban de las experiencias del
éxodo y del desierto (Sal. 78; 106).

También enseñaban mediante sus cantos acerca de la calidad
de vida que el hombre piadoso debía tener.

"Bienaventurado el varón que no anduvo en consejo de
malos, Ni estuvo en camino de pecadores, Ni en silla de

> escarnecedores se ha sentado; Sino que en la ley de Jehová
> está su delicia, Y en su ley medita de día y de noche" (Sal.
> 1:1, 2).

Se enseñaban también otras cosas, tales como la maravilla de la
palabra de Dios y el amor por ella; también enseñaban el poder y la
presencia de Dios (Sal. 19:7-9; 119; 23).

Es muy claro que este énfasis también se extendió hasta el
Nuevo Testamento. Pablo tenía demasiado que decir respecto al
ministerio docente de la iglesia para que pensáramos de otro modo.
Es más, casi todos los sermones registrados en el libro de los Hechos
tenían una dimensión didáctica. Es muy claro que la adoración debe
seguir enseñando.

La sexta categoría de la experiencia de adoración en el Antiguo
Testamento es muy distinta a las cinco primeras. La adoración
veterotestamentaria también daba cabida para la expresión de
hostilidad y hasta odio abierto para con los enemigos del adorador.
de modo que podían clamar con amargura:

> "Sea su convite delante de ellos por lazo, Y lo que es para
> bien, por tropiezo. Sean oscurecidos sus ojos para que no
> vean, Y haz temblar continuamente sus lomos. Derrama
> sobre ellos tu ira, Y el furor de tu enojo los alcance. Sea su
> palacio asolado; En sus tiendas no haya morador" (Sal.
> 69:22-25).

Se podrían multiplicar ejemplos de esto, pero éste es suficiente.

Sería demás señalar el hecho de que esto queda muy por debajo
de la actitud de Jesús, quien oraba: "Padre, perdónalos; porque no
saben lo que hacen" (Lc. 23:34). ¡Desde luego que sí! También
dista mucho de la gran oración de Moisés, quien no buscaba
venganza sino misericordia para su pueblo (Ex. 32:32).

Este es un aspecto de la adoración israelita que no se llevó al
Nuevo Testamento. Al mismo tiempo, necesitamos reconocer que
hay mucho odio en el corazón humano. ¿Qué mejor lugar para
llevarlo sino a Dios? (Bien pudiera ser que si fuéramos más abiertos
con Dios respecto a nuestro enojo, habría menos pleitos y menos
iglesias divididas.)

De modo que la naturaleza de la adoración veterotestamentaria
era rica tanto como plena. También era abierta y honesta. Ellos
expresaban a Dios lo que en realidad sentían. Dios nunca se sentía
amenazado por la honestidad de Israel; tampoco se sentirá amenazado por la nuestra. Los hebreos iban a Dios con sus hostilidades y
sus endechas, pero también iban a él con su alabanza y acción de
gracias. Ellos usaban su adoración para enseñar las grandes

verdades de su fe. Pero, a través de todo, ellos se encontraban con Dios en la adoración con un gozo exuberante. De modo que podían cantar con emoción honesta:

> "Yo me alegré con los que me decían: A la casa de Jehová iremos" (Sal. 122:1).

Pero, como hicimos notar desde el principio, esta era sólo una parte de la adoración de Israel. Sus cantos la llenaban de significado. Era, sin embargo, su ritual de sacrificios el que le daba forma.

La forma de la adoración en el Antiguo Testamento: El sistema de sacrificios

El sistema de sacrificios veterotestamentario proveyó el ritual para la adoración en el Antiguo Testamento. También hizo gran impacto sobre el concepto hebreo de la salvación y el perdón. Sin embargo, el estudio del sistema de sacrificios puede resultar bien frustrante. Distamos tanto de las culturas que practicaban el sacrificio que a menudo parece quedar más allá de nuestra comprensión. Es más, los antiguos rituales de sacrificios distan tanto de la revelación de Dios en Jesús que nos preguntamos si vale la pena el tratar de entenderlos.

No obstante esto, el sacrificio era importante para Israel. De modo que es importante para nosotros el intentar captar sus rudimentos básicos. La primera razón de su importancia para nosotros estriba en el hecho de que una buena parte de la comprensión neotestamentaria de la adoración y el ministerio de nuestro Señor surgió de las figuras del sistema de sacrificios. La segunda razón estriba en el hecho de que era el ritual de adoración perteneciente a un pueblo de quien se requería la santidad, porque pertenecía a un Dios santo. Los conceptos de la santidad de Dios y la de Israel eran centrales para el sistema de sacrificios. Cualquier esfuerzo por entenderlo aparte del concepto de la santidad está destinado al fracaso. La tercera razón de la importancia del estudio del sistema de sacrificios es que nos provoca una consciencia profunda de lo horroroso del pecado, tanto como una sensibilidad respecto a la superabundante gracia de Dios en el perdón. La cuarta razón, y la menos importante, es que el sistema de sacrificios era la celebración israelita de la religión y la vida ante la presencia del autor de toda vida. Esto es cierto aunque el mecanismo completo del sacrificio parezca bastante espantoso para la mayoría de las personas contemporáneas.

Raíces del sistema de sacrificios

Israel no se desarrolló en un vacío. Todas las naciones en su derredor practicaban el sacrificio. Era la forma aceptada de expresar el fervor religioso tanto como la adoración. Aparentemente había un trasfondo común para todos los sistemas antiguos de sacrificios. El trasfondo antiguo parece indicar que la mayoría de los sacrificios tenía una o más de las raíces que se detallan a continuación.

Primera, estaba la idea de alimentar a la deidad. De manera que en la epopeya de Gilgamesh, en su historia del diluvio, los dioses estaban a punto de morirse de hambre por el hecho de que los sacrificios ya no se ofrecían. Cuando se ofreció el primer sacrificio después del diluvio, los dioses se arrimaron como moscas, porque tenían hambre. Aunque esta idea era claramente muy común a través de todo el antiguo Cercano Oriente, no hay evidencia de que el Antiguo Testamento jamás tuviera esta concepción del sacrificio. Al contrario, a Israel se le dijo:

> "Si yo tuviese hambre, no te lo diría a ti; Porque mío es el mundo y su plenitud. ¿He de comer yo carne de toros, O de beber sangre de machos cabríos?" (Sal. 50:12, 13.)

Segunda, los sacrificios también eran considerados por los antiguos como dádivas a la deidad. Es muy obvio que esta idea cavaba profundamente en el corazón del Antiguo Testamento.

Tercera, se creía que los sacrificios ocasionaban la comunión entre el adorador y su dios. Muchos sacrificios requerían que el adorador comiese alimentos ante el altar o en el templo. En el mundo antiguo, las personas que comían juntas o por lo menos compartían la sal en una comida se consideraban como unidas por los lazos de hermandad. La historia antigua de Alí Babá verifica esta idea. Cuando la sierva se fijó que el capitán de los ladrones no comía sal, ella de inmediato comenzó a sospechar. Para los hebreos, el comer en la casa de Dios efectuaba una relación especial de paz entre ellos y Dios. Puede que esto también tenga una relación con el significado de la cena del Señor tal y como se enseña en el Nuevo Testamento.

La cuarta raíz del sacrificio antiguo se halla en la idea de una vida liberada. Ya que toda la vida era dádiva de Dios, el primogénito era especialmente de Dios, lo cual indicaba que la raza o la familia continuaba. La vida se liberaba de una víctima escogida para devolver a Dios, la que era especialmente suya. El sacrificio no era el ofrecer un cadáver muerto a Dios tanto como el ofrecerle la vida que estaba presente en la sangre. Este concepto de la vida liberada

puede haber tenido un gran impacto sobre la comprensión neotestamentaria del sacrificio de Jesús.

Aunque varios intérpretes han buscado demostrar que una o
más de estas ideas era *la* raíz original del sistema de sacrificios del
Antiguo Testamento, parece que ninguna idea sola es realmente
adecuada para explicar el sistema completo. Más bien, probablemente se acerque más a la verdad el sugerir que todas estas, salvo la
idea de alimentar a Dios, jugaron un papel en el origen y el
desarrollo del sistema.

Nuestro interés mayor estriba en el sistema tal y como Israel lo
practicaba y no con sus raíces antiguas. Dos cosas de inmediato se
hacen obvias en cualquier estudio de los sacrificios israelitas al
compararlos con los rituales de sus vecinos. Primera, las formas del
sacrificio eran muy similares y a menudo idénticas. Eso ha de
esperarse, porque Israel tuvo que empezar en donde estaba. En
cambio, la fe de pacto israelita daba un significado marcadamente
diferente a los rituales. Es claro, en base a documentos antiguos
tanto como los problemas encarados por los profetas con el proceso
de paganización de la adoración israelita, que los sistemas eran muy
similares. La asimilación de la adoración a los baales de Canaán a la
adoración del Dios de Israel nunca presentó un problema en lo que
se refiere al ritual, porque se hizo muy fácilmente. El problema de
Israel era que confundía el significado detrás de los rituales. Pero,
son los mismos rituales los que nos llaman ahora la atención. Se
podría dar mucho espacio a un análisis pormenorizado de todos los
sacrificios de Israel. Para esta clase de estudio sería mejor consultar
un comentario detallado sobre Levítico. Para nuestros propósitos,
veremos cinco categorías principales o clases de sacrificio.

La comida de comunión u ofrenda de paz

Como hemos notado, los hebreos daban gran importancia a la
comida. Cuando venían visitas, se mataba un becerro engordado, un
cordero o un cabrito y se consumía una comida para hacer efectiva
la paz entre el anfitrión y sus huéspedes (Gn. 18:7; 1 S. 28:24; 2 S.
12:4). Era este trasfondo que daba significado en Israel a la ofrenda
de comunión o la ofrenda en la que se mataban los animales. En su
forma veterotestamentaria, el animal generalmente era comido por
el adorador. La sangre se ofrecía a Dios sobre el altar. A Israel se le
mandó: "y comeréis allí delante de Jehová vuestro Dios, y os
alegraréis, vosotros y vuestras familias . . ." (Dt. 12:7). Se les
consideraba como huéspedes de Dios en esta comida (Sof. 1:7).

Es más, se creía que esta comida traía paz entre el adorador y
Dios. Como tal, también incluía las ofrendas por el pecado y la

culpa. La ofrenda llegó a llamarse, sencillamente, una ofrenda de paz. Los que participaban en esta comida llegaban a ser amigos por el mero hecho de participar. La comida establecía una comunión tal que se consideraba a todos los participantes como miembros de una familia. La Pascua fue el ejemplo supremo de esto, restaurando así la relación que se había sellado entre Dios e Israel en Egipto tanto como en Sinaí.

Esta clase de sacrificio reforzaba y fortalecía los lazos familiares que unían a Israel. También probablemente sirvió de base para figuras proféticas posteriores que describían a Israel como el hijo o la esposa de Dios. Sobre todo, seguramente ponía la base para la idea de relaciones pacíficas entre Dios e Israel. La relación ideal que anhelaba Israel tanto como Dios era la paz entre ellos.

Dedicación de los primogénitos

Una segunda clase principal de sacrificio en Israel se basaba en el concepto de que todo primogénito pertenecía de modo especial a Dios. Desde los primeros días del pacto, a Israel se le dijo:

"... Me darás el primogénito de tus hijos. Lo mismo harás con el de tu buey y de tu oveja; siete días estará con su madre, y al octavo día me lo darás" (Ex. 22:29, 30).

Empero, este no era un mandato respecto al sacrificio infantil, sino que al primogénito había que redimirlo y otro sacrificio se haría en su lugar (Ex. 13:13; 34:20).

Esta relación especial entre el primogénito y Dios agregaba un significado particular a la declaración divina de que Israel era su primogénito. También justificaba la muerte de los primogénitos egipcios. Ya que Egipto no daba libertad al primogénito de Dios, ellos tendrían que perder los suyos.

"... Jehová ha dicho así: Israel es mi hijo, mi primogénito. Ya te he dicho que dejes ir a mi hijo, para que me sirva, mas no has querido dejarlo ir; he aquí yo voy a matar a tu hijo, tu primogénito" (Ex. 4:22, 23).

Ahora bien, el sacrificio específico del primogénito era una comida de comunión. En realidad se sacrificaban animales limpios. Los animales inmundos eran sustituidos por otros. A los seres humanos se les redimía, y el resultado final era la dádiva de la vida en la sangre que se vertía sobre el altar y el establecimiento de la paz entre el adorador y Dios.

Los holocaustos

Otra categoría principal de sacrificios eran los holocaustos.

Asumían una variedad de formas, pero el resultado final siempre era igual, el presentar una dádiva a Dios. La diferencia técnica principal entre ésta y las dos ofrendas anteriores era que en esta se daba la ofrenda total a Dios; era la "ofrenda encendida". A veces en la historia de Israel parece que esto se aplicó únicamente a una ofrenda de granos. En otras ocasiones parece que se aplicaba a cualquier ofrenda que se diera a Dios en su totalidad.

Esta ofrenda expresaba el homenaje que el adorador le daba a Dios. También se daba como tributo o como expresión de acción de gracias. Además, se daba para cumplir con un voto. En cada caso, era una dádiva hecha libremente; brotaba de la sobreabundancia del amor del adorador para con Dios.

Sin embargo, aunque los holocaustos no se exigían sino que se daban libremente, se regulaban cuidadosamente. Si el adorador iba a presentar una dádiva a Dios, tenía que hacerse según las exigencias de Dios. De modo que Israel fue condenado por dar a Dios lo deforme.

> "Y cuando ofrecéis el animal ciego para el sacrificio, ¿no es malo? Asimismo cuando ofrecéis el cojo o el enfermo, ¿no es malo? . . . y trajisteis lo hurtado, o cojo, o enfermo, y presentasteis ofrenda. ¿Aceptaré yo eso de vuestra mano? dice Jehová" (Mal. 1:8, 13).

Se esperaba que una dádiva a Dios fuera lo mejor que tuviera el adorador con tal de honrar a Dios. Cualquier cosa menos que lo mejor era una afrenta y un insulto. Aún lo es.

El Día del perdón

En lo que se refiere a su significado teológico, tal vez el sacrificio más significativo del Israel antiguo era el gran Día del perdón. Este era un sacrificio y un ritual que se hacían una vez al año por el sumo sacerdote en beneficio de todo Israel. Se considera correctamente como el punto cumbre de todo el sistema de sacrificios veterotestamentario.

El propósito de este sacrificio era el de limpiar todos los pecados que no hubieran sido cubiertos por las ofrendas de comunión y de la paz. Se proponía asegurar la perpetuación de relaciones correctas entre Israel y Dios. En este día había dos víctimas sacrificiales. Una se mataba sobre el altar y la otra se enviaba al desierto, llevando así (simbólicamente) los pecados de la nación (Lv. 16:15, 21).

El desarrollo principal neotestamentario de este ritual se halla en Hebreos 9:6-28. Allí, al Cristo se le caracteriza como el sumo sacerdote y la víctima sacrificada, ambas cosas. Es más, aunque no se declara abiertamente allí, se implica que a Cristo también había que comprenderlo como la víctima que llevaba nuestros pecados al desierto.

Sea eso como fuere, para Israel este día era el punto culminante en su ritual respecto a la limpieza del pecado. Estaban bien seguros que ningún hombre o ninguna nación podía servir a Dios mientras viviera con pecados no perdonados. Esto aún es cierto.

Sacrificios privados

Cada una de estas categorías de sacrificio que hemos considerado era principalmente un sacrificio colectivo. Bien fueran hechos por una familia o por la nación como un todo, estos sacrificios se hacían a Dios, y se esperaba que los beneficios derivados fuesen para el grupo. Empero, Israel también tenía un ritual bien elaborado para los sacrificios privados.

Los hombres siempre han sentido el deseo de hacer sacrificios personales y privados. De modo que Caín y Abel trajeron sacrificios personales a Dios mucho antes de que tales ritos se ordenasen o se estableciesen (Gn. 4:3, 4). A través de los primeros tiempos de Israel, hay evidencia abundante de tales sacrificios. Se proponían honrar a Dios, pedir ayuda, o expresar acción de gracias, y también para lograr la purificación.

Cada uno de estos halló su lugar dentro del ritual más tardío de Israel. La ofrenda de libre voluntad era tal vez la más común. No tan solo la codificó la ley, sino que los profetas continuamente aludían a ella. Parece que generalmente se ofrecía a Dios como un gesto de agradecimiento por alguna bendición recibida.

La ofrenda de agradecimiento se relacionaba estrechamente con la ofrenda de libre voluntad. Aquella era un poco más elaborada, y normalmente se asociaba con uno o más de los eventos regulares en el ritual israelita de las fiestas. Esta se asociaba generalmente con la presentación de los diezmos y de los productos agrícolas. Estas presentaciones requeridas, al traerse, indicaban la bondad de Dios. No había diezmos ni primicias de la tierra a no ser que Dios hubiese bendecido. Los adoradores a menudo traían una ofrenda adicional para expresar su gratitud.

El individuo israelita a menudo también hacía ofrendas en relación con votos. La experiencia de Jacob tipifica esto:

> "E hizo Jacob voto, diciendo: Si fuere Dios conmigo, y me guardare en este viaje en que voy, y me diere pan para comer y vestido para vestir, y si volviere en paz a casa de mi padre, Jehová será mi Dios. Y esta piedra que he puesto por señal, será casa de Dios; y de todo lo que me dieres, el diezmo apartaré para ti" (Gn. 28:20-22).

Aunque la ofrenda de voto nunca fue obligatoria, una vez hecho el voto, la ofrenda se convertía en obligatoria.

Podríamos haber estudiado estas ofrendas con mucho más detalles. Podríamos haber ampliado las categorías de sacrificio para incluir varias otras secciones. Para nuestros propósitos, nuestro interés estriba en las características generales de todas las ofrendas en lugar de los detalles de cada ofrenda.

Las enseñanzas del sistema de sacrificios

Para los hebreos antiguos, los sacrificios formaban la estructura básica de su adoración. Nunca debemos olvidarnos de esto. Empero, el sistema de sacrificios ha dejado de ser. Surge la pregunta de si hay algo perdurable o no. ¿Existió el sistema de sacrificios del Antiguo Testamento sólo por un tiempo y luego desapareció? ¡La respuesta a esta pregunta es un no rotundo! Había un mensaje perdurable en el ritual del sistema de sacrificios del Antiguo Testamento. Hablaba al Israel antiguo, y aún nos habla a nosotros.

Primero, el ritual básico del sistema de sacrificios se interesaba en la restauración o la perpetuación de relaciones correctas entre el adorador y Dios. Al percatarse el adorador cada vez más de la santidad de Dios y de su propio pecado, había la necesidad de encontrar un medio por el cual la criatura y su creador pudieran tener comunión el uno con el otro. Este énfasis sobre la comunión se fue perdiendo más y más, pero el énfasis sobre la paz tomaba la delantera. La intención primordial era facilitar que el adorador morase con Dios sin el temor al juicio y sin la carga de la culpa.

Esto nos trae al segundo aspecto: a través de la historia del Antiguo Testamento, la adoración de Israel llegó a preocuparse más y más por la cuestión de la expiación y el rescate. Tal y como hemos notado previamente, estas palabras nunca parecían implicar que Dios pagase algo por el pecado de Israel. El énfasis recaía sobre el hecho de que Dios "cubriera" su pecado, rescatándolo así de su culpa. Otra vez, parece que el énfasis era sobre la remoción de la culpa o impiedad por cubrirla. Sólo Dios podía cubrir el pecado para no verlo. Los hebreos a menudo intentaban cubrir su pecado ellos mismos. En esto siempre fracasaban. De nuevo, el propósito último de la expiación o el rescate era la restauración de relaciones correctas. El pecado no se cubría sólo con el fin de no verlo. Al pecador nunca se le rescataba sólo con el fin de que fuera libre. En ambos casos, el resultado final era que el pecador pudiera gozar de nuevo de la presencia de Dios.

Ya que el pensamiento central en el sistema de sacrificios era la restauración de relaciones correctas, y puesto que esto se lograba

mediante la expiación o el rescate del pecador por Dios, el concepto
principal del sistema para el adorador era la obediencia. Se esperaba
que fuese leal a Dios y que expresase esa lealtad por la obediencia
total. La única forma exterior que el adorador tenía para asegurar
que este ritual cumpliese su cometido era obedecer al pie de la letra.
Hemos sido sumamente críticos con los fariseos por su hostilidad
hacia Jesús y por su actitud no amorosa. Al mismo tiempo, tal vez
ellos fueron las personas más morales que jamás vivieron. Se
preocupaban intensamente por hacer lo que Dios decía y por
hacerlo exactamente como lo decía. (No sigue necesariamente que
la obediencia a la ley engendre un espíritu farisaico.)

La cuarta enseñanza significativa del sistema de sacrificios
tenía que ver con la penitencia o el arrepentimiento. La exigencia de
la obediencia ocasionaba que el adorador viera la magnitud de su
desobediencia. Por la observancia de su ritual, el adorador antiguo
se percataba del sacrificio último exigido por Dios.

> "Los sacrificios de Dios son el espíritu quebrantado; Al
> corazón contrito y humillado no despreciarás tú, oh Dios"
> (Sal. 51:17).

El rito del Día del perdón recalcaba esto aún más. Allí se nos dice:
"Y . . . Aarón . . . confesará . . . todas las iniquidades de los hijos de
Israel . . ." (Lv. 16:21). La confesión sacerdotal de los pecados del
pueblo no hubiera tenido sentido si los adoradores no hubiesen
participado en espíritu. En última instancia, era la actitud del
adorador la que hacía que un rito fuera válido.

Sin embargo, no debemos olvidar que había un poder objetivo
en el sacrificio en lo que se refiere al Antiguo Testamento. No había
ningún concepto mágico en él; no era una especie de vudú antiguo
la que Israel practicaba. Más bien, el poder del sistema de sacrificios
estribaba únicamente en la gracia de Dios. Funcionaba sólo, porque
Dios hacía que funcionara. El mensaje completo y último de los
profetas era que el sistema de sacrificios no funcionaba sólo porque
se ofrecían a Dios actos de penitencia o porque el adorador fuese
ritualmente obediente. La víctima animal no hacía nada por el
adorador a menos que y hasta que Dios se acercara. De modo que,
en última instancia, siempre era Dios quien se acercaba para
redimir y salvar en el momento del sacrificio. Aún es así.

La última palabra que debemos decir respecto al sistema de
sacrificios veterotestamentario es que se limitaba a los pecados
hechos sin querer. No era eficaz para cubrir pecados hechos con
soberbia.

> "Si una persona pecare por yerro... el sacerdote hará expiación por la persona que haya pecado por yerro; cuando pecare por yerro delante de Jehová, la reconciliará, y le será perdonado... Mas la persona que hiciere algo con soberbia... será cortada de en medio de su pueblo" (Nm. 15:27-30).

Es muy difícil saber con exactitud la diferencia entre el pecado cometido por yerro y el pecado hecho con soberbia. Es obvio que el sistema de sacrificios tenía sus límites. No había sacrificio que expiara al asesino o al adúltero. En tales casos, la única esperanza era rogar la misericordia de Dios. Pero este era siempre el caso de todo adorador.

Nos bastará decir que el sistema de sacrificios enfocaba su atención primordial sobre los pecados rituales. Los pecados morales generalmente quedaban más allá de sus poderes para salvar, pero nunca estaban más allá de los poderes de Dios para salvar.

Es precisamente en este punto en donde vemos el fruto neotestamentario brotado de esta raíz, porque Jesús llegó a ser nuestro sacrificio. El énfasis principal sobre esto se halla en la epístola a los Hebreos.

> "Y ciertamente todo sacerdote está día tras día ministrando y ofreciendo muchas veces los mismos sacrificios, que nunca pueden quitar los pecados; pero Cristo, habiendo ofrecido una vez para siempre un solo sacrificio por los pecados, se ha sentado a la diestra de Dios" (He. 10:11, 12).

El sumo sacerdote en Israel nunca podía sentarse, porque nunca acababa de ofrecer sacrificios. Empero, Jesús podía sentarse al ofrecer su sacrificio, porque se había hecho todo. ¡El había terminado!

Es muy evidente que los cristianos primitivos seguían participando en el ritual regular del templo. De modo que se nos dice: "Pedro y Juan subían juntos al templo a la hora novena, la de la oración" (Hch. 3:1). También, a Pablo se le arrestó cuando fue al templo con algunos hombres que iban a hacer un voto (Hch. 21:23-26).

Empero, al final se dieron cuenta de la implicación plena de lo que Cristo había hecho por ellos, a medida que Dios les abría la mente. De manera que Pablo escribió:

> "Porque él es nuestra paz, que de ambos pueblos hizo uno, derribando la pared intermedia de separación, aboliendo en su carne las enemistades, la ley de los mandamientos expresados en ordenanzas, para crear en sí mismo de los dos

un solo y nuevo hombre, haciendo la paz, y mediante la cruz
reconciliar con Dios a ambos en un solo cuerpo . . ." (Ef.
2:14-16).

Jesús había llegado a ser la ofrenda de paz, ofreciéndose a sí mismo,
efectuando así la comunión y el compañerismo entre Dios y el
hombre y también entre el judío y el gentil. Es más, al llegar a ser el
sacrificio último, puso fin al sistema de sacrificios para los
cristianos.

Además, Pablo proclamó que Cristo había establecido esta paz
por llegar a ser la ofrenda por el pecado por nosotros. Ya que el
mismo no había pecado, era sin mancha, el sacrificio perfecto (2 Co.
5:21). Al hacer el sacrificio perfecto, el antiguo pacto con su sistema
de sacrificios fue reemplazado por el nuevo pacto en Cristo Jesús.

Empero, al mismo tiempo, la adoración debe seguir. De hecho,
la adoración del cristiano debe ser más significativa que cualquier
adoración veterotestamentaria. Los principios de adoración son los
mismos. El ritual ha cambiado. De modo que a los cristianos se les
aconsejaba que buscasen nuevas maneras de cumplir con los
significados antiguos.

"Así que, hermanos, os ruego por las misericordias de Dios,
que presentéis vuestros cuerpos en sacrificio vivo, santo,
agradable a Dios, que es vuestro culto racional" (Ro. 12:1).

Para que no se malentienda, Pablo indicó de manera pormenorizada
las clases de cosas que él esperaba se hiciesen en este sacrificio vivo
(Ro. 12:6-20). El propósito fundamental del sistema de sacrificios
había sido el de proveer para los antiguos un medio para vencer y
sobreponerse al mal en sus vidas. Empero, es Cristo quien hace
posible que nosotros cumplamos esta meta del sacrificio cristiano:
"No seas vencido de lo malo, sino vence con el bien el mal" (Ro.
12:21).

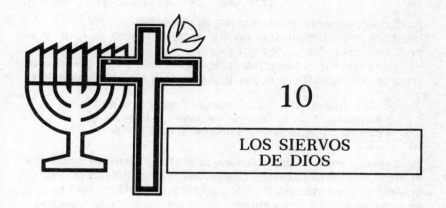

10

LOS SIERVOS DE DIOS

Hay varios verbos activos que se usan en el Nuevo Testamento para describir lo que los cristianos deben estar haciendo en el mundo. Se espera que testifiquemos, sirvamos, evangelicemos, ministremos, proclamemos, sanemos, trabajemos y muchas otras acciones semejantes. Cada una de éstas, junto con numerosos otros conceptos, encuentran sus raíces en el Antiguo Testamento. El hecho es que Dios eligió realizar su obra en el mundo mediante siervos humanos. Al ver quienes eran estos siervos en el Antiguo Testamento y al estudiar cómo ellos se relacionaban con Dios tanto como con el hombre, alcanzamos nuevos discernimientos respecto a cuáles deben ser nuestras tareas y relaciones.

Es evidente que cada una de las personas en el Antiguo Testamento que eran siervas de Dios eran individuos. Como tales, cada una traía las dimensiones singulares de su propia personalidad y de su experiencia religiosa al servicio de Dios. Al mismo tiempo, muchas de estas personas realizaban ministerios en común y, por lo tanto, podemos identificarlas segun las tareas que les eran dadas por Dios. Además, como veremos, aunque hay líneas de diferenciación entre las categorías de servicio, existen algunas características en común. Son las dos cosas, los rasgos singulares del servicio a Dios de cada individuo y también las características que comparten en común con otros, las que nos ayudaran a comprender nuestros propios ministerios y nuestro servicio a Dios.

Los patriarcas como siervos

El pueblo del Antiguo Testamento, de manera regular, miraba retrospectivamente a Abraham, a Isaac y a Jacob como los padres fundadores de su herencia racial y religiosa. Sería difícil hallar tres hombres más diferentes y, sin embargo, cada uno de ellos, a su propia manera, fue un ejemplo de servicio fiel a Dios.

Abraham fue el peregrino de fe que respondió a un Dios que no conocía para que fuera a una tierra de la que no había sabido.

> "Pero Jehová había dicho a Abram: Vete de tu tierra y de tu parentela, y de la casa de tu padre, a la tierra que te mostraré. . . Y se fue Abram, como Jehová le dijo. . ." (Gn. 12:1, 4a).

Es de poca consecuencia señalar que muchos amorreos emigraban desde el valle mesopotámico hasta Canaán durante este período de la historia. Ellos eran un pueblo migratorio, pero Abraham se movía en respuesta al llamamiento de Dios. Para ilustrar esto, consideremos el hecho de que muchas personas se mudaron de la parte oriental de los Estados Unidos a California durante el invierno de 1974-75. Mi familia y yo también nos mudamos, pero había una diferencia. Yo me mudaba como una respuesta directa al llamamiento de Dios para que enseñara en el Seminario Teológico Bautista de Golden Gate. Lo que Abraham hacía no se distinguía en mucho de lo que hacían muchos de sus contemporáneos. Por qué lo hacía es cosa muy diferente.

Podrían estudiarse muchos otros detalles en la vida de Abraham. Todos son importantes, pero la característica primordial que recordaban los escritores del Nuevo Testamento era que Abraham fue un hombre de obediencia fiel (por ejemplo Ro. 4:1-3). Al mismo tiempo, la Biblia no disfraza la humanidad de Abraham. Sus debilidades se dejan ver claramente. A pesar de éstas, su obediencia fiel lo permitió ser usado por Dios.

Isaac tenía la desdicha de hallarse intercalado entre un gran padre y un gran hijo. El era callado, retraído, e hizo un impacto mucho menor sobre la memoria de Israel que su padre o su hijo. Para poderlo comprender, debemos considerar el sacrificio que casi acaba con su vida en Moríah (Gn. 22:1-14). Mientras acompañaba a su padre, seguramente se daba cuenta de que estaba a punto de ser sacrificado. Cuando Dios lo liberó, la experiencia tuvo que haber hecho un impacto profundo en él y en su relación con Dios. Parece que desarrolló una vida sosegada e introspectiva con un profundo sentido de devoción al Dios que le había salvado. Al registrar posteriormente el escritor de Genesis: "Y había salido Isaac a meditar al campo. . ." (Gn. 24:63a), se dijo de tal modo que indicaba que ésta era una característica constante de su vida. Empero, nuevamente, Isaac era humano y con debilidad humana. Pero también era un hombre de reverencia callada que supo dejar la fe de su padre como herencia. Aunque parece que ambos hijos ignoraron la fe de su padre durante la juventud, no obstante esto, su fe hizo un gran impacto sobre ellos en sus años posteriores.

El tercero de los patriarcas a quien hemos de considerar es Jacob. El era el timador. Siempre presto para sacar ventaja de toda situación, su primera pregunta era "¿me conviene?" Egoista, tramador y engañador, como tal siempre buscaba promoverse a costa de la debilidad de otros. El atesoraba la herencia familiar sin desear la relación correspondiente con Dios. Pero, eso sí, cuando se encontraba en situaciones que no respondían a sus maquinaciones, de repente se abría a la voz de Dios. A través de los años, sus experiencias con Dios aumentaron y después de la noche en Jaboc, el pudo decir: ". . . Vi a Dios cara a cara, y fue librada mi alma" (Gn. 32:30). Durante esa noche de luchar con el ángel de Dios, cambiaron el nombre de Jacob tanto como su naturaleza. Nunca fue el mismo después de esa experiencia. Fue una conversión traumática tanto como dramática.

Hizo un impacto tal sobre él y sobre la memoria que de él tuvo Israel que el salmista podía cantar posteriormente:

"Dios es nuestro amparo y fortaleza, Nuestro pronto auxilio
en las tribulaciones.
Jehová de los ejércitos está con nosotros; Nuestro refugio es
el Dios de Jacob.
Jehová de los ejércitos está con nosotros; nuestro refugio es
el Dios de Jacob" (Sal. 46:1, 7, 11).

Un fundamento seguro para su fe en Dios era el hecho de que Dios podía usar y de hecho usó a un hombre como Jacob. Si Dios podía transformar a Jacob y usarlo, él podía hacerlo con cualquier persona. Aún lo puede hacer. Es un Salvador que transforma y redime.

El servicio de los patriarcas nos enseña que Dios puede usar un gigante en la fe o también al mayor de los pecadores. El puede tomar al hombre callado, al timador, o al que está presto a servir, y usar a cada uno de ellos para lograr su voluntad y propósito. La debilidad humana solo le da la oprotunidad para demostrar la abundancia de su poder y su gracia y también la suficiencia global de su amor.

Estas cosas se revelan como el corazón y el centro del mensaje evangélico. Eran buenas nuevas el que Dios pudiera hacer santos de los pecadores. Aún es así.

Los jueces como siervos

Las personas que hemos llegado a llamar jueces eran de una clase muy diferente. Estas eran las personas que llegaron a ser caudillos de Israel durante tiempos de crisis, en virtud de ciertos dones o habilidades que les facultaban para suplir las necesidades del momento. Estudiaremos a cuatro de éstos.

A Débora se la identifica como una profetisa que "gobernaba en aquel tiempo a Israel" (Jue. 4:4). Tal y como se usa el termino "juez", no se refiere a un puesto forense, sino alude a una persona que había llegado a ser un caudillo de Israel durante una situación crítica. Débora era la que gobernaba detrás del caudillo militar que liberó a las tribus del norte de la opresión por Canaán.

Es importante notar que había una mujer que ocupaba una posición de liderazgo, quien era también profetisa de Dios. El hecho de que esto fuera verdad en Israel y que a nadie le estrañara es extremadamente notable. A pesar de todo el énfasis sobre el machismo en Israel, existía el reconocimeinto de que Dios podía levantar a mujeres como sus siervas, y de hecho lo hizo. No tan solo se aceptaba esto en Israel, sino que también aceptaban que el general militar, Barac, se mostrase como tímido y renuente en comparación con la dedicación de Debora. Cuando se llamó a Barac a que entrara a la batalla con su ejército,

> "Barac le respondió: Si tú fueres conmigo, yo iré; pero si no fueres conmigo, no iré" (Jue. 4:8).

El que las mujeres pudieran compartir puestos de liderazgo en calidad de siervas de Dios se recalcaba también en el Nuevo Testamento. Pablo recomendaba a la iglesia en Roma a una mujer llamada Febe, a quien identifica como "diaconisa de la iglesia en Cencrea" (Ro. 16:1). También envió saludos a Priscila, una mujer a quien describe como colaboradora (Ro. 16:3). Es evidente que Dios levanta a quienes quiera para que sean sus siervos.

Débora se mostró como directa y valiente. Gedeón, en cambio, era muy diferente. Todo menos valiente, se escondió en un lugar para sacudir el trigo (Jue. 6:11). Cuando se le aseguró de que Dios estaba con él y con su pueblo, deseaba ver un milagro por ser incapaz de aceptar el anuncio por fe (Jue. 6:13). Cuando se le llamó "varón esforzado y valiente", respondió:

> ". . . Ah, señor mío, ¿con qué salvaré yo a Israel? He aquí que mi familia es pobre en Manasés, y yo el menor en la casa de mi padre" (Jue. 6:15).

Finalmente, desafió a Dios con las dos pruebas del vellón de lana y el rocío (Jue. 6:36-40). Es digno de notarse que Gedeón no pidió estas pruebas para descubrir la voluntad de Dios para él. Ya la conocía. Evidentemente, lo que intentaba hacer era eludir el llamamiento de Dios al presentar dos situaciones imposibles. No era ningún voluntario deseoso de servir sino un recluta muy renuente. Aun así, al fin hizo la voluntad de Dios y llegó a ser un siervo obediente aunque a regañadientes.

Sansón era un juez aun más diferente. Por ser sensual, egoista, jugador con el pecado, por poco pierde su servicio a Dios debido a su propia lujuria. Daba por descontado a Dios. Tal vez el texto más trágico en toda la Biblia describe el final de su jugueteo con Dalila. Cuando ella lo despertó de su sueño por última vez se nos dice:

> ". . . Y luego que despertó él de su sueño, se dijo: Esta vez saldré como las otras y me escaparé. *Pero él no sabía que Jehová ya se había apartado de él*" (Jue. 16:20, cursivas del autor).

Es más, en su muerte, a Sanson se le presenta como buscando venganza para si y no como sirviendo a Dios. Empero, a pesar de si mismo, Sansón fue usado por Dios para traer liberación a Israel de la opresión filistea. Una de las maravillas de la soberaía de Dios es que sus siervos pueden renegar su llamado y aun ser usados por Dios para lograr sus propósitos. Tendemos a recordar la fuerza de Sanson, pero fue su debilidad la que lo destruyó. Sin embargo, fue su debilidad la que daba oportunidad a que el poder de Dios se viera con más claridad.

El cuarto juez que estudiaremos es Samuel. Aunque no se le considera normalmente un juez, en realidad llenó la laguna entre el período de los jueces y el de la monarquía. Se le conoce más comúnmente como un profeta y, sin embargo, se nos dice de él que ". . . juzgó Samuel a Israel todo el tiempo que vivió" (1 S. 7:15). Habiéndose dedicado a Dios desde los primeros días de su juventud, era un gigante respecto a su obediencia fiel . Al mismo tiempo, él también tenía sus flaquezas pero se le recordaría por sus fortalezas.

Era un hombre que escuchaba a Dios, y proclamaba fielmente lo que oía a su pueblo (1 S. 3:19—4:1a). Su respuesta a Dios como niño evidentemente se hizo patrón para el resto de su vida. De niño le había dicho a Dios; "Habla, proque tu siervo está escuchando" (1 S. 3:10, traducción del autor). Al guiar a su pueblo, lucía como una figura severa y austera. Cuando su pueblo pidió un rey, se sintió rechazado personalmente. Dios lo obligó a que pusiera de nuevo las cosas en una perspectiva correcta, cuando le dijo: ". . . no te han desechado a ti, sino a mí me han desechado, para que no reine sobre ellos" (1 S. 8:7). Hay una tendencia muy palpable de parte de los siervos de Dios de exaltar su propia posición dentro de la economía de Dios. Para recalcar esto, Jesús dijo:

"De cierto, de cierto os digo: El siervo no es mayor que su
señor, ni el enviado es mayor que el que le envió" (Jn.
13:16).

Los jueces nos indican que los siervos de Dios son personas
llamadas para usar sus talentos dados por Dios para realizar la
voluntad de Dios en el mundo. A menudo los historiadores debaten
si son los eventos importantes lo que producen los grandes hombres
o si son los grandes hombres los que hacen que su época sea
importante. Los escritores bíblicos dirían que ambas aseveraciones
erran al blanco. Más bien, es Dios quien dota a sus siervos de las
habilidades para satisfacer las necesidades del momento en su
historia.

Puede que. los siervos sean motivados o por la valentía o por la
cobardía. Dios usa las habilidades de sus siervos cuando estos
responden con fe. Pero, si responden con la desobediencia, Dios aún
puede usarlos para realizar su voluntad. Tal es la soberanía de la
gracia a Dios. Por nosotros o pese a nosotros, sus propósitos se
cumplirán a la larga. Esto es cierto, aun cuando nos falta la visión de
fe para comprender lo que él está haciendo.

Los profetas como siervos

Ya estudiamos los profetas en relación con la revelación (cap.
1), y en relación al llamamiento de Dios a los individuos (cap. 4).
Además, los mensajes de los profetas han impactado casi todos los
aspectos de la fe veterotestamentaria que hemos visto.

Empero, los profetas eran más que voceros o teólogos; eran los
siervos de Dios. Uno de los títulos más comunes que se les da es el
de siervo:

"Porque no hará nada Jehová el Señor, sin que revele su
secreto a sus siervos los profetas" (Am. 3:7).
"Y envió Jehová a vosotros todos sus siervos los profetas,
enviándoles desde temprano y sin cesar; pero no oísteis, ni
inclinasteis vuestro oído para escuchar" (Jer. 25:4).
"Por cuanto no oyeron mis palabras, dice Jehová, que les
envié por mis siervos los profetas. . . " (Jer. 29:19).

Para los profetas, el concepto de siervo evidentemente giraba en
torno a tres ideas básicas. Para ellos, era menester saber lo que Dios
esperaba. El siervo debía conocer la voluntad de su dueño. Fuese
esta voluntad revelada a iniciativa de Dios o en respuesta a la
oración profética, el fin era el mismo. El siervo profético a la larga
sabía lo que Dios esperaba o demandaba.

El segundo concepto básico se relacionaba directamente con el primero. El profeta obedecía la voluntad de Dios. Fuese que involucrara el seguir amando a su esposa infiel, como en el caso de Oseas (Os. 3), fuese el no casarse ni tener una familia como en el caso de Jeremías (Jer. 16:1, 2), fuese el negarse a endechar la muerte de su esposa, como en el caso de Ezequiel (Ez. 24:15-18), en cada caso se esperaba que el siervo profético obedeciese el mandato de Dios.

Además, se esperaba que el siervo profético de Dios proclamase la voluntad de Dios a su pueblo. De manera que a Ezequiel se le dijo:

> "A ti, pues, hijo de hombre, te he puesto por atalaya a la casa de Israel, y oirás la palabra de mi boca, y los amonestarás de mi parte" (Ez. 33:7)

También, cuando el sacerdote de Bet-el ordenó a Amós que fuera a Judá para predicar su mensaje, éste replicó:

> "Y Jehová me tomó de detrás del ganado, y me dijo: Ve y profetiza a mi pueblo Israel. Ahora, pues, oye palabra de Jehová. . ." (Am. 7:15, 16).

Para que entendamos los ministerios de los profetas, es imprescindible que recordemos que eran siervos de Dios. No eran sencillamente voceros de la palabra divina. Se esperaba que la obedeciesen ellos mismos. Probablemente a raíz de esta palabra, Santiago escribió: "Pero sed hacedores de la palabra y no tan solamente oidores, engañándoos a vosotros mismos" (Stg. 1:22). Es menester que los siervos de Dios sean no tan sólo aquellos que conocen y proclaman la palabra de Dios, sino que también la obedezcan.

Además, uno de los conceptos fundamentales del Nuevo Testamento es que Jesús no era simplemente Dios encarnado (Dios en carne), sino que también era la palabra encarnada de Dios. "Y aquel Verbo fue hecho carne, y habitó entre nosotros. . ." (Jn. 1:14). De manera muy real, el servicio de los profetas era un anticipo de esto, porque al obedecer la voluntad de Dios, su palabra se encarnaba en sus vidas. De modo que no tan sólo proclamaban la palabra divina, sino que la vivían plenamente en sus mismas acciones.

Los sacerdotes como siervos

En un sentido muy real, el verbo "servir" es mucho más característico de los sacerdotes en el Antiguo Testamento que el

título de "siervo". Sin embargo, el que sirve es en realidad un siervo.
A los sacerdotes se les consagraba especialmente para servir a Dios
en el culto. Había un ritual prescrito muy detalladamente que se
usaba para apartarlos para este servicio. Era así desde los días más
antiguos en Israel.

> "Esto es lo que les harás para consagrarlos, para que sean
> mis sacerdotes. . . Santificaré asimismo a Aarón y a sus
> hijos, para que sean mis sacerdotes" (Ex. 29:1, 44).

Es bastante evidente no obstante, que aunque Israel había de hacer
el ritual, era Dios quien en realidad consagraba a los sacerdotes para
su servicio.

Además, mientras el profeta tenía que vivir la palabra de Dios
en su vida diaria, el servicio del sacerdote era el de guiar al pueblo
en acercarse a Dios en la adoración.

Poco importa que algunos sacerdotes fracasasen en demostrar
una comprensión del significado verdadero de la adoración. También, había muchos profetas falsos. El punto es que el sacerdote era
un siervo especial de Dios que conducía a su pueblo a Dios. Aun
cuando Aarón fracasó rotundamente en el incidente del becerro de
oro (Ex. 32), nunca se cuestionó el que fuera el hombre el que
fracasó. El oficio seguía siendo el del siervo de Dios. Cuando el
sacerdote fungía supremamente, su servicio a Dios era una bendición para el pueblo. Entonces eran bien conscientes de la presencia
de Dios entre ellos (Lv. 9:22-23).

Probablemente el servicio mayor rendido por los sacerdotes era
durante el gran Día del perdón. En ese día, el sumo sacerdote
entraba al lugar santísimo para hacer la expiación anual por los
pecados de Israel (Lv. 16:3). Fue este servicio particular del
sacerdocio que llegó a ser más significativo en su desarrollo
neotestamentario. La epístola a los Hebreos en su totalidad desarrolla la idea de que Jesús había llegado a ser el sumo sacerdote de
Dios. En esta función, el es nuestro sumo sacerdote que ofrece
expiación por nuestros pecados.

> "Por tanto, teniendo un gran sumo sacerdote que traspasó
> los cielos, Jesús el Hijo de Dios, retengamos nuestra
> profesión. Porque no tenemos un sumo sacerdote que no
> pueda compadecerse de nuestras debilidades, sino uno que
> fue tentado en todo según nuestra semejanza, pero sin
> pecado. Acerquémonos, pues, confiadamente al trono de la
> gracia, para alcanzar misericordia y hallar gracia para el
> oportuno socorro" (He. 4:14-16).

Esto también tiene que ver con el hecho de que el Nuevo Testamento describe a todos los cristianos como sacerdotes. Hemos de ser un "real sacerdocio" (1 P. 2:9). Como tales, pues, hemos de ser siervos de Dios, guiando así al pueblo ante su presencia.

Los reyes como siervos

La relación que existía entre los reyes de Israel y Dios ha sido tema de mucho escrutinio y debate últimamente. Gran parte de este debate está aun sin resolverse. Sin embargo, una cosa se proyecta ampliamante: el rey era un siervo especial de Dios en Israel. No acostumbramos pensar en los líderes políticos como siervos divinos. Muchas de nuestras culturas han separado drásticamente la iglesia del estado. Esto se ha hecho tan fuerte que casi se hace proverbio: "la religión y la política no se mezclan". Los reyes del Antiguo Testamento habrían encontrado esa frase o ridícula o incomprensible. Esto hubiera sido así aun entre los llamados reyes impíos. Fuera lo que fuese su fe, estaba totalmente involucrada en su majestad.

Era esta actitud la que señalaba la diferencia principal entre los reyes de Israel y los de otras naciones del antiguo Cercano Oriente. El rey siempre era el siervo de Dios en Israel. Esto era fundamental en el comienzo mismo del oficio del rey. El rey era escogido por Dios. Tal y como se podría esperar, esto era cierto del primer rey, Saúl (1 S. 9:15-18), pero también era igualmente cierto respecto a su sucesor, David (1 S. 16:1-13).

Más importante aún, el rey no se consideraba como por encima de la ley. Se esperaba que obedeciese a Dios. En casi ningún otro país del mundo antiguo estaba el rey sujeto a la ley. De modo que cuando Acab anhelaba la viña de Nabot, no se atrevió a quitársela, aunque tenía el poder (1 R. 21). Aunque poseía el poder, no poseía el derecho y se daba cuenta de esto. Jezabel, la hija del rey fenicio, no comprendía tal actitud. Ella se apoderó de la tierra sin escrúpulo alguno.

Además, ningún otro rey del antiguo Cercano Oriente hubiera pensado dos veces en cuanto a tomar para su harén real la esposa de otro. Sin embargo, David intentó ocultarlo. Cuando se le acusó de su delito, reconoció su subordinación a la ley de Dios (2 S. 11 y 12).

El rey, pues, servía a Dios por su obediencia a la ley de Dios. También servía a Dios al ser un pastor para su pueblo. Cuando Micaías predijo la muerte de Acab, la describió al decir: ". . . Yo vi a todo Israel esparcido por los montes, como ovejas que no tienen pastor. . ." (1 R. 22:17). El concepto del pastor tenía un significado profundo para el pueblo de Israel. Lo que el pastor hacía por sus ovejas, se esperaba que el rey lo hiciera por su pueblo. El término se enriqueció aún mas con el pensamiento de que Dios era el pastor supremo para Israel. El rey debía ser humanamente lo que Dios era divinamente para su pueblo.

Pero el Antiguo Testamento fue bien claro respecto a lo que no incluia el servicio del rey. No era sacerdote. El autor de Crónicas señala rápidamente que al buen rey Uzías se le castigó, porque intentaba fungir como sacerdote (2 Cr. 26:16-21). A Saúl también se le regañó por oficiar como sacerdote cuando ofreció un sacrificio en Gilgal (1 S. 13:8-14).

El concepto del servicio del rey subrayaba el hecho de que el gobierno humano debía subordinarse á Dios. Pablo desarrolló esta idea aun más al escribir a la iglesia que estaba en el centro del imperio romano.

"Sométase toda persona a las autoridades superiores; porque no hay autoridad sino de parte de Dios, y las que hay, por Dios han sido establecidas" (Ro. 13:1).

Jesús también se identificó con este pensar cuando se le enjuició ante Pilato.

"Entonces le dijo Pilato: ¿A mí no me hablas? ¿No sabes que tengo autoridad para crucificarte, y que tengo autoridad para soltarte? Respondió Jesús: Ninguna autoridad tendrías contra mí, si no te fuese dada de arriba. . . " (Jn. 19:10, 11).

El gobierno humano es ordenado por Dios, pero el gobernante siempre es responsable ante Dios.

Notemos bien que hay una diferencia entre el hecho de que un gobernante sea un siervo responsable de Dios y el establecimiento de cualquier religión como la religión oficial del estado. Esto no invalida la responsabilidad del líder; nunca ha sido así. Primero y principalmente, el gobierno no está para gobernar tanto como para servir. Los gobernantes que se olviden de esto lo hacen a riesgo propio.

Diversidad de siervos

El concepto veterotestamentario del servicio es incompleto a no ser que consideremos aquellos siervos que no encajan en ninguna categoría específica. Es muy evidente que había siervos de Dios que no eran ni patriarcas, ni jueces, ni profetas, ni sacerdotes, ni reyes.

Estaba el pueblo de Israel. La nación misma había de ser la sierva de Dios. Como tal, debía ser obediente, fiel y leal en su servicio amoroso a él. Como hicimos notar al considerar la elección divina de Israel, se les eligió para servirlo individual tanto como colectivamente. En calidad de sus servicios, debían de producir los frutos que él esperaba de ellos. Isaías les castigaba por su fracaso en esto.

> "Ahora cantaré por mi amado el cantar de mi amado a su viña. Tenía mi amado una viña en una ladera fértil. La había cercado y despedregado y plantado de vides escogidas; había edificado en medio de ella una torre, y hecho también en ella un lagar; y esperaba que diese uvas, y dio uvas silvestres" (Is. 5:1, 2).
> "Ciertamente la viña de Jehová de los ejércitos es la casa de Israel, y los hombres de Judá planta deliciosa suya. Esperaba juicio, y he aquí vileza; justicia, y he aquí clamor" (Is. 5:7).

A la nación, específicamente se la identificó como la sierva de Dios en la visión de la gran redención.

> "Ahora, pues, oye, Jacob, siervo mío, y tú, Israel, a quien yo escogí. Así dice Jehová, Hacedor tuyo, y el que te formó desde el vientre, el cual te ayudará; No temas, siervo mío Jacob, y tú, Jesurún, a quien yo escogí" (Is. 44:1, 2).

Israel desgraciadamente parece haberse olvidado constantemente que debiera ser la sierva de Dios. Con demasiada frecuencia el pueblo parece haber creído que era al revés. En lugar de servir a Dios, parece que ellos esperaban que Dios les sirviera a ellos.

Aunque Israel había de ser la sierva de Dios específica y especialmente, naciones y reyes extranjeros también debían de ser sus siervos aun sin conocerlo. Tal era su poder soberano que los podía usar para realizar sus propósitos divinos. Era con este pensamiento que Jeremías proclamaba a Judá:

> "Y ahora yo he puesto todas estas tierras en mano de Nabucodonosor rey de Babilonia, mi siervo, y aun las bestias del campo le he dado para que le sirvan" (Jer. 27:6).

Aunque el rey de Babilonia probablemente nunca había oído hablar del Dios de Israel, de todas maneras era siervo de ese Señor soberano. Esto se nota aún más claramente tocante a Asiria:

> "Oh Asiria, vara y báculo de mi furor, en su mano he puesto mi ira. Le mandaré contra una nación pérfida, y sobre el pueblo de mi ira le enviaré. . . Aunque él no lo pensara así, ni su corazón lo imaginará de esta manera. . . " (Is. 10:5-7).

De manera que podemos decir que en último análisis los siervos de Dios son aquellos por medio de los cuales Dios realiza su voluntad. Es mucho mejor si esos siervos responden con fe obediente a la palabra divina. Es mejor aún si son valientes y leales. Pero, comoquiera que sea, la voluntad última y el propósito del Dios soberano de Israel serán realizados por sus siervos.

Lo que el Nuevo Testamento tiene que decir al respecto es que Dios ha optado por lograr su voluntad sobre la tierra mediante agentes humanos. El ha dado a sus siervos varias tareas que cumplir. Jesús advirtió que: "Ninguno puede servir a dos señores. . ." (Mr. 6:24). Implícito en la advertencia está el hecho de que todo hombre ha de servir a algun señor. Pablo desarrolló aún más el pensamiento al advertir que seremos siervos (esclavos) del pecado o siervos (esclavos) de Dios (Ro. 6:20-22).

Es más, somos llamados a servir dentro tanto como fuera de la comunidad de creyentes. Cada uno de nosotros tiene servicios diferentes que rendir, pero la meta es siempre la misma. Dentro de la comunidad de creyentes nuestro servicio es así:

> "Y él mismo constituyó a unos, apóstoles; a otros, profetas; a otros, evangelistas; a otros, pastores y maestros, a fin de perfeccionar a los santos para la obra del ministerio, para la edificación del cuerpo de Cristo, hasta que todos lleguemos a la unidad de la fe y del conocimiento del Hijo de Dios, a un varón perfecto, a la medida de la estatura de la plenitud de Cristo" (Ef. 4:11-13).

Fuera de esta comunidad nuestro servicio tal vez se declara mejor en la gran comisión:

> "Por tanto, id, y haced discípulos a todas las naciones, bautizándolos en el nombre del Padre, y del Hijo, y del Espíritu Santo, enseñándoles que guarden todas las cosas que os he mandado. . . " (Mt. 28:19, 20).

Nunca debemos olvidar que desde el principio hasta el fin, somos siervos de Cristo. Este fruto neotestamentario era especialmente evidente en el autoconcepto del rabí, Saulo de Tarso. Se identificaba a si mismo como el siervo de las congregaciones en Roma y Filipos (Ro. 1:1; Fil. 1:1). Más importante aun, Jesús mismo amonestaba a sus discípulos a que fuesen siervos de todos (Mr. 9:35). Es su deseo que seamos siervos. Eso era suficiente para los discípulos. Debe ser suficiente para nosotros.

11

MAS ALLA DEL ANTIGUO TESTAMENTO

La narración de la historia humana no ha terminado. Sin importar a cual período o epoca dirijamos nuestra atención, siempre hay algo más allá de tal espacio de tiempo. Lo mismo puede decirse de la revelación divina tal y como se halla en el Antiguo Testamento. No terminó; ni la historia de Israel ni la revelación de Dios acabó cuando se completó el Antiguo Testamento. Había significativamente más, más allá de sus páginas. Daremos nuestra atención a esto ahora.

Específicamente hay dos preguntas que debemos contestar si podemos. Primero, ¿qué pasó con la fe de Israel después del fin del Antiguo Testamento? La segunda pregunta puede contestarse tal vez con una respuesta bien semejante o bien diferente a la que corresponde a la primera pregunta. La segunda pregunta es: ¿qué pasó con la revelación divina después del cierre del Antiguo Testamento?

El movimiento hacia una religión de la ley

Es muy evidente que el judaísmo conocido por Jesús durante su vida o el que encontramos en nuestro mundo contemporáneo es algo diferente de fe de Israel que hemos visto en las páginas del Antiguo Testamento. Al tratar de comprender el cómo y el por qué del cambio, podríamos hacer un estudio muy largo y muy detallado. Eso queda más allá del alcance de esta obra. Sin embargo, hay algunos aspectos que merecen nuestra consideración.

Corriente judía principal en la época de Jesús

Tal vez el rasgo más significativo de la religión del pueblo hebreo durante el tiempo de Jesús era la sinagoga. Esta era el centro de la adoración y de adiestramiento en la fe. Empero, no hay mención alguna de ella en el Antiguo Testamento.

Evidentemente la sinagoga tuvo los comienzos de su desarrollo entre los exiliados y los refugiados esparcidos durante el período del exilio. Ellos necesitaban un lugar o lugares para adorar, ya que estaban separados de su tierra y el templo había sido destruido. Debido a esa necesidad inmediata de un lugar para llevar a cabo su adoración y un sitio en donde enseñar su fe, surgió la sinagoga.

Después del regreso y la reconstrucción del templo, parece que el pueblo aun sentía la necesidad de lugares locales en donde pudieran reunirse para adorar y estudiar. No obstante esto, la sinagoga nunca llegó a ser un rasgo principal en la religión de Israel hasta el período de los macabeos. Al cierre de esta era, la sinagoga había logrado un lugar de importancia en su observancia religiosa y continuó siendo así en los años sucesivos.

Sin duda, la sinagoga desempeñó un papel prominente en la adoración de Jesús. Después de su bautismo y de las tentaciones,

> Vino a Nazaret, donde se había criado; y en el día de reposo entró en la sinagoga, *conforme a su costumbre*. . . (Lc. 4:16, cursivas del autor).

Es claro que el tenía el hábito de adorar y estudiar en la sinagoga del pueblo en que se crió. Además, nos fijamos en que de manera regular escogía las varias sinagogas de Galilea como lugares para dar su enseñanza personal durante los primeros meses de su ministerio (Mt. 4:23; Mr. 1:39; Lc. 4:15). Es más, la sinagoga en Capernaum llegó a ser uno de los centros de su ministerio temprano (Lc. 4:33). Era la sinagoga del judaísmo que proveía el púlpito y el atril para Jesús y también era el sitio de muchos de sus milagros de sanidad.

Además, Pablo también encontró que las sinagogas dispersas a través del mundo romano eran los mejores lugares para comenzar sus esfuerzos misioneros (Hch. 13:14, 15; 17:1-3; 18:4). Allí el encontraba a gente conocedora de las Escrituras veterotestamentarias a quienes podría empezar a predicar las buenas nuevas de Jeuscristo.

Al final, sin embargo, las sinagogas habrían de rechazar al evangelio cristiano tanto como a los mismos cristianos. La curación del hombre ciego desde su nacimiento provocó una crisis en una sinagoga de modo que los líderes acordaron ". . . que si alguno confesase que Jesús era el Mesías, fuera expulsado de la sinagoga" (Jn. 9:22). Es más, Jesús advirtió a sus discípulos que su mensaje sería rechazado, y que ". . . en las sinagogas os azotarán" (Mr. 13:9).

La razón de esta reacción violenta de parte de las sinagogas al mensaje cristiano era que Israel se había movido hacia una religión de la ley. Los fariseos se habían convertido en el partido dominante del día. Con toda justicia, debemos notar que probablemente jamás hubo grupo alguno que fuera más recto moralmente que éste. Ellos eran meticulosos en guardar la ley, pero se habían absorbido tanto en guardarla que la fe viva de sus padres se había extinguido. Ellos habían perdido el espíritu del gozo y de la emoción. Su religión se había hecho una carga. Era esta carga del fariseismo de la que Pablo se deshizo al llegar a conocer a Jesucristo como Señor.

Es bueno que notemos que aunque eran el partido principal en el judaísmo del tiempo de Jesús, los fariseos nunca fueron numerosos. La mayoría de los judíos contemporáneos de Jesús carecían del tiempo y del interés para tales cosas. La mayor parte del pueblo participaba en la adoración en la sinagoga, llevando a cabo sus vidas de manera tranquila. La corriente principal del pueblo parece haber tenido un enfoque muy práctico respecto a su fe. Dios era bueno; el pecado era real; la vida era difícil; la ley les cercaba para protegerlos. No se involucraban generalmente en los debates entre sus líderes respecto a la resurrección o respecto a la colaboración con los gobernantes romanos. Ellos anhelaban una liberación de la opresión política por un mesías militar.

Ahora bien, si la mayoría del pueblo no se interesaba en las sutilezas de la ley, los fariseos y los saduceos si lo hacían. Los saduceos representaban un grupo mas pequeño que el de los fariseos, pero eran más influyentes. Por lo general eran más ricos y políticamente más prominentes. Los fariseos detestaban a los romanos y se negaban a colaborar con ellos de manera alguna. Los saduceos buscaban acomodarse al dominio romano y, por consiguiente, se les daba una cantidad considerable de autoridad temporal en su tierra. Los fariseos creían en una resurrección. Los saduceos no creían en resurrección alguna, sosteniendo que los galardones tanto como los castigos se daban en esta vida. (Es mas fácil creer eso cuando se es rico y poderoso.) Los fariseos se veían envueltos en intrigas con la mira de derrocar a Roma y aclamar a un mesías. Los saduceos buscaban hacer lo mejor posible del mundo tal y como se encontraba.

Generalmente estos dos grupos no se podían ver. Sus discusiones era de naturaleza teológica. El motivo de ellas era la búsqueda del poder. Una de las pocas cosas que les unía era su oposición a

Jesús. Ambos partidos reconocían en él una amenaza para sus
creencias amadas y para su estilo de vida. Y así era. La vida tiene
que cambiarse cuando interviene Jesús.

Sin embargo, es preciso que notemos que sin importar cómo la
ley se interpretase, no había desacuerdo alguno entre la gente, los
fariseos o los saduceos respecto a la ley como la autoridad última
para sus vidas. Esta había venido de Dios y era la guía perfecta para
la vida. Estaba bien que los rabinos y los escribas discutieran cómo
se aplicaba, pero eso si, no se dudaba respecto a su aplicabilidad.
Para el judaísmo del primer siglo la vida era gobernada por la ley.

La comunidad de Qumrán

Juntamente con el desarrollo del judaísmo en esta dirección, había
otro desarrollo paralelo al cual debemos dar alguna atención. Por la
costa occidental del Mar Muerto, se han descubierto las ruinas de
un monasterio conocidas como la comunidad de Qumrán. Se han
identificado como pertenecientes a los esenios, una secta del
judaísmo. Aunque esto carece de comprobación absoluta, parece ser
muy probable. De este grupo recibimos los manuscritos conocidos
como los Rollos del Mar Muerto.

Esta gente se retiró de la sociedad de su época y vivió una vida
ascética y célibe. Ya que era un grupo célibe, el único camino al
crecimiento era la atracción de conversos. Ellos también habían
hecho hincapié en la ley como el fundamento de sus vidas. Poseían
un manual de disciplina muy rigoroso, por el cual vivían y eran
gobernados. Hay dos aspectos principales en sus vidas que son
importantes para nuestro estudio. Primero, se preocupaban por la
preservación de sus escrituras sagradas. Esta preocupación dio a la
erudición bíblica moderna el número extenso de manuscritos y
fragmentos que hemos llamado los Rollos del Mar Muerto. (Estos se
discutieron brevemente en nuestra consideración del texto bíblico
en la "Introducción".) Aparte de los muchos manuscritos bíblicos
que ellos preservaron, también dejaron numerosos rollos que
describen las enseñanzas de su comunidad. Muchas de sus
enseñanzas son semejantes a las de Jesús y del Nuevo Testamento.
La relación entre Jesús y los esenios presenta un campo de estudio
completo en sí mismo.

La segunda consideración de importancia principal para nosotros es el desarrollo de la esperanza mesiánica. Dentro del periodo
posterior al Antiguo Testamento se desarrolló la creencia entre
algunos grupos del judaísmo de que iba a haber dos mesías. Uno de
estos sería descendiente de David y reinaría como un rey. El otro
mesías que se esperaba era descendiente de Aarón y se creía que

éste sería el gran sumo sacerdote. Este concepto de dos mesías asumió gran importancia entre los habitantes de Qumrán.

Esto se hace muy importante en relación con el ministerio de Juan el Bautista. Juan se crió en el desierto de Judea (Lc. 1:80; 3:2). Esta región abarcaba el área en torno a Qumrán. Es muy posible que Juan pasase algún tiempo entre este pueblo. Parece altamente probable que Juan conociera sus enseñanzas y esto especialmente a la luz de su propia predicación.

Puede que esto arroje alguna luz importante sobre el problema de Juan después de su arresto y su encarcelamiento. Parece que Juan estaba bien seguro en el bautismo de Jesús que éste había de ser el Mesías de Dios, Empero, desde la prisión, Juan preguntó: ". . . ¿Eres tú aquel que había de venir, o esperaremos a otro?" (Mt. 11:3). Es posible entender las dudas crecientes de Juan, ya que lo habían encarcelado. Esto es especialmente cierto si él esperaba que Jesús fuese un mesías político que derrocara al odioso gobierno romano.

Pero, si Juan era conocedor de las enseñanzas de Qumrán respecto a los dos mesías, puede ser que su pregunta mostrase un interés teológico más que la expresión de una fe tambaleante. A la luz de esto, puede que Juan hubiera estado preguntando: "¿Eres tú el que ha de venir, o vendrá otro además de ti?" Si efectivamente era esto lo que Juan preguntaba, se añade una significación mucho más profunda a su pregunta.

Tenga esto razón o no, la comunidad de Qumrán era muy legalista. De modo que, por todas partes la religión de Israel durante el tiempo de Jesús se había hecho una religión de la ley. No obstante esto, es menester que notemos que este no era el único desarrollo que asumió el Antiguo Testamento.

El movimiento hacia el cristianismo

Aunque el Antiguo Testamento es la Biblia del judaísmo, también lo es del cristianismo. Como hemos hecho notar a través de este libro, las raíces de fe que se echaron tan profundamente en la tierra del Antiguo Testamento produjeron abundantes flores en la fe del Nuevo Testamento.

De manera que podemos reclamar abiertamente que el Antiguo Testamento desembocó directamente en el cristianismo. Puso el fundamento sobre el cual se edificó el Nuevo Testamento. El primer libro del Nuevo Testamento comienza asociando a Jesús con Abraham (Mt. 1:1-17). En casi cada página, en casi todo capítulo, el Evangelio de Mateo está anclado en el Antiguo Testamento. Hay casi un estribillo fijo:

"Todo esto aconteció para que se cumpliese lo dicho por el Señor por medio del profeta. . ." (Mt. 1:22).
". . . porque así está escrito por el profeta. . . " (Mt. 2:5).
". . . para que se cumpliese lo que dijo el Señor por medio del profeta. . . " (Mt. 2:15).
"Entonces se cumplió lo que fue dicho por el profeta Jeremías. . . " (Mt. 2:17).
". . . para que se cumpliese lo que fue dicho por los profetas. . . " (Mt. 2:23).

Empero, el Nuevo Testamento hace mucho más con el Antiguo Testamento que usarlo como texto de prueba, citando así pasajes específicos que lo confirmen o lo ilustren. La misma esencia del mensaje del Nuevo Testamento estriba en que el mismo es la revelación final que había comenzado en el Antiguo Testamento. Jesús mismo reconocía la autoridad del Antiguo Testamento y así estableció su autoridad para los cristianos. El advirtió a sus discípulos en contra de la insensatez de desechar al Antiguo Testamento, al decir: "No penséis que he venido para abrogar la ley o los profetas; no he venido para abrogar, sino para cumplir" (Mt. 5:17). Al hacerlo, el contrastó el desarrollo legalista dentro del judaísmo de su tiempo con el desarrollo que él realizaba al decir: ". . . si vuestra justicia no fuere mayor que la de los escribas y fariseos, no entraréis en el reino de los cielos" (Mt. 5:20). Además, después de su resurrección, Jesús aún señalaba al Antiguo Testamento como el libro que era la base de la fe y el conocimiento de sus discípulos. "Y comenzando desde Moisés, y siguiendo por todos los profetas, les declaraba en todas las Escrituras lo que de él decían" (Lc. 24:27).

Los cristianos primitivos no se proponían jamás separarse de la fe de Israel. Los discípulos primitivos se hallaban diariamente en el templo, participando así en el culto normal (Hch. 2:46). Evidentemente esto se continuó hasta que los mismos líderes judíos excluyeron a los discípulos de esta adoración. Aún después encontramos a Pablo adorando en el templo hasta el tiempo de su arresto final (Hch. 21:26-28). Cuando por fin el templo tanto como la sinagoga fueron cerrados para ellos, los cristianos primitivos se asían del Antiguo Testamento. Era la base de su fe. Debe ser así para la nuestra.

No había duda en la mente de Jesús ni en la de los apóstoles que el Nuevo Testamento era el cumplimiento del Antiguo. Aún lo es.

12

¿COMO INTERPRETAR EL ANTIGUO TESTAMENTO?

Como hemos indicado anteriormente, el Antiguo Testamento ha sido muy malentendido y muy malinterpretado. Empero, debemos entender claramente que el peor maltrato es ignorarlo. Aunque algunos intérpretes lo han malentendido o lo han malinterpretado, por lo menos intentaban descubrir lo que Dios decía por medio de sus páginas. El fracaso más grande de parte de la mayoría de los cristianos es que ni siquiera hacemos el esfuerzo por interpretarlo. No es que hayamos tratado de hacerlo, o hayamos hallado su mensaje carente del desarrollo neotestamentario pleno. Más bien, lo hemos encontrado difícil de entender y, por consiguiente, no hemos hecho intento alguno. Sin embargo, este es el mismo libro del cual Jesús decía:

> "Escudriñad las Escrituras; porque a vosotros os parece que en ellas tenéis la vida eterna; y ellas son las que dan testimonio de mí" (Jn. 5:39).

Empero, si vamos a estudiar el Antiguo Testamento con seriedad, debemos desarrollar un método o técnica para hacerlo. El método de acertar o errar a menudo tiene más errores que aciertos. Me parece a mí que hay cinco pasos básicos que deben darse en cualquier estudio sistemático del Antiguo Testamento. Cada uno de estos debe aplicarse cuidadosa y plenamente si vamos a tomar en serio nuestro deseo de sondear el verdadero mensaje del Antiguo Testamento.

El señorío de Cristo

Como preliminar al acercamiento mismo al Antiguo Testamento, debemos subrayar nuestro compromiso de fe con el señorío de

Jesús. El es Señor de toda la vida. El es Señor de la Biblia. El es Señor del Antiguo Testamento. El punto de arranque para interpretar cualquier pasaje debe ser nuestro compromiso con Cristo como Señor. Si un pasaje falla en no sostener o reforzar esa creencia, entonces hemos fracasado en nuestra interpretación.

Además, el punto final en nuestra interpretación debe ser también el señorío de Cristo. Por su propio reclamo, él es el cumplimiento del Antiguo Testamento. Si nuestro estudio del Antiguo Testamento no conduce de nuevo a Jesús, entonces no hemos hecho un estudio correcto.

De ningún modo significa esto que todo pasaje del Antiguo Testamento forzosamente tenga que verse al mismo nivel que las enseñanzas de Jesús. Sencillamente esto no es cierto, pero el Antiguo Testamento definitivamente nos conduce a Jesús. Por lo tanto, si un pasaje parece fallar en ese cometido, no importa cuán levemente, habremos fracasado en nuestro intento por captar el sentido.

Notemos una advertencia significativa a esta altura. Nunca debemos ser culpables de leer algo en un pasaje que no esté allí. No debemos estar tan ansiosos por encontrar una verdad espiritual que la fabriquemos. El Antiguo Testamento mismo descartó esta clase de interpretación. En el libro de Job, sus tres amigos hablaban cosas que parecían muy piadosas y verdaderas. Pero estaban del todo equivocados.

> ". . . Jehová dijo a Elifaz temanita: Mi ira se encendió contra ti y tus dos compañeros; porque no habéis hablado de mí lo recto, como mi siervo Job" (Job 42:7).

No es necesario leer en un pasaje más de lo que Dios ha puesto allí. Tampoco hay necesidad de quitar de un pasaje las verdades genuinas que Dios ha colocado allí. Debemos cavar profundo para encontrar la verdad de un pasaje. No debemos imponer allí nuestra teología. Tampoco debemos atrevernos a permitir que nuestras creencias nos cieguen a lo que en verdad dice. Nuestra tarea es, bajo el señorío de Jesús, la de encontrar exactamente lo que el pasaje dice. Hacer más o hacer menos es comprometer la revelación de Dios. Esto no lo debemos hacer nunca.

Paso 1: Encuentre lo que dice realmente el pasaje

Al comenzar la tarea de la interpretación, debemos determinar primero lo que el pasaje en cuestión realmente dice. Es mejor traducirlo uno mismo, pero la mayoría de los cristianos carecen del conocimiento y la destreza para hacer eso. Afortunadamente, esa no es una barrera infranqueable. Hoy por hoy hay tantas traducciones de la Biblia disponibles que podemos acercarnos al pasaje original mediante la comparación de varias traducciones.

Nos hace falta ser conscientes del hecho de que hay una diferencia marcada entre una traducción y una paráfrasis. Una traducción es un esfuerzo por una persona o grupo de personas para poner las palabras originales de la Escritura en las mejores palabras de nuestro idioma. Una paráfrasis es el esfuerzo por comprender el significado de un pasaje y ponerlo en las palabras del autor. Puede ser que las paráfrasis nos ayuden para hacer un estudio biblico, pero son un obstaculo para descubrir con exactitud lo que un pasaje realmente dice.

El traductor empleará la mejor evidencia de todos los manuscritos antiguos disponibles para procurar descubrir lo que decía el idioma original. También empleará el mejor conocimiento de los idiomas bíblicos y de los idiomas contemporáneos con el fin de que su traducción se aproxime lo mas posible al original. Ya que nuestro propio idioma está cambiando, las palabras adecuadas hace un siglo o hace siquiera una generación pueden no ser ya totalmente adecuadas. Es por esta razón que usted y yo debemos ocupar varias traducciones, siempre incluyendo las más nuevas y las mejores accesibles.

Al estudiar las varias traducciones, debemos compararlas y contrastarlas hasta que sintamos que hemos logrado la mejor comprensión de lo que decía el original. Debe ser obvio que no escogemos sencillamente aquella traducción que más se parezca a nuestras ideas preconcebidas. Más bien, buscamos descubrir el significado de lo que en realidad se escribió.

Cuando se haya hecho esto, entonces debemos hacer un estudio de las palabras clave en el pasaje. Al darnos cuenta de que a menudo varias palabras hebreas son traducidas por una sola palabra castellana y viceversa, nos será de gran ayuda una buena concordancia analítica. Esta nos proporciona la palabra hebrea (o palabras) de la que ha sido traducida una palabra castellana en particular. Al estudiar el empleo que se le da a palabras idénticas en pasajes similares, podemos lograr una mejor comprensión del significado verdadero de la palabra. Debemos estar bien seguros de entender el significado verdadero de la palabra castellana. Un buen diccionario es indispensable en este sentido.

No puedo recalcar demasiado la importancia de saber con la máxima precisión posible lo que decía un pasaje y lo que las palabras querían decir antes de proseguir con la interpretación. Nuestra interpretación de un pasaje puede que se haga esmeradamente pero, si las palabras con las que trabajamos no representan lo que realmente decía el texto, no habremos logrado nada. De modo que el primer paso siempre procura descubrir lo que dice un pasaje. Sin esto, todo lo demas fracasará.

Paso 2: Establezca el significado histórico del pasaje

Una vez que hayamos establecido lo que dice un pasaje, estamos listos para el segundo paso. En este debemos determinar lo que el pasaje significaba en su contexto histórico original. Cada pasaje del Antiguo Testamento se escribió originalmente para un lugar y un tiempo específicos. Tanía un mensaje de Dios para ese auditorio, y debemos intentar entenderlo. Ubicar un pasaje en su contexto histórico es difícil y requiere un estudio diligente y consistente; exige también mucho pensamiento cuidadoso.

Para poder hacer esto, debemos emplear todo el conocimeinto del mundo antiguo que podamos encontrar. Para hacer esto, investigamos en libros de arqueología, de historia y en la Biblia misma. Debemos ejercer cuidado al trabajar con los libros de arqueología e historia, reconociendo que constantemente se hacen descubrimientos que modifican estos libros. Por consiguiente, necesitamos persistir en estos estudios constantemente. Los buenos comentarios nos ayudan también en este punto, pero ¡cuidado! El solo hecho de que alguien escriba algo en un libro no hace que esté en lo cierto. Bien puede ser que se haya equivocado, basándose en una investigación incompleta. Puede ser que esté anticuado. Sea como fuere, esta clase de información puede despistarnos. Téngase calma al leer y estudiar. Mientras más se pueda aprender de los períodos históricos del Antiguo Testamento y de la cultura de Israel y la de sus vecinos, más se podrá entender el pasaje dentro de su contexto.

Por ejemplo, las plagas en Egipto siempre han sido de gran interés, pero se hacen mucho más significativas cuando nos damos cuenta de que cada una de ellas estaba dirigida contra alguna creencia religiosa contemporánea del país. Cobra un nuevo significado todo el episodio cuando nos damos cuenta de que Dios no estaba meramente jugando con los egipcios. La serie completa de eventos representaba una lucha entre los dioses de Egipto y el Dios de Israel. En cada caso los dioses de Egipto perdieron. ¡El Dios de Israel era el Señor soberano!

Al comprender el trasfondo contra el cual está puesto un pasaje en particular, es mucho más probable que captemos de verdad lo que Dios estaba diciendo a su pueblo. Hasta que se tenga cierto grado de seguridad respecto a lo que el pasaje quería decir al autor o al que hablaba y·a los receptores, no estamos preparados para proseguir en nuestra interpretación. Cuando hayamos establecido su significado histórico, entonces podremos seguir adelante.

Paso 3: Descubra el principio básico del pasaje

Uno de los énfasis fundamentales de la Biblia es que Dios es el Dios del orden y no del caos. El es el Dios de significado, no el de tonterías. En base a este concepto, procedemos al tercer paso en la interpretación de un pasaje. Sea el que fuere el significado fundamental de un pasaje, tiene que tener sus raíces en su significado histórico. Es posible que su significado para nosotros hoy sea distinto al antiguo, pero su significado contemporáneo tiene que relacionarse con el significado antiguo. Es preciso que nazca del mismo.

Al mismo tiempo, debemos ser conscientes de que no podemos fallar en el descubrimiento del principio básico de un pasaje. Tal vez la debilidad principal singular en mucho del estudio del Antiguo Testamento sea que nunca progresa hasta este paso. Habiendo establecido el significado histórico, el comentarista termina. Detenernos solo con el Antiguo Testamento significaría no llegar nunca al Nuevo Testamento. Detenernos con el Antiguo Testamento sería fallar en no ver nunca a Jesús.

Quizá el mejor ejemplo de lo que se quiere decir por el descubrimiento del principio básico se halla en el Evangelio de Mateo. Allí, en el Sermón del monte, encontramos el enfoque de Jesús mismo al problema. Al abordar el asesinato, iba directamente al problema fundamental de la ira (Mt. 5:21-26). Al tratar el problema del adulterio, atacaba el principio de la lujuria (Mt. 5:27-30). Cuando versaba sobre el divorcio, enfocaba el problema básico del matrimonio (Mt. 5:31, 32). Al considerar el jurar falsamente, buscaba el problema esencial de la veracidad sencilla (Mt. 5:33-37). Al discutir la justicia exacta y de igualdad, abogaba por ir más allá de lo que pudiera demandarse o esperarse (Mt. 5:38-42). Por último, al considerar el mandamiento de amar al prójimo señalaba el principio de amar a los enemigos (Mt. 5:43-48). En cada ejemplo, se descubría el principio subyacente y se lo llenaba con una nueva aplicación, yendo hacia adelante en la misma dirección en la cual había sido establecido originalmente. La nueva enseñanza estaba relacionada íntimamente con su significado antiguo. Pero, en ningún caso, fue limitado a su significado antiguo o simplemente tomado y plantado sin cambio en el mundo del tiempo de Jesús.

De manera que debemos hacer el mismo tipo de acercamiento

al Antiguo Testamento. Habiendo identificado el significado histórico, nos incumbe buscar su principio y el rumbo en que iba. Este rumbo o dirección, pues, nos conducirá al descubrimiento de su significado para hoy.

Empero, aún esto no basta. Debemos hacer aún más.

Paso 4: Aplique el pasaje a la vida contemporánea

Una vez que hayamos descubierto el significado contemporáneo de un pasaje en base a su significado antiguo, entonces debemos ver cómo se aplica a la vida contemporánea. Esto requiere un comocimiento genuino del significado de la vida. Debemos ser conscientes de las alegrías y las congojas, los problemas y las potencialidades, las derrotas y las victorias que nosotros y los que están en nuestro derredor tenemos que encarar cada día. Dios tiene un mensaje para ellos y para nosotros. Aplicar un pasaje del Antiguo Testamento a la vida contemporánea exige un conocimiento de la vida tanto como del pasaje.

Cada pasaje contiene un "¿qué?" Es la tarea del intérprete descubrir precisamente cómo el pasaje se relaciona con la vida. Hay varias herramientas que nos ayudarán. Una lectura constante del diario y de las revistas principales en unión con una atención cuidadosa a los noticieros televisivos o radiofónicos nos ayudarán a comprender las crisis mayores y menores de nuestro día. Esto es imprescindible, pero no es suficiente en sí mismo.

Esto tiene que unirse a un interés intenso por los asuntos de la gente. Escuchemos a los que nos rodean. Oigamos sus palabras y los significados más profundos detrás de lo que dicen. En breve, lleguemos a tener empatía con los que estén en nuestro derredor.

Estas cosas tienen que unirse a un esfuerzo honesto por comprender nuestras propias necesidades. En general, la gente es bastante similar. Tarde o temprano tenemos los mismos temores y dudas, las mismas esperanzas y sueños. Al llegar a comprender nuestro mundo, a nuestros vecinos y a nosotros mismos, seremos más capaces de aplicar los pasajes bajo estudio a las necesidades de nuestro mundo. La palabra de Dios hablará al corazón humano, pero debemos dejar que él nos use en la aplicación de ella. Esto nos lleva al paso final en el proceso de la interpretación del Antiguo Testamento.

Paso 5: Aplique la dimensión espiritual

Comenzamos este capítulo refiriéndonos al hecho de que Jesús es el Señor del Antiguo Testamento. Lo hemos continuado al hacer una lista de los pasos básicos en su interpretación. Pero, bajo el señorío de Cristo hay un quinto paso que debe ser aplicado a la metodología de la interpretación del Antiguo Testamento. Nosotros estamos tratando con el libro de Dios. Es la palabra de Dios que estamos procurando interpretar. Hacer esto sin Dios sería la mayor de las insensateces. Por lo tanto, debemos aplicar una dimensión espiritual a nuestra técnica de interpretación.

Debemos orar para que el Espíritu Santo nos guíe en todo. Esto no se hace sólo al final, sino que debe aplicarse durante todo el proceso. Jesús, al reconocer las limitaciones de sus discípulos, les dijo:

"Aún tengo muchas cosas que deciros, pero ahora no las podéis sobrellevar. Pero cuando venga el Espíritu de verdad, el os guiará a toda la verdad. . . El me glorificará; porque tomará de lo mío, y os lo hará saber" (Jn. 16:12-14).

Esto es aún cierto.

Si hemos de ser intérpretes exitosos de la palabra, debemos buscar la dirección de Dios en la oración en cada paso del camino. Debemos acogernos a la promesa de Jesús cuando nos decía que el Espíritu Santo nos guiaría a toda la verdad y que ". . . os enseñará todas las cosas. . ." (Jn. 14:26).

Si no pedimos la dirección del Espíritu de Dios, estaremos intentando comprender la revelación de Dios en base a nuestra propia fuerza. Esto estará destinado al fracaso. Acabara siendo únicamente un ejercicio intelectual y no un peregrinaje espiritual. Hay riquezas en el Antiguo Testamento que pueden ser descubiertas por el estudiante entusiasta que a su vez tenga discernimiento espiritual. Estas riquezas no están ocultas sino disponibles. Dios las ha colocado allí y él nos ayudará a encontrarlas. Eso sí, debemos llegar a la Palabra con sinceridad y con una búsqueda diligente. Cualquier cosa que sea menos que esto, fracasará.

El Antiguo Testamento es la raíz de la cual brotó el Nuevo Testamento. Era la Biblia de las iglesias primitivas. Tiene un mensaje para nosotros. He intentado recalcar los énfasis básicos de su mensaje tanto como alentarle y ayudarle en su estudio adicional. Empero, en último análisis, será su propia devoción a Dios y a su palabra la que determinará el uso y el estudio que le de a esta magnífica revelación de Dios. Usted puede hacer caso omiso de ella, o la puede atesorar. Eso queda entre usted y el Señor. Eso sí, acuérdese de que fue Dios quien dijo:

"Sécase la hierba, marchítase la flor; mas la palabra del Dios nuestro permanece para siempre" (Is. 40:8)

Así sea.